De deal

John Grisham

De deal

A.W. Bruna Uitgevers B.V., Utrecht

Oorspronkelijke titel
The Broker
© 2005 by Belfry Holdings, Inc.
Vertaling
Hugo Kuipers
Omslagontwerp
Studio Eric Wondergem
© 2005 A.W. Bruna Uitgevers B.V., Utrecht

ISBN 90 229 8930 5
NUR 332

Vierde druk, juli 2005

1

In de laatste uren van een presidentschap dat waarschijnlijk minder belangstelling van historici zou krijgen dan alle presidentschappen sinds dat van William Henry Harrison (31 dagen van inauguratie tot dood) zat Arthur Morgan met zijn laatst overgebleven vriend in het Witte Huis. Hij dacht na over zijn laatste beslissingen. Op dat moment had hij het gevoel dat hij alle beslissingen in de afgelopen vier jaar had verknoeid, en hij had er niet veel vertrouwen in dat hij nu op het eind de dingen nog in orde kon maken. Zijn vriend was daar ook niet zo zeker van, maar zoals altijd zei hij weinig, en als hij iets zei, was dat precies wat de president wilde horen.

Het ging om gratieverzoeken, wanhopige smeekbeden van dieven en oplichters en leugenaars, van wie sommigen nog in de gevangenis zaten en anderen nooit straf hadden gekregen maar die toch hun goede naam gezuiverd wilden hebben en in hun dierbare rechten hersteld wilden worden. Ze beweerden allemaal dat ze vrienden waren, of vrienden van vrienden, of enthousiaste ondersteuners, al waren maar een paar ooit in de gelegenheid geweest om in de afgelopen vier jaar hun steun te betuigen. Het was jammer dat na vier tumultueuze jaren waarin hij leiding had gegeven aan de vrije wereld, hij uiteindelijk alleen nog maar met een miezerig stapeltje verzoeken van een stel criminelen bleef zitten. Welke dieven moest hij de kans geven om opnieuw te stelen? Dat was de grote vraag waarvoor de president zich gesteld zag terwijl de laatste uren voorbijkropen. Die laatste vriend was Critz, een oude vriend uit hun studententijd aan de Cornell Universiteit, waar Morgan de leiding van het studentenbestuur had en Critz met de stembiljetten knoeide. In de afgelopen vier jaar was Critz achtereenvolgens perschef, stafchef, nationale veiligheidsadviseur en zelfs minister van Buitenlandse Zaken geweest, al had hij dat laatste ambt maar drie maanden bekleed en was daar in allerijl een eind aan gekomen doordat Critz met zijn unieke stijl van diplomatie bedrijven bijna de Derde Wereldoorlog had ontketend. Critz' recentste benoeming had afgelopen oktober plaatsgevonden, in de koortsachtige laatste weken van de herverkiezingsstrijd. Toen uit de peilingen bleek dat president Morgan een grote achterstand had in minstens veertig staten, nam Critz de leiding van de campagne en slaagde hij erin de rest van het land ook nog van Morgan te vervreemden, met mogelijk als enige uitzondering de staat Alaska.

Het waren historische verkiezingen geweest; nooit eerder had een zittende president zo weinig kiesmannen in de wacht gesleept. Drie, om precies te zijn, allemaal uit Alaska, de enige staat waar Morgan, op aanraden van Critz, niet was geweest. Er waren 535 kiesmannen voor de uitdager, drie voor president Morgan. Het woord 'nederlaag' was nog veel te zwak voor dit gigantische fiasco.

Zodra de stemmen waren geteld, besloot de uitdager, daartoe onverstandig geadviseerd, de resultaten in Alaska te betwisten. Waarom zou ik niet proberen alle kiesmannen te krijgen, redeneerde hij. Nooit meer zou een presidentskandidaat de gelegenheid krijgen zijn tegenstander zo verpletterend te verslaan dat die niet één kiesman achter zich kreeg. Zes weken lang moest de president blijven lijden, zes weken waarin verwoede processen werden gevoerd in Alaska. Toen het hooggerechtshof uiteindelijk de drie kiesmannen van die staat aan hem toekende, openden hij en Critz in diepe stilte een fles champagne.

President Morgan was gecharmeerd geraakt van Alaska, al had hij volgens de officiële resultaten een voorsprong van niet meer dan zeventien stemmen gehad.

Hij had uit meer staten moeten wegblijven.

Hij verloor zelfs in Delaware, zijn thuisstaat, waar de ooit zo verlichte kiezers hem acht geweldige jaren als gouverneur hadden bezorgd. Zoals hij nooit de tijd had gevonden om Alaska te bezoeken, zo had zijn tegenstander Delaware volkomen links laten liggen; geen noemenswaardige organisatie, geen televisiereclame, geen enkel bezoek tijdens de campagne. En toch had zijn tegenstander 52 procent van de stemmen gekregen!

Critz zat in een zware leren stoel met een schrijfblok waarop hij een lijst had gemaakt van honderd dingen die onmiddellijk moesten gebeuren. Hij zag zijn president langzaam van het ene naar het andere raam lopen, turend in de duisternis, dromend van wat had kunnen zijn. De man voelde zich diep vernederd. Op zijn 58e was zijn leven voorbij, zijn carrière een ravage, zijn huwelijk in gevaar. Mevrouw Morgan was al naar Wilmington, Delaware, teruggekeerd en kon alleen maar lachen om het idee dat ze in een blokhut in Alaska zouden gaan wonen. Critz betwijfelde of het wel iets voor zijn vriend was om de rest van zijn leven met jagen en vissen door te brengen, maar het vooruitzicht om drieduizend kilometer van mevrouw Morgan vandaan te wonen was erg aanlokkelijk. Ze zouden misschien ook Nebraska hebben veroverd als de nogal aristocratische first lady het footballteam niet de 'Sooners' had genoemd. De Nebraska Sooners!

Meteen daarop was Morgan zo diep gezakt in de peilingen van zowel Nebraska als Oklahoma dat hij daar niet meer van kon herstellen.

En in Texas nam ze een hap bekroonde chili en begon te braken. Toen ze in allerijl naar het ziekenhuis werd gebracht, ving een microfoon haar daarna beroemd geworden woorden op: 'Hoe kunnen jullie zo achterlijk zijn om die vieze troep te eten?'

Nebraska was goed voor vijf kiesmannen, Texas voor vierendertig. Die belediging van het plaatselijke footballteam was een fout die Morgan naast zich neer had kunnen leggen. Maar geen enkele kandidaat kon zo'n denigrerende beschrijving van Texaanse chili te boven komen.

Wat een campagne! Critz kwam in de verleiding om een boek te schrijven. Iemand moest de catastrofe op schrift stellen.

Aan hun bijna veertigjarige samenwerking kwam een eind. Critz had een baan van tweehonderdduizend dollar per jaar bij een defensieleverancier bemachtigd, en hij zou het toesprakencircuit ingaan voor vijftigduizend dollar per keer, als iemand bereid was om dat te betalen. Nadat hij zijn leven aan de publieke zaak had gewijd, was hij straatarm en werd hij snel ouder. Hij wilde het grote geld binnenhalen.

De president had zijn fraaie huis in Georgetown met enorme winst verkocht. Hij had een kleine ranch gekocht in Alaska, waar de mensen blijkbaar veel bewondering voor hem hadden. Hij was van plan de rest van zijn leven daar door te brengen. Hij zou gaan jagen, vissen en misschien zijn memoires schrijven. Zolang het maar niets te maken had met politiek en Washington. Hij zou niet de grote oude staatsman worden, de grijze eminentie op de achtergrond, de wijze leider van weleer. Geen afscheidstournee, geen toespraken op conventies, geen ereprofessoraten in de politieke wetenschappen. Geen presidentiële bibliotheek. De kiezers hadden met een duidelijke, daverende stem gesproken. Als ze hem niet wilden, kon hij ook heel goed zonder hen door het leven gaan.

'We moeten een beslissing nemen over Cuccinello,' zei Critz. De president stond voor een raam in het duister te staren. Hij dacht nog aan Delaware. 'Wie?'

'Figgy Cuccinello, die filmregisseur die is aangeklaagd omdat hij seks had met een jong sterretje.'

'Hoe jong?'

'Vijftien, geloof ik.'

'Dat is erg jong.'

'Zeg dat wel. Hij is naar Argentinië gevlucht; daar is hij al tien jaar. En nu heeft hij heimwee. Hij wil terugkomen en weer vreselijke films gaan maken. Hij zegt dat zijn kunst hem naar huis roept.'

'Misschien roepen de jonge meisjes hem naar huis.'

'Dat ook.'

'Zeventien zou ik niet erg vinden. Vijftien is te jong.'

'Hij heeft zijn aanbod verhoogd tot vijf miljoen.'

De president draaide zich om en keek Critz aan. 'Hij biedt vijf miljoen voor gratie?'

'Ja, en er is haast bij. Het geld moet telegrafisch uit Zwitserland worden overgeboekt. Het is daar nu drie uur 's nachts.'

'Waar zou het heen gaan?'

'We hebben rekeningen in het buitenland. Geen punt.'

'Wat zou de pers doen?'

'Dat zou akelig zijn.'

'Het is altijd akelig.'

'Deze keer zou het heel erg akelig zijn.'

'Eigenlijk kan de pers me niet schelen.'

Waarom vraag je het dan, wilde Critz zeggen.

'Is het geld te achterhalen?' vroeg de president en hij draaide zich weer om naar het raam.

'Nee.'

De president krabde met zijn rechterhand in zijn nek, iets wat hij altijd deed als hij met een moeilijke beslissing worstelde. Tien minuten voordat hij bijna een atoombom op Noord-Korea gooide, had hij zich gekrabd tot zijn huid kapotging en het bloed op de boord van zijn witte overhemd liep. 'Het antwoord is nee,' zei hij. 'Vijftien is te jong.'

Zonder dat er was geklopt ging de deur open en stormde Artie Morgan binnen, de zoon van de president. Hij had een flesje Heineken in zijn ene hand en wat papieren in de andere. 'Ik heb net met de CIA gesproken,' zei hij nonchalant. Hij droeg een vale spijkerbroek en geen sokken. 'Maynard komt hierheen.' Hij gooide de papieren op het bureau en verliet de kamer. De deur gooide hij met een klap achter zich dicht.

Artie zou die vijf miljoen dollar meteen aanpakken, dacht Critz, ongeacht de leeftijd van het meisje. Vijftien was zeker niet te jong voor Artie. Ze zouden misschien in Kansas hebben gewonnen als Artie niet in een motelkamer in Topeka was betrapt met drie tienermeisjes, van wie de oudste zeventien was geweest. De officier van Justitie had uiteindelijk – twee dagen na de verkiezingen – de aanklachten ingetrokken, omdat alle drie de meisjes een verklaring hadden ondertekend waarin ze verklaarden geen seks met Artie te hebben gehad. Ze hadden op het punt gestaan, ja het was een kwestie van seconden geweest voordat er allerlei stoeipartijen waren begonnen, maar toen had een van hun moeders op de deur van de motelkamer geklopt en zo een orgie voorkomen.

De president ging in zijn leren schommelstoel zitten en deed alsof hij in wat nutteloze papieren bladerde. 'Nog nieuws over Backman?' vroeg hij.

In de achttien jaar dat hij directeur van de CIA was, was Teddy Maynard nog geen tien keer in het Witte Huis geweest. En nooit voor een diner (hij had altijd om gezondheidsredenen geweigerd) en ook nooit om een buitenlandse hoogwaardigheidsbekleder gedag te zeggen (die lieten hem koud). Toen hij nog kon lopen, was hij wel eens naar het Witte Huis gegaan om te overleggen met degene die op dat moment president was, en misschien ook met een of twee van diens beleidsmakers. Sinds hij in een rolstoel zat, had hij vooral telefonisch contact met het Witte Huis. Twee keer was een vice-president zelfs naar het CIA-hoofdkantoor in Langley gereden om met Maynard te praten.

Dat was het enige voordeel van zo'n rolstoel: hij gaf je een geweldig excuus om te doen en te laten waar je zin in had. Niemand stond te springen om een kreupele oude man van hot naar her te duwen.

Hij was al bijna vijftig jaar spion en hij permitteerde zich nu de luxe dat hij recht naar achteren keek als hij in een auto zat. Hij reed in een onopvallend wit busje – kogelvrij glas, loden wanden, twee zwaarbewapende jongens achter de zwaarbewapende bestuurder – en zat met zijn gezicht naar achteren in zijn aan de vloer vastgeklemde rolstoel, zodat hij het verkeer kon zien dat hem niet kon zien. Twee andere busjes volgden op een afstand, en als iemand zo onverstandig was om te proberen dicht bij de directeur te komen, werd daar onmiddellijk een stokje voor gestoken. Niet dat zoiets werd verwacht. De meeste mensen dachten dat Teddy Maynard dood was of zijn laatste levensdagen sleet in een geheim verpleegtehuis waar oude spionnen heen werden gestuurd om dood te gaan. Zo had Teddy het gewild.

Hij had een dikke grijze deken om zich heen en werd verzorgd door Hoby, zijn trouwe adjudant. Terwijl het busje met een constante snelheid van honderd kilometer per uur over de Beltway reed, nam Teddy slokjes groene thee die hem uit een thermosfles werd ingeschonken door Hoby, en keek naar de auto's achter hen. Hoby zat naast de rolstoel op een leren kruk die speciaal voor hem was gemaakt.

Een slokje thee en Teddy zei: 'Waar is Backman op dit moment?'

'In zijn cel,' antwoordde Hoby.

'En onze mensen zijn bij de gevangenisdirecteur?'

'Ze zitten in zijn kantoor te wachten.'

Weer een slok uit een kartonnen bekertje, dat hij goed met beide handen vasthield. Die handen waren zwak, dooraderd, met de kleur van afgeroomde melk, alsof ze al dood waren en geduldig op de rest van zijn lichaam wachtten. 'Hoe lang duurt het om hem het land uit te krijgen?'

'Ongeveer vier uur.'

'En het plan is klaar?'

'Alles is voorbereid. We wachten op het groene licht.'

'Ik hoop dat die idioot begrijpt wat er moet gebeuren.'

Critz en de idioot keken naar de muren van het Oval Office. Hun diepe stilte werd alleen nu en dan onderbroken door een opmerking over Joel Backman. Ze moesten over iets praten, want ze wilden geen van beiden iets zeggen over wat hen werkelijk bezighield.

Kon dit echt gebeuren?

Was het nu echt afgelopen?

Veertig jaar. Van de Cornell Universiteit naar het Witte Huis. Het eind was zo plotseling gekomen dat ze niet genoeg tijd hadden gehad om zich er goed op voor te breiden. Ze hadden op nog vier jaar gerekend. Vier jaren van glorie waarin ze zorgvuldig hun stempel op de wereld zouden drukken om ten slotte in stijl de zonsondergang tegemoet te rijden.

Het was al laat, maar buiten leek het nog donkerder te worden. De ramen die uitkeken op de Rose Garden, waren zwart. Het was bijna te horen hoe de klok boven de haard de laatste uren wegtikte.

'Wat doen de media als ik Backman gratie verleen?' vroeg de president niet voor het eerst.

'Ze gaan door het lint.'

'Dat kan leuk worden.'

'Daar ben jij niet meer bij.'

'Nee.' Als de volgende dag om twaalf uur 's middags de macht was overgedragen, zou hij aan zijn ontsnapping uit Washington beginnen door met een privé-jet (eigendom van een oliemaatschappij) naar de villa van een oude vriend op het eiland Barbados te vliegen. In opdracht van Morgan waren de televisies uit de villa weggehaald, werden er geen kranten of tijdschriften bezorgd en waren alle telefoons uitgeschakeld. Minstens een maand zou hij met niemand in contact staan, zelfs niet met Critz en zeker niet met zijn vrouw. Het kon hem niet schelen al brandde heel Washington af. Heimelijk hoopte hij daarop.

Na Barbados zou hij naar zijn blokhut in Alaska glippen, en daar zou hij de wereld blijven negeren terwijl de winter voorbijging en hij op het voorjaar wachtte.

'Moeten we hem gratie verlenen?' vroeg de president.

'Waarschijnlijk wel,' zei Critz.

De president sprak van 'we', zoals hij altijd deed wanneer er een beslissing moest worden genomen die in slechte aarde kon vallen. Bij gemakkelijkere beslissingen was het altijd 'ik'. Wanneer hij steun nodig had, en vooral wanneer hij iemand nodig had die hij de schuld kon geven, verruimde hij het besluitvormingsproces door Critz erbij te betrekken.

Critz nam al veertig jaar de schuld op zich, en hoewel hij daar vast en zeker goed in was, had hij er ook genoeg van. Hij zei nu: 'De kans is groot dat we hier niet zouden zijn als Joel Backman er niet was geweest.'

'Daar kon je wel eens gelijk in hebben,' zei de president. Hij had altijd volgehouden dat hij gekozen was vanwege zijn briljante verkiezingscampagne, zijn charismatische persoonlijkheid, zijn griezelig goede inzicht in de dingen waar het om ging en zijn heldere visie voor Amerika. Het was bijna schokkend dat hij nu eindelijk toegaf alles aan Joel Backman te danken te hebben.

Maar Critz had ook een dikke huid. Bovendien was hij te moe om geschokt te zijn.

Zes jaar geleden had het Backman-schandaal bijna heel Washington beziggehouden en uiteindelijk een smet op het Witte Huis geworpen. Er hing opeens een donkere wolk boven een populaire president, en dat gaf Arthur Morgan de kans om het Witte Huis binnen te strompelen.

Nu hij op het punt stond naar buiten te strompelen, vond hij het een prachtig idee om het establishment van Washington, dat hem vier jaar uit de weg was gegaan, nog een klap in het gezicht te geven. Als hij Joel Backman gratie verleende, zou dat de muren van alle kantoorgebouwen in Washington doen schudden en zou de pers in een staat van krijsende razernij komen te verkeren. Dat leek Morgan wel wat. Terwijl hij lag te zonnen op Barbados, zou het regeringsapparaat helemaal vastlopen. Congresleden zouden hoorzittingen eisen, openbare aanklagers zouden hun show opvoeren voor de camera's, en de onuitstaanbare commentatoren zouden aan een stuk door wauwelen in de actualiteitenrubrieken.

De president glimlachte in de duisternis.

Op de Arlington Memorial Bridge over de rivier de Potomac schonk Hoby weer wat groene thee in de kartonnen beker van de CIA-directeur. 'Dank je,' zei Teddy zachtjes. 'Wat doet onze jongen morgen, als hij de macht heeft overgedragen?' vroeg hij.

'Hij vlucht het land uit.'

'Hij had eerder moeten vertrekken.'

'Hij is van plan om een maand naar de Caraïben te gaan. Daar kan hij zijn wonden likken, de wereld buitensluiten, mokken, wachten tot iemand een beetje belangstelling toont.'

'En zijn vrouw?'

'Die zit alweer in Delaware te bridgen.'

'Gaan ze uit elkaar?'

'Als hij slim is wel. Afwachten maar.'

Teddy nam zorgvuldig een slokje thee. 'Hoe kunnen we Morgan onder druk zetten als hij weigert?'

'Ik denk niet dat hij weigert. De besprekingen zijn tot nu toe goed verlopen. Ik denk dat we Critz aan onze kant hebben. Hij heeft tegenwoordig veel meer kijk op de dingen dan Morgan. Critz weet dat ze nooit in het Witte Huis zouden zijn gekomen als het Backman-schandaal er niet was geweest.'

'Zoals ik zei: hoe kunnen we hem onder druk zetten als hij weigert?'

'Dat kunnen we niet. Hij is een idioot, maar hij is brandschoon.'

Ze verlieten Constitution Avenue, reden 18th Street in en gingen even later door het oostelijke hek van het Witte Huis. Mannen met machinegeweren doken op uit de duisternis en agenten van de Secret Service in zwarte regenjassen brachten het busje tot stilstand. Er werden codewoorden uitgesproken, de radio knetterde, en enkele minuten later lieten ze Teddy uit het busje zakken. Binnen werd de rolstoel vluchtig doorzocht, maar er bleek zich niets anders in te bevinden dan een kreupele, warm aangeklede oude man.

Artie, minus de Heineken en opnieuw zonder kloppen, stak zijn hoofd om de deur en kondigde aan: 'Maynard is er.'

'Dus hij leeft nog,' zei de president.

'Amper.'

'Nou, rij hem maar naar binnen.'

Hoby en een adjunct-directeur, Priddy, kwamen achter de rolstoel aan het Oval Office binnen. De president en Critz verwelkomden hun gasten en leidden hen naar de zithoek voor de haard. Terwijl Maynard zo min mogelijk in het Witte Huis kwam, had Priddy daar bijna zijn intrek genomen. Hij stelde de president elke morgen op de hoogte van inlichtingenzaken.

Toen ze plaatsnamen, keek Teddy in de kamer om zich heen alsof hij naar afluisterapparaatjes zocht. Hij was er bijna zeker van dat die er niet waren; aan die praktijken was een eind gekomen na Watergate. Nixon had genoeg draden in het Witte Huis laten aan-

13

leggen om een kleine stad te elektrocuteren, maar daar had hij natuurlijk wel de prijs voor betaald. Teddy daarentegen was wel van apparatuur voorzien. Boven de as van zijn rolstoel, enkele centimeters onder de zitting, was een krachtige recorder aangebracht die elk geluid zou vastleggen dat in het komende halfuur werd gemaakt.

Hij probeerde te glimlachen naar president Morgan, maar eigenlijk had hij willen zeggen: ik heb nog nooit een politicus ontmoet met minder capaciteiten dan jij; alleen in Amerika kan een idioot als jij de top halen.

President Morgan glimlachte naar Teddy Maynard, maar eigenlijk had hij willen zeggen: ik had jou vier jaar geleden al moeten ontslaan; die dienst van jou brengt dit land steeds weer in verlegenheid.

Teddy: ik had nooit verwacht dat je in zelfs maar één staat zou winnen, al was het met zeventien stemmen.

Morgan: jij kunt nog geen terrorist vinden al adverteerde hij met een reclamebord.

Teddy: ga maar lekker vissen. Je vangt nog minder forellen dan stemmen.

Morgan: waarom ben jij niet gewoon doodgegaan, zoals alle mensen van wie jij me toezegde dat ze zouden doodgaan?

Teddy: presidenten komen en gaan, maar ik blijf.

Morgan: Critz wilde dat ik je liet aanblijven. Je hebt je baan aan hem te danken. Ik wilde je er al uit schoppen toen ik pas twee weken in het Witte Huis zat.

Critz zei hardop: 'Iemand koffie?'

'Nee,' zei Teddy, en zodra dat was vastgesteld, waren Hoby en Priddy zo beleefd om ook te weigeren. En omdat de CIA geen koffie wilde, zei president Morgan: 'Ja, zwart met twee klontjes suiker.' Critz knikte naar een secretaresse die in een halfopen zijdeur stond te wachten.

Hij draaide zich snel om naar de anderen en zei: 'We hebben niet veel tijd.'

Teddy zei vlug: 'Ik wil het over Joel Backman hebben.'

'Zegt u het maar,' zei de president.

'Zoals u weet,' ging Teddy verder, en hij deed bijna of de president er niet bij was, 'is Backman naar de gevangenis gegaan zonder een woord te zeggen. Hij weet nog steeds dingen die de nationale veiligheid in gevaar kunnen brengen.'

'U kunt hem niet vermoorden,' gooide Critz eruit.

'We kunnen geen Amerikaanse burgers elimineren, Critz. Dat is in strijd met de wet. We laten dat liever aan iemand anders over.'

'Ik kan het niet volgen,' zei de president.

'Het plan is als volgt. Als u Backman gratie verleent, en als hij die gratie accepteert, hebben we hem binnen een paar uur het land uit. Hij moet bereid zijn zich de rest van zijn leven schuil te houden. Dat hoeft geen punt te zijn, want hij weet dat er nogal wat mensen zijn die hem graag dood willen hebben. We brengen hem naar een ander land, waarschijnlijk in Europa, want daar kunnen we hem gemakkelijk in de gaten houden. Hij krijgt een nieuwe identiteit. Hij zal vrij zijn, en in de loop van de tijd zullen de mensen Joel Backman vergeten.'

'Dat is niet het eind van het verhaal,' zei Critz.

'Nee. We wachten een jaar of zo en laten dan wat uitlekken op de juiste plaatsen. Ze sporen Backman op en vermoorden hem, en als ze dat doen, krijgen wij antwoord op veel vragen.'

Er volgde een lange stilte waarin Teddy eerst Critz en toen de president aankeek. Toen hij ervan overtuigd was dat ze er geen snars van begrepen, ging hij verder: 'Het is een heel eenvoudig plan, heren. Het gaat erom wie hem vermoordt.'

'Dus u houdt hem in het oog?' vroeg Critz.

'Heel zorgvuldig.'

'Wie zitten er achter hem aan?' vroeg de president.

Teddy vouwde zijn dooraderde handen weer samen en leunde een beetje achterover. Toen keek hij langs zijn lange neus, als een schoolmeester die zijn kleine derdeklassers toespreekt. 'Misschien de Russen, misschien de Chinezen, misschien de Israëliërs. Of anderen wellicht.'

Wie die anderen waren, vertelde Teddy niet. Dat had hij nooit gedaan en zou hij ook nooit doen, ongeacht wie er president was en ongeacht hoe lang die nog in het Witte Huis zou zitten. Ze kwamen en gingen. Sommigen zaten er vier jaar, anderen acht. Sommigen hielden van de spionagewereld, anderen waren alleen maar geïnteresseerd in de nieuwste peilingen. Morgan had een buitenlands beleid gevoerd dat nergens op leek, en nu de man nog maar een paar uur president zou zijn, was Teddy echt niet van plan hem meer te vertellen dan nodig was om die gratieverlening voor elkaar te krijgen.

'Waarom zou Backman met zoiets akkoord gaan?' vroeg Critz.
'Misschien gaat hij niet akkoord,' antwoordde Teddy. 'Maar hij heeft zes jaar in eenzame opsluiting gezeten. Dat betekent 23 uur per dag in een kleine cel. Eén uur daglicht. Drie keer douchen per week. Slecht eten; ze zeggen dat hij dertig kilo is afgevallen. Ik heb gehoord dat het niet goed met hem gaat.'
Twee maanden geleden, na de verpletterende verkiezingsnederlaag, toen Teddy Maynard zijn gratieplan uitdacht, had hij aan enkele van zijn vele koordjes getrokken en waren de condities van Backmans gevangenschap veel slechter geworden. De temperatuur in zijn cel was vijf graden verlaagd, en de afgelopen maand had hij vreselijk gehoest. Zijn voedsel, dat nooit erg lekker was geweest, werd nog eens door de keukenmachine gehaald en koud afgeleverd. Zijn toilet spoelde vaak niet door. De bewaarders maakten hem wakker op alle uren van de nacht. Hij mocht minder van de telefoon gebruikmaken. De juridische bibliotheek waar hij twee keer per week naartoe ging, was plotseling verboden terrein geworden. Backman, die jurist was, kende zijn rechten en dreigde met alle mogelijke procedures tegen de gevangenis en de overheid, al had hij nog geen eis ingediend. Het gevecht eiste zijn tol. Backman vroeg om slaaptabletten en prozac.
'U wilt dat ik Joel Backman gratie verleen, want dan kunt u ervoor zorgen dat hij wordt vermoord?' vroeg de president.
'Ja,' zei Teddy zonder omhaal. 'Al zullen we daar niet rechtstreeks voor zorgen.'
'Maar het gaat gebeuren.'
'Ja.'
'En zijn dood zal in het belang van onze nationale veiligheid zijn?'
'Daar ben ik volkomen van overtuigd.'

2

De isolatieafdeling van de federale strafinrichting Rudley had veertig identieke cellen, allemaal vier bij vier meter zonder ramen, zonder tralies, met groen geverfde betonnen muren en wanden van B-2-blokken, en een massief metalen deur met onderin een kleine opening voor dienbladen met voedsel en een open kijkgaatje waardoor de bewaarders af en toe een blik naar binnen wierpen. De afdeling zat vol met overheidsinformanten, drugsverklikkers, maffia-afvalligen en een paar spionnen, mannen die apart moesten worden opgesloten omdat er een heleboel mensen waren die hun de keel wilden doorsnijden. De meesten van de veertig gedetineerden die in Rudley in beschermende hechtenis zaten, hadden zelf om de isolatieafdeling gevraagd.

Joel Backman probeerde te slapen, toen twee bewaarders zijn deur opengooiden en zijn licht aandeden. 'Je moet naar de directeur,' zei een van hen, en verder werd er niets uitgelegd. Ze reden zwijgend in een gevangenisbusje over de ijskoude prairie van Oklahoma, langs andere gebouwen met minder streng bewaakte criminelen, naar het kantoor toe. Backman, die zonder duidelijke redenen handboeien om had, werd vlug naar binnen gebracht, twee trappen op en door een lange gang naar een grote kamer waar licht brandde en waar iets belangrijks gebeurde. Hij keek op een klok aan de muur; het was bijna elf uur 's avonds.

Hij had de directeur nooit ontmoet, en dat was niet zo ongewoon. Om veel goede redenen mengde de directeur zich niet onder de gedetineerden. Hij hoefde geen stemmen te winnen en hij hoefde ook geen moeite te doen om de troepen te motiveren. Hij had drie andere mannen in pakken bij zich, serieus kijkende mannen die al een tijdje zaten te praten. Hoewel roken strikt verboden was in gebouwen van de Amerikaanse overheid, stond er een volle asbak en hing er een dichte mist onder het plafond.

Zonder enige inleiding zei de directeur: 'Gaat u daar zitten, meneer Backman.'

'Aangenaam kennis te maken,' zei Backman, terwijl hij naar de andere mannen in de kamer keek. 'Waarom ben ik hier?'

'Daar zullen we het over hebben.'

'Mogen die handboeien misschien af? Ik beloof dat ik niemand vermoord.'

De directeur snauwde iets tegen de dichtstbijzijnde bewaarder, die een sleutel uit zijn zak opdiepte en Backman bevrijdde. Vervolgens ging de bewaarder vlug de kamer uit en gooide daarbij de deur met een klap achter zich dicht, tot grote ergernis van de directeur, een erg nerveuze man.

Hij wees en zei: 'Dit is agent Adair van de FBI. Dit is meneer Knabe van het ministerie van Justitie. En dit is meneer Sizemore, ook uit Washington.'

Ze kwamen geen van drieën naar Backman toe, die verbaasd om zich heen stond te kijken. Hij knikte naar hen, een halfslachtige poging tot beleefdheid die niet beantwoord werd.

'Gaat u zitten,' zei de directeur, en nu nam Backman eindelijk plaats. 'Dank u. Zoals u weet, meneer Backman, krijgt ons land binnenkort een nieuwe president. President Morgan verlaat het Witte Huis. Op dit moment zit hij in het Oval Office en worstelt met de vraag of hij u volledige gratie moet verlenen.'

Backman moest plotseling erg hard hoesten. Dat kwam door de bijna winterse temperatuur in zijn cel, maar ook omdat hij werd verrast door het woord 'gratie'.

Knabe, de man van Justitie, gaf hem een fles water, waar hij vlug uit dronk, zo vlug dat het water over zijn kin liep. Ten slotte lukte het hem de hoest te bedwingen. 'Gratie?' mompelde hij.

'Volledige gratie, onder enige voorwaarden.'

'Maar waarom?'

'Dat weet ik niet, meneer Backman, en het is ook niet aan mij om te begrijpen wat er gebeurt. Ik ben alleen maar de boodschapper.'

Sizemore, van wie alleen maar was gezegd dat hij 'uit Washington' kwam, zonder dat zijn functie of organisatie werd vermeld, zei: 'Het is een deal, meneer Backman. In ruil voor volledige gratie moet u bereid zijn het land te verlaten, nooit terug te komen en met een nieuwe identiteit op een plaats te leven waar niemand u kan opsporen.'

Dat is geen punt, dacht Backman. Hij wilde zelf ook niet opgespoord worden.

'Maar waarom?' mompelde hij opnieuw. De fles water in zijn linkerhand trilde zichtbaar.

Sizemore uit Washington zag die fles trillen. Hij keek aandachtig naar Joel Backman, van zijn gemillimeterde haar naar zijn versleten goedkope hardloopschoenen en zijn zwarte gevangenissokken, en zag onwillekeurig de man weer voor zich zoals hij vroeger was geweest. Er stond hem een omslag van een tijdschrift voor ogen. Een fraaie foto van Joel Backman in een zwart Italiaans pak, onberispelijk gekleed en verzorgd. Hij had met zoveel zelfvoldaanheid als menselijkerwijs mogelijk was in de camera gekeken. Zijn haar was langer en donkerder geweest, zijn knappe gezicht vlezig en rimpelloos, zijn taille royaal en getuigend van veel uitgebreide lunches en langdurige diners. Hij hield van wijn en vrouwen en sportwagens. Hij had een vliegtuig, een jacht, een huis in Vail en mocht graag over al die dingen praten. Boven zijn hoofd stond in vette letters: DE MANIPULATOR, IS DIT DE OP EEN NA MACHTIGSTE MAN IN WASHINGTON?

Het tijdschrift zat in Sizemores aktetas, samen met een dik dossier over Joel Backman. Dat had hij bestudeerd in het vliegtuig van Washington naar Tulsa.

Volgens het tijdschriftartikel bedroeg het inkomen van de manipulator in die tijd meer dan tien miljoen dollar per jaar, al had hij daar niet veel over willen zeggen. De advocatenfirma die hij had opgericht, had tweehonderd advocaten, wat klein was voor Washingtonse begrippen, maar had zonder enige twijfel de meeste invloed in politieke kringen. Het was een lobbymachine, geen kantoor waar echte advocaten hun vak uitoefenden. Je kon het beter vergelijken met een bordeel voor rijke ondernemingen en buitenlandse regeringen.

Kijk nu eens wat ervan over is, dacht Sizemore, toen hij die fles water zag trillen.

'Ik begrijp het niet,' kon Backman fluisterend uitbrengen.

'En we hebben geen tijd om het uit te leggen,' zei Sizemore. 'Het is een snelle deal, meneer Backman. Jammer genoeg hebt u geen tijd om erover na te denken. U moet meteen beslissen. Ja of nee. Wilt u hier blijven, of wilt u onder een andere naam leven aan de andere kant van de wereld?

'Waar?'

'Dat weten we niet, maar we vinden wel iets.'

'Zal ik daar veilig zijn?'

'Die vraag moet u zelf beantwoorden, meneer Backman.'

Toen Backman over zijn eigen vraag nadacht, beefde hij nog meer.

'Wanneer ga ik weg?' vroeg hij langzaam. Zijn stem werd even wat krachtiger, maar er lag zoals altijd een hevige hoestbui op de loer.

'Nu meteen,' zei Sizemore, die de leiding van de bespreking had overgenomen en de directeur, de FBI en het ministerie van Justitie tot toeschouwers had gedegradeerd.

'Nu meteen?'

'U gaat niet naar uw cel terug.'

'Gossie,' zei Backman, en de anderen moesten onwillekeurig glimlachen.

'Er staat een bewaarder bij uw cel,' zei de directeur. 'Hij brengt u wat u wilt.'

'Er staat altijd een bewaker bij mijn cel,' snauwde Backman tegen de directeur. 'Als het dat sadistische rotzakje van een Sloan is, zegt u dan tegen hem dat hij mijn scheermesjes moet pakken en zijn polsen moet doorsnijden.'

Ze slikten allemaal moeizaam en wachtten tot de woorden door de ventilatiegaten waren ontsnapt. In plaats daarvan sneden de woorden door de vervuilde lucht en gingen ze nog een tijdje de kamer rond.

Sizemore schraapte zijn keel, verplaatste zijn gewicht van de linker- naar de rechterbil en zei: 'Er zitten heren in het Oval Office te wachten, meneer Backman. Gaat u akkoord?'

'De president zit op mij te wachten?'

'Zo zou u het kunnen zeggen.'

'Hij staat bij me in het krijt. Hij zit daar dankzij mij.'

'Dit is echt niet het moment om over zulke dingen te discussiëren, meneer Backman,' zei Sizemore rustig.

'Doet hij dit om mij een wederdienst te bewijzen?'
'Ik weet niet wat de president denkt.'
'Nu gaat u ervan uit dat hij kan denken.'
'Ik zal hem bellen en zeggen dat het antwoord nee is.'
'Wacht.'
Backman dronk de fles water leeg en verzocht om nog een fles. Hij veegde met zijn mouw over zijn mond en zei: 'Is het zoiets als die projecten om getuigen te beschermen. Zoiets?'
'Het is geen officieel project, meneer Backman. Maar van tijd tot tijd vinden we het nodig om mensen te verbergen.'
'Hoe vaak verliest u er een?'
'Niet zo vaak.'
'Niet zo vaak? Dus er is geen garantie dat ik veilig ben?'
'Er wordt niets gegarandeerd. Maar uw kansen zijn gunstig.'
Backman keek de directeur aan en zei: 'Hoeveel jaren moet ik hier nog zitten, Lester?'
Lester was opeens weer bij het gesprek betrokken. Niemand noemde hem Lester, een naam waaraan hij een grote hekel had. Volgens het naamplaatje op zijn bureau heette hij L. Howard Cass. 'Veertien jaar, en u mag me directeur Cass noemen.'
'Cass zakkenwas. De kans is groot dat ik binnen drie jaar dood ben. Een combinatie van ondervoeding, onderkoeling en slechte medische verzorging krijgt dat wel voor elkaar. Lester regeert met harde hand, jongens.'
'Kunnen we gaan?' zei Sizemore.
'Natuurlijk ga ik akkoord,' zei Backman. 'Welke idioot zou dat niet doen?'
Knabe van Justitie kwam nu eindelijk in beweging. Hij maakte een aktetas open en zei: 'Hier zijn de papieren.'
'Voor wie werkt u?' vroeg Backman aan Sizemore.
'De president van de Verenigde Staten.'
'Nou, zeg tegen hem dat ik niet op hem kon stemmen omdat ik in de bak zat. Maar anders zou ik dat zeker hebben gedaan. En wilt u hem ook namens mij bedanken?'
'Dat zal ik doen.'

Hoby schonk weer een bekertje groene thee in, zonder cafeïne want het was bijna middernacht, en gaf het aan Teddy, die in een deken gehuld was en naar het verkeer achter hen keek. Ze reden door

21

Constitution Avenue en waren bijna bij de Roosevelt Bridge. De oude man nam een slokje en zei: 'Morgan is te stom om graties te verkopen. Maar over Critz maak ik me zorgen.'

'Er is een nieuwe rekening op het eiland Nevis,' zei Hoby. 'Die is twee weken geleden opgedoken. Hij is geopend door een obscure onderneming die eigendom is van Floyd Dunlap.'

'En wie is dat?'

'Een van Morgans geldinzamelaars.'

'Waarom Nevis?'

'Dat is de nieuwste plek om je zwarte geld heen te brengen.'

'En we volgen het?'

'We zitten er bovenop. Als er geld wordt overgeboekt, moet dat in de komende 48 uur gebeuren.'

Teddy knikte vaag en keek naar links, waar hij een deel van het Kennedy Center kon zien. 'Waar is Backman?'

'Die verlaat de gevangenis.'

Teddy glimlachte en nam een slokje thee. Ze reden zwijgend de brug over, en toen ze de Potomac achter zich hadden, zei hij ten slotte: 'Wie krijgen hem te pakken?'

'Doet dat er iets toe?'

'Nee. Maar het zal me een genoegen zijn de wedstrijd te volgen.'

Joel Backman droeg een versleten maar gesteven en geperst kaki militair uniform, waarvan alle emblemen en insignes waren verwijderd, glimmende zwarte soldatenschoenen en een dikke marineblauwe anorak met een capuchon die hij lekker strak om zijn hoofd trok. Om vijf minuten na middernacht, veertien jaar eerder dan hij had verwacht, liep hij de strafinrichting Rudley uit. Hij had daar zes jaar in eenzame opsluiting gezeten, en nu hij wegging, had hij een kleine canvas tas met een paar boeken en wat foto's bij zich. Hij keek niet achterom.

Hij was 52, gescheiden, blut, volkomen vervreemd van twee van zijn drie kinderen en volkomen vergeten door alle vrienden die hij ooit had gehad. Niet één van hen was na het eerste jaar van zijn gevangenschap met hem blijven corresponderen. Een oude vriendin, een van de talloze secretaresses achter wie hij in zijn dure kantoor aan had gezeten, was hem tien maanden blijven schrijven, totdat in de *Washington Post* te lezen stond dat het volgens de FBI onwaarschijnlijk was dat Joel Backman miljoenen dollars van zijn firma en zijn cliënten had ingepikt, zoals eerst was gedacht. Wie wil er nou corresponderen met een straatarme advocaat in de gevangenis? Met een rijke misschien wel.

Zijn moeder schreef hem soms, maar ze was 91 en zat in een goedkoop verpleegtehuis bij Oakland, en bij elke brief die hij van haar kreeg dacht hij dat het haar laatste zou zijn. Hij schreef haar eens per week, maar betwijfelde of ze nog iets kon lezen en hij wist wel zeker dat het de personeelsleden van dat tehuis aan de tijd en de belangstelling ontbrak om haar iets voor te lezen. Ze schreef altijd 'Bedankt voor de brief', maar ging nooit in op iets wat hij had geschreven. Hij stuurde haar kaarten bij bijzondere gelegenheden. In een van haar brieven had ze toegegeven dat niemand zich haar verjaardag had herinnerd.

De soldatenschoenen waren erg zwaar. Terwijl hij zich voortsleepte over het trottoir, besefte hij dat hij de afgelopen zes jaar bijna voortdurend op zijn sokken had doorgebracht, zonder schoenen aan. Het was vreemd waar je allemaal aan dacht als je zo plotseling werd vrijgelaten. Wanneer had hij voor het laatst zware schoenen of laarzen gedragen? En hoe gauw kon hij die verrekte dingen wegdoen?

Hij bleef even staan en keek naar de lucht. Elke dag had hij een uur over een stukje gras naast zijn gevangenisafdeling mogen lopen. Altijd alleen, altijd met een bewaarder erbij, alsof hij, Joel Backman, een voormalige advocaat die nooit in woede met een vuurwapen had geschoten, opeens gevaarlijk kon worden en iemand letsel kon toebrengen. De 'tuin' had een drie meter hoge omheining van draadgaas, met scheermesprikkeldraad langs de bovenrand. Daarachter lag een leeg afvoerkanaal, en daar weer achter een eindeloze, boomloze prairie die zich tot in Texas uitstrekte, nam hij aan.

Sizemore en FBI-agent Adair begeleidden hem. Ze brachten hem naar een donkergroene SUV die geen enkel opschrift had maar waaraan je toch meteen kon zien dat het een wagen van de overheid was. Joel ging in zijn eentje op de achterbank zitten en begon te bidden. Hij kneep zijn ogen stijf dicht, klemde zijn kaken op elkaar en vroeg God om er alsjeblieft voor te zorgen dat de motor startte, dat de wielen draaiden, dat de hekken opengingen, dat de papieren in orde waren; alsjeblieft, God, geen wrede grappen. Dit is geen droom, God, alsjeblieft!

Twintig minuten later was Sizemore de eerste die sprak. 'Zeg, meneer Backman, hebt u honger?'

Backman was opgehouden met bidden en huilde nu. Hij wist dat de auto in een gestaag tempo had gereden, al had hij zijn ogen niet opengedaan. Hij lag nu op de achterbank en vocht tegen zijn emoties, een gevecht dat hij jammerlijk verloor.

'Ja,' kon hij uitbrengen. Hij ging rechtop zitten en keek naar buiten. Ze reden op een snelweg en er vloog een groen bord voorbij: AFSLAG PERRY. Ze stopten op het parkeerterrein van een pannenkoekenhuis, nog geen halve kilometer van de snelweg vandaan. In de verte reden grote trucks met ronkende dieselmotoren. Joel keek er even naar en luisterde. Hij keek weer naar boven en zag een halvemaan.

'Hebben we haast?' vroeg hij Sizemore toen ze het restaurant binnengingen.

'We zitten op schema,' was het antwoord.

Ze gingen aan een tafel bij het raam aan de voorkant zitten en Joel keek naar buiten. Hij bestelde toast en fruit, niets machtigs omdat hij bang was dat zijn lichaam helemaal gewend was aan de drab waarop hij had geleefd. De conversatie verliep stroef: de twee overheidsdienaren waren geprogrammeerd om weinig te zeggen en ze waren absoluut niet in staat om over koetjes en kalfjes te praten. Niet dat Joel geïnteresseerd was in iets wat ze te zeggen hadden.

Hij deed zijn best om niet te glimlachen. Sizemore zou later rapporteren dat Backman soms naar de deur keek en de andere klanten blijkbaar goed in de gaten hield. Hij maakte niet de indruk dat hij bang was, integendeel. Naarmate de minuten verstreken en hij over de schok heen raakte, paste hij zich snel aan en werd hij enigszins levendig. Hij verslond twee porties toast en dronk vier koppen zwarte koffie.

Een paar minuten na vier uur die nacht passeerden ze het hek van Fort Summit bij Brinkley in Texas. Backman werd naar het ziekenhuis van de basis gebracht en door twee artsen onderzocht. Afgezien van verkoudheid en hoest, en zijn magere postuur, was hij er niet slecht aan toe. Vervolgens werd hij naar een hangar gebracht, waar hij een zekere kolonel Gantner ontmoette, die meteen zijn beste vriend werd. In opdracht van Gantner, en onder diens nauwlettend toezicht, trok Joel een groene legeroverall met de naam HERZOG boven de rechterborstzak aan. 'Ben ik dat?' vroeg Joel, kijkend naar de naam.

'De komende 48 uur wel,' zei Gantner.

'En wat is mijn rang?'

'Majoor.'

'Niet slecht.'

Terwijl ze deze korte briefing hadden, glipten Sizemore uit Washington en agent Adair weg. Joel zou hen nooit meer zien. Bij het ochtendgloren stapte Joel door het achterluik van een C-130 vrachtvliegtuig en liep hij met Gantner mee naar een kleine slaapruimte op het bovendek, waar zes andere soldaten zich voorbereidden op een lange vlucht.

'Neem dat bed,' zei Gantner en hij wees naar het bed het dichtst bij de vloer.

'Mag ik vragen waar we heen gaan?' fluisterde Joel.

'Dat mag, maar ik mag geen antwoord geven.'

'Ik ben alleen maar nieuwsgierig.'

'Ik stel je op de hoogte voor we gaan landen.'

'En wanneer is dat?'

'Over ongeveer veertien uur.'

Omdat er geen ramen waren die hem afleiding konden bezorgen, ging Joel op het bed liggen en trok een deken over zijn hoofd. Toen ze opstegen, snurkte hij al.

3

Critz sliep een paar uur en ging lang voor het begin van de inauguratie van huis. Hij en zijn vrouw vertrokken in alle vroegte met een van de vele privé-jets van zijn nieuwe werkgever naar Londen. Hij zou daar twee weken doorbrengen en vervolgens naar Washington terugkeren om als nieuwe lobbyist een erg oud spel te spelen. Hij had daar helemaal geen zin in. Jarenlang had hij de sukkels de straat zien oversteken en aan een nieuwe carrière zien beginnen: hun vroegere collega's onder druk zetten, hun ziel aan iedereen verkopen die genoeg geld had om de invloed te kopen die zij in de aanbieding hadden. Het was zo'n verrot vak. Hij was het politieke leven zat, maar jammer genoeg wist hij niets anders te bedenken.

Hij zou wat toespraken houden, misschien een boek schrijven, nog een paar jaar rondhangen in de hoop dat iemand zich hem herinnerde. Maar Critz wist hoe snel de ooit machtige figuren in Washington vergeten werden.

President Morgan en CIA-directeur Maynard hadden afgesproken dat het Backman-verhaal 24 uur werd stilgehouden, tot na de inauguratie. Dat kon Morgan niet schelen; dan zat hij op Barbados. Critz daarentegen voelde zich niet gebonden aan enige overeenkomst, zeker niet wanneer die was gesloten met iemand als Teddy Maynard. Na een lang diner met veel wijn belde hij om ongeveer twee uur 's nachts in Londen naar een Witte Huis-correspondent van CBS en fluisterde hem de elementaire feiten van de Backman-gratie in het oor. Zoals hij had voorspeld, kwam CBS al in het roddeluurtje van de vroege ochtend met het verhaal, en voor acht uur bulderde het nieuws door heel Washington.

Joel Backman had op het allerlaatste moment volledig en onvoorwaardelijk gratie gekregen!

Er waren geen bijzonderheden over zijn vrijlating bekend. Het laatste wat iedereen van hem wist, was dat hij opgesloten zat in een maximaal beveiligde gevangenis in Oklahoma.

In die nerveuze stad Washington begon de dag met het nieuws van de gratie. Dat nieuws moest wedijveren met de nieuwe president die aan zijn eerste volledige dag in functie begon.

De failliete advocatenfirma Pratt & Bolling was momenteel gevestigd in Massachusetts Avenue, vier straten ten noorden van Dupont Circle; geen slechte locatie, maar lang niet zo stijlvol als het oude adres aan New York Avenue. Een paar jaar eerder, toen Joel Backman de leiding had – toen was het nog Backman, Pratt & Bolling – had hij erop gestaan dat ze de hoogste huur van de stad betaalden, alleen opdat hij door de immens grote ramen van zijn immens grote kamer op de achtste verdieping naar het Witte Huis kon kijken. Nu was het Witte Huis nergens te zien; er waren hier geen imposante kamers met een prachtig uitzicht; het gebouw had drie verdiepingen, niet acht. En de firma was van tweehonderd erg goed betaalde advocaten geslonken tot dertig die net het hoofd boven water konden houden. Het eerste faillissement – op kantoor meestal aangeduid als Backman I – had de firma gedecimeerd, maar wonder boven wonder waren de partners toen buiten de gevangenis gebleven. Backman II was het gevolg van een drie jaar durende venijnige machtsstrijd, inclusief gerechtelijke procedures, tussen de overlevenden. De concurrenten van de firma mochten graag zeggen dat Pratt & Bolling meer tijd besteedde aan processen tegen zichzelf dan aan de processen waarvoor ze waren ingehuurd.

Maar op deze vroege ochtend zwegen de concurrenten. Joel Backman was een vrij man. De manipulator was uit de gevangenis. Zou hij een comeback maken? Zou hij naar Washington terugkeren? Was het allemaal waar? Vast niet.

Kim Bolling zat momenteel achter slot en grendel in een alcoholkliniek, en vandaar zou hij regelrecht naar een particuliere psychiatrische inrichting gaan, waar hij nog vele jaren moest blijven. De ondraaglijke stress van de afgelopen zes jaar had hij niet aangekund en hij zou er nooit meer bovenop komen. De nieuwste nachtmerrie die Joel Backman hun bereidde, viel dan ook in de tamelijk royale schoot van Carl Pratt.

Pratt was degene geweest die 22 jaar eerder het noodlottige 'ja, ik wil' had uitgesproken, toen Backman had voorgesteld hun twee kleine firma's te laten fuseren. Het was ook Pratt geweest die zestien jaar keihard had gewerkt om de rommel achter Backman op te ruimen, jaren waarin de firma zich had uitgebreid, de vette honoraria binnenstroomden en alle ethische grenzen onherkenbaar vaag werden. Pratt had wekelijks strijd geleverd met zijn medevennoot, al stond daar tegenover dat hij in de loop van de tijd zelf ook de vruchten van hun enorme succes kon plukken.

En Pratt was degene die zelf ook bijna was vervolgd, kort voordat Joel Backman heroïsch alle schuld op zijn schouders had genomen. Het akkoord dat Backman met het Openbaar Ministerie sloot, waarbij de andere vennoten buiten schot bleven, hield in dat er een boete van tien miljoen dollar moest worden betaald en leidde daarmee direct tot het eerste faillissement: Backman I.

Maar liever failliet dan achter de tralies, zei Pratt bijna dagelijks tegen zichzelf. Die ochtend liep hij in alle vroegte door zijn schamele kantoor. Hij mompelde in zichzelf en deed wanhopig zijn best te geloven dat het nieuws gewoon niet waar was. Hij stond voor zijn kleine raam en keek naar het grijze gebouw naast het kantoor en vroeg zich af hoe het had kunnen gebeuren. Hoe kon een straatarme, geroyeerde, diep vernederde ex-advocaat/lobbyist een vleugellamme president overhalen hem op het allerlaatste moment gratie te verlenen?

Toen Joel Backman naar de gevangenis ging, was hij waarschijnlijk de bekendste witteboordencrimineel van Amerika. Iedereen wilde hem aan de galg zien bungelen.

Maar, gaf Pratt zichzelf toe, als iemand ter wereld zo'n wonder voor elkaar kon krijgen, dan was het Joel Backman wel.

Pratt pakte de telefoon en belde een paar minuten met mensen uit zijn uitgebreide netwerk in het Washingtonse roddelcircuit. Een oude vriend die op de een of andere manier kans had gezien zich onder vier presidenten – twee uit elke partij – als stafmedewerker in het Witte Huis te handhaven, bevestigde uiteindelijk de waarheid.

'Waar is hij?' vroeg Pratt met klem, alsof Backman elk moment aan zijn herrijzenis in Washington kon beginnen.

'Dat weet niemand,' was het antwoord.

Pratt deed zijn deur op slot en weerstond de sterke aandrang om de kantoorfles wodka open te maken. Hij was 49 geweest toen zijn medevennoot twintig jaar gevangenisstraf kreeg, zonder mogelijkheid van vervroegde vrijlating, en hij had zich vaak afgevraagd wat hij zou doen als hij 69 was en Backman vrijkwam.

Op dat moment had Pratt het gevoel dat hem veertien jaren waren afgepakt.

De rechtszaal was zo vol geweest dat de rechter de zitting twee uur had uitgesteld, dan konden de schaarse zitplaatsen op de een of andere manier onder de belangstellenden worden verdeeld. Alle prominente nieuwsorganisaties in het land hadden geschreeuwd om een zit- of staanplaats. Hoge pieten van Justitie, de FBI, het Pentagon, de CIA, de NSA, het Witte Huis en het Capitool hadden aangedrongen op zitplaatsen. Ze hadden allemaal beweerd dat het voor hen van belang was om aanwezig te zijn bij het lynchen van Joel Backman. Toen de verdachte eindelijk in de gespannen afwachtende rechtszaal was verschenen en de menigte was verstijfd, was er geen ander geluid te horen geweest dan het tikken van de stenograaf op zijn machine.

Backman werd naar de tafel van de verdediging gebracht, waar zijn legertje advocaten dicht om hem heen was gaan staan, alsof ze verwachtten dat er kogels uit de menigte op de tribune zouden komen. Niemand zou het vreemd hebben gevonden als er was geschoten, hoewel de beveiliging even streng was als bij een presidentieel bezoek. Op de eerste rij, achter de tafel van de verdediging, hadden Carl Pratt en een stuk of tien andere vennoten, of aanstaande ex-vennoten van Backman gezeten. Ze waren bijzonder agressief gefouilleerd, en dat niet zonder reden. Hoewel ze de man hartgrondig haatten, duimden ze ook voor hem. Als het akkoord dat hij met het Openbaar Ministerie wilde sluiten op het laatste moment toch niet zou doorgaan, zou de jacht op hen weer worden geopend en konden ze een aantal afschuwelijke processen verwachten.

In elk geval hadden ze op de voorste rij gezeten, bij de toeschouwers, en niet aan de tafel waar de schurken zaten. In elk geval waren ze in leven geweest. Acht dagen eerder was Jacy Hubbard, een van hun bekendste vennoten, dood aangetroffen op de nationale begraafplaats Arlington. Het leek op zelfmoord, maar bijna niemand geloofde daarin. Hubbard was een ex-senator uit Texas geweest die na vierentwintig jaar zijn zetel had opgegeven om zich te wijden aan één, zij het verzwegen, doel: zijn grote invloed aanbieden aan de hoogste bieder. Natuurlijk zou Joel Backman nooit toegestaan hebben dat zo'n grote vis aan zijn net zou ontsnappen, en dus hadden hij en de rest van Backman, Pratt & Bolling de ex-senator voor een miljoen dollar per jaar ingehuurd, want die goeie ouwe Jacy had toegang tot de president wanneer hij maar wilde.

Hubbards dood had het voor Joel Backman opeens erg gemakkelijk gemaakt om het standpunt van het Openbaar Ministerie in te zien. De impasse waarin de onderhandelingen over een overeenkomst waren geraakt, was plotseling doorbroken. Backman zou niet alleen twintig jaar gevangenisstraf accepteren, maar hij wilde daar ook snel aan beginnen. Hij wilde zo gauw mogelijk in beschermende hechtenis!

Het Openbaar Ministerie werd die dag vertegenwoordigd door een hooggeplaatste aanklager, en met zo'n groot en prestigieus publiek in de zaal kon het niet anders of hij speelde voor de tribune. Het was hem gewoonweg onmogelijk geweest om iets met één woord te zeggen als het ook met drie kon; daarvoor waren er te veel mensen aanwezig. Hij had op het toneel gestaan, een zeldzaam moment in zijn lange saaie carrière, en de ogen van de hele natie waren op hem gericht geweest. Met een venijnige, eentonige stem had hij de tenlastelegging voorgelezen, en het was algauw duidelijk geweest dat hij bijna geen enkel talent voor theater had gehad en nagenoeg geen flair voor dramatiek, al deed hij zijn uiterste best. Na acht minuten van geestdodende monoloog had de rechter, die slaperig over zijn leesbril tuurde, gezegd: 'Wilt u er vaart achter zetten, meneer, en tegelijk uw stem dempen?'

Er waren achttien punten van aanklacht geweest, misdrijven die varieerden van spionage tot hoogverraad. Toen ze allemaal waren voorgelezen, was Joel Backman zo grondig door het slijk gehaald dat hij op één lijn te stellen was met Adolf Hitler. Zijn advocaat had het hof en alle andere aanwezigen er meteen aan herinnerd dat niets in de tenlastelegging bewezen was, dat die in feite alleen maar een weergave was van één kant van de zaak, namelijk de zwaar bevooroordeelde kijk van de overheid op de dingen. Hij had uitgelegd dat zijn cliënt zich aan niet meer dan vier van de achttien punten van aanklacht schuldig zou verklaren: het ongeoorloofd bezit van militaire documenten. De rechter had vervolgens het uitgebreide akkoord tussen verdachte en Openbaar Ministerie gelezen, en gedurende twintig minuten werd er niets gezegd. De tekenaars op de voorste rij waren verwoed aan het werk geweest. Hun afbeeldingen vertoonden bijna geen enkele gelijkenis met de werkelijkheid.

Op de achterste rij, tussen vreemden, had Neal Backman, Joels oudste zoon, gezeten. Hij was op dat moment nog medewerker van Backman, Pratt & Bolling geweest, maar dat zou niet lang meer duren. Hij had de procedure met verbijstering gevolgd. Hij had niet kunnen geloven dat zijn ooit zo machtige vader zich nu schuldig verklaarde en op het punt stond in het federale strafstelsel te worden begraven.

De verdachte werd uiteindelijk naar voren geleid en keek de rechter zo trots aan als maar mogelijk was. Terwijl advocaten in zijn beide oren hadden gefluisterd, had hij zich schuldig verklaard aan vier punten van aanklacht, en daarna werd hij naar zijn stoel teruggebracht. Het was hem gelukt oogcontact met iedereen te vermijden.

Er werd een dag in de volgende maand vastgesteld waarop het vonnis zou worden uitgesproken. Toen Backman geboeid werd weggeleid, was het tot de aanwezigen doorgedrongen dat hij niet gedwongen zou worden zijn geheimen prijs te geven en dat hij erg lang gevangen zou zitten, zo lang dat zijn complotten hun betekenis zouden verliezen. Langzaam had de menigte de zaal verlaten. De journalisten hadden maar een gedeelte van het verhaal gekregen dat ze wilden. De grote mannen van de overheidsdiensten waren zwijgend weggegaan; sommigen waren blij omdat geheimen bewaard bleven, anderen waren woedend omdat misdaden niet aan het licht waren gekomen. Carl Pratt en de andere belaagde vennoten waren naar de dichtstbijzijnde bar gegaan.

De eerste journalist belde al voor negen uur 's morgens naar het kantoor. Pratt had zijn secretaresse gewaarschuwd dat ze op zulke telefoontjes konden rekenen. Ze moest tegen iedereen zeggen dat hij door een slepende zaak op de rechtbank in beslag werd genomen en dat het misschien wel maanden zou duren voordat hij weer op kantoor was. Algauw waren de telefoonlijnen overbelast en was de kans op een productieve dag finaal verkeken. De advocaten en andere medewerkers lieten alles rusten en fluisterden alleen nog maar over het Backman-nieuws. Sommigen keken steeds naar de voordeur, alsof ze min of meer verwachtten dat de geest van Backman hen kwam halen.

Pratt zat alleen in een kamer met de deur op slot. Hij zat een bloody mary te drinken en keek naar het ononderbroken nieuws op een kabelstation. Gelukkig was er een bus vol Deense toeristen gekidnapt op de Filippijnen, anders zou Joel Backman het grote verhaal van de dag zijn geweest. Maar hij was een goede tweede. Allerlei deskundigen werden naar de studio gehaald, geschminkt en bepoederd en onder de felle studiolampen gezet, waarna ze een eind weg praatten over de legendarische zonden van de man.

Een vroegere minister van Defensie noemde de gratieverlening 'een mogelijke slag voor onze nationale veiligheid'. Een vroegere federale rechter, die precies zo oud leek als zijn meer dan negentig jaren, kwam met het voorspelbare oordeel dat het 'een gerechtelijke dwaling' was. Een nieuwe senator uit Vermont gaf toe dat hij weinig van het Backman-schandaal wist, maar hij was evengoed erg enthousiast omdat hij voor de camera mocht verschijnen en zei dat hij om allerlei onderzoeken zou vragen. Een niet met naam genoemde functionaris van het Witte Huis zei dat de nieuwe president 'verontrust' was en de gratieverlening in overweging zou nemen, wat dat ook mocht betekenen.

Enzovoort, enzovoort. Pratt mixte nog een bloody mary.

De bloeddorst kende geen grenzen, en een 'correspondent' – niet zomaar een 'verslaggever' – diepte een stuk over senator Jacy Hubbard op. Pratt pakte de afstandsbediening. Hij zette de televisie harder toen er een grote foto van Hubbards gezicht op het scherm te zien was. De voormalige senator was in de week voordat Backman zich schuldig verklaarde dood aangetroffen met een kogel in zijn hoofd. Wat eerst zelfmoord had geleken, was later verdacht genoemd, al was er geen verdachte aangewezen. Het pistool had geen nummer en was waarschijnlijk gestolen. Hubbard was een verwoede jager geweest, maar had nooit handvuurwapens gebruikt. De kruitresten op zijn rechterhand waren verdacht. Uit de sectie bleek dat hij een stevige concentratie alcohol en barbituraten in zijn lichaam had. Die alcohol was te voorspellen geweest, maar voorzover bekend had Hubbard nooit drugs gebruikt. Hij was een paar uur eerder met een aantrekkelijke jongedame in een bar in George-town gezien, en dat was wel weer typisch iets voor hem.

De populairste theorie hield in dat de dame hem genoeg drugs had toegediend om hem buiten westen te krijgen en hem daarna aan professionele moordenaars had overgedragen. Hij was naar een afgelegen deel van de nationale begraafplaats Arlington gebracht en één keer in zijn hoofd geschoten. Zijn lichaam lag op het graf van zijn broer, een gedecoreerde Vietnamheld. Een leuke vondst, maar mensen die hem kenden, zeiden dat hij bijna nooit over zijn familie praatte en velen van hen wisten niets van die dode broer af.

Niemand sprak het uit, maar velen veronderstelden dat Hubbard gedood was door dezelfde mensen die het op Joel Backman hadden voorzien. En nog jaren daarna gaven Carl Pratt en Kim Bolling veel geld uit aan professionele lijfwachten, want het was altijd mogelijk dat zij ook op die lijst stonden. Blijkbaar was dat niet het geval. De details van de noodlottige deal die Backman in de gevangenis had gebracht en Hubbards dood was geworden, waren door die twee mannen afgehandeld, en na verloop van tijd had Pratt zich minder streng laten bewaken, al had hij nog steeds een Ruger op zak, waar hij ook ging.

Maar Backman was ver weg, en de afstand werd met de minuut groter. Vreemd genoeg dacht hij ook aan Jacy Hubbard en de men-sen die hem misschien hadden vermoord. Hij had genoeg tijd om na te denken. Normale mensen zouden totaal verdoofd raken als ze veertien uur op een opklapbed in een dreunend vrachtvliegtuig moesten doorbrengen, maar voor iemand die net na zes jaar eenza-me opsluiting uit de gevangenis was gekomen, was de vliegreis erg stimulerend.

Wie het ook waren die Jacy Hubbard hadden vermoord, ze zouden Joel Backman graag ook willen vermoorden, en toen hij op een hoogte van achtduizend meter door het luchtruim hotste, stelde hij zichzelf een aantal ernstige vragen. Wie had er voor zijn gratie gelobbyd? Waar wilden ze hem verbergen? Wie waren die 'ze' precies? Eigenlijk waren het wel prettige vragen. Nog geen 24 uur geleden had hij heel andere vragen gehad: proberen ze me te laten dood-hongeren? Willen ze me laten bevriezen? Ben ik in deze cel van vier bij vier langzaam mijn verstand aan het verliezen? Of snel? Zal ik ooit mijn kleinkinderen te zien krijgen? Wil ik dat wel?

Hij gaf de voorkeur aan de nieuwe vragen, hoe verontrustend ze ook waren. In elk geval zou hij ergens op straat kunnen lopen. Hij zou de lucht opsnuiven, de zon voelen en misschien naar een café gaan voor een kop sterke koffie.

Hij had een keer een cliënt gehad, een rijke cocaïne-importeur die door een DEA-actie in de val was gelopen. De cliënt was zo'n waardevolle vangst geweest dat de DEA hem een nieuw leven met een nieuwe naam en een nieuw gezicht aanbood wanneer hij alles over de Colombianen wilde vertellen. En dat deed hij grif, en na een chirurgische ingreep werd hij herboren aan de noordkant van Chicago, waar hij een kleine boekwinkel had. Joel was er jaren later eens heen gegaan en had de cliënt pijprokend en met een sikje aangetroffen. De man had er nogal cerebraal en eenvoudig uitgezien. Hij had een nieuwe vrouw en drie stiefkinderen, en de Colombianen hadden hem nooit gevonden.

De wereld was groot. Het was niet zo moeilijk om je schuil te houden.

Joel deed zijn ogen dicht, luisterde naar het dreunen van de vier motoren en probeerde tegen zichzelf te zeggen dat hij, waar hij ook heen ging, niet het leven hoefde te leiden van iemand die op de vlucht was. Hij zou zich aanpassen, hij zou zich in leven houden, hij zou niet bang zijn.

Twee bedden verderop werd een gedempt gesprek gevoerd, twee soldaten die verhalen uitwisselden over alle meisjes die ze hadden gehad. Hij dacht aan Mo de maffiaverklikker, die de afgelopen vier jaar in de cel naast hem had gezeten en die zo'n 22 uur per dag de enige medemens was geweest met wie hij kon praten. Hij kon hem niet zien, maar ze konden elkaar horen door een ventilatiebuis. Mo miste zijn familie, zijn vrienden, zijn buurt en eten en drinken en de zon helemaal niet. Mo praatte alleen maar over seks. Hij vertelde lange, wijdlopige verhalen over zijn escapades. Hij tapte moppen, waaronder de smerigste die Joel ooit had gehoord. Hij schreef zelfs gedichten over oude minnaressen en orgieën en fantasieën.

Hij zou Mo en diens fantasieën niet missen.

Zonder het te willen viel hij weer in slaap.

Kolonel Gantner, die hem heen en weer schudde, fluisterde hard: 'Majoor Herzog, majoor Herzog. We moeten praten.' Backman wrong zich uit zijn opklapbed en liep achter de kolonel aan door het donkere smalle gangetje tussen de bedden. Ze kwamen in een klein kamertje, dichter bij de cockpit. 'Ga zitten,' zei Gantner. Ze gingen aan weerskanten van een metalen tafeltje zitten.

Gantner had een map. 'Dit is het plan,' begon hij. 'We landen over ongeveer een uur. Het plan houdt in dat je ziek bent, zo ziek dat een ambulance van het basishospitaal naar het vliegtuig toe moet komen rijden. De Italiaanse autoriteiten zullen de papieren vlug doornemen, zoals ze altijd doen, en misschien zullen ze zelfs even naar je kijken. Maar waarschijnlijk niet. We gaan naar een Amerikaanse militaire basis, en daar is het altijd een komen en gaan van soldaten. Ik heb een paspoort voor je. Ik praat met de Italianen, en dan ga je per ambulance naar het hospitaal.'

'Italianen?'

'Ja. Ooit van de luchtmachtbasis Aviano gehoord?'

'Nee.'

'Dat dacht ik al. Die is in Amerikaanse handen sinds we in 1945 de Duitsers verjoegen. Hij ligt in het noordoosten van Italië, bij de Alpen.'

'Niet gek.'

'Het gaat wel, maar het is een basis.'

'Hoe lang blijf ik daar?'

'Daar ga ik niet over. Ik heb opdracht je van dit vliegtuig naar het hospitaal op de basis te brengen. Daar neemt iemand anders het over. Kijk voor alle zekerheid even naar deze biografie van majoor Herzog.'

In een paar minuten las Joel de fictieve voorgeschiedenis van majoor Herzog door en prentte hij de details op het valse paspoort in zijn hoofd.

'Denk eraan, je bent erg ziek en je hebt een kalmerend middel ingenomen,' zei Gantner. 'Doe maar alsof je in coma bent.'

'Ik ben zes jaar in coma geweest.'

'Wil je wat koffie?'

'Hoe laat is het op de plaats waar we heen gaan?'

Gantner keek op zijn horloge en maakte een snelle rekensom. 'We landen daar om ongeveer één uur 's nachts.'

'Dan wil ik wel koffie.'

Gantner gaf hem een papieren beker en een thermosfles, en verdween.

Na twee koppen koffie voelde Joel dat de motoren minder toeren maakten. Hij ging naar zijn bed terug en deed zijn ogen dicht.

Toen de C-130 op de baan tot stilstand kwam, reed een ambulance van de luchtmacht achteruit naar het luik aan de achterkant. De soldaten slenterden weg, de meeste nog half slapend. De brancard met majoor Herzog werd uit het vliegtuig gereden en zorgvuldig in de ambulance getild. De dichtstbijzijnde Italiaanse ambtenaar zat in een Amerikaanse militaire jeep. Hij keek met weinig belangstelling naar de gang van zaken en deed zijn best om warm te blijven. De ambulance reed in een rustig tempo weg, en vijf minuten later werd majoor Herzog het kleine hospitaal op de basis binnengereden en werd hij in een klein kamertje op de eerste verdieping gelegd, waar twee MP's zijn deur bewaakten.

4

Gelukkig voor Backman – al kon hij het niet weten en had hij ook geen reden om zich er druk om te maken – verleende president Morgan op het allerlaatst ook gratie aan een oude miljardair die aan gevangenisstraf was ontkomen door het land uit te vluchten. De miljardair, een immigrant uit een Slavische staat, had tientallen jaren geleden bij zijn aankomst in Amerika de kans gekregen een nieuwe naam aan te nemen en had zich in zijn jeugdige overmoed toen 'hertog Mongo' genoemd. De hertog had treinladingen geld aan Morgans verkiezingscampagne bijgedragen. Toen bleek dat hij zijn hele leven de belastingen had ontdoken, en ook dat hij een aantal keren in de Lincoln Bedroom van het Witte Huis had overnacht en dat hij en de president bij die gelegenheden over nog lopende aanklachten hadden gesproken. Volgens de derde aanwezige bij die gesprekken, een jong sletje dat later de vijfde echtgenote van de hertog werd, had de president toegezegd dat hij zijn invloed bij de Belastingdienst zou aanwenden en de jachthonden terug zou fluiten. Dat was niet gebeurd. De tenlastelegging was 38 bladzijden lang, en voordat hij helemaal uit de printer was gerold, had de miljardair zich, minus echtgenote nummer vijf, in Uruguay gevestigd, waar hij met zijn aanstaande echtgenote nummer zes in een paleis ging wonen en een lange neus maakte naar de Verenigde Staten van Amerika.

En nu wilde hij terugkomen om waardig te sterven, als een echte patriot, en om begraven te worden op zijn stamboekfarm even buiten Lexington in Kentucky. Critz regelde het voor hem, en enkele minuten nadat hij de gratieverlening aan Joel Backman had getekend, verleende president Morgan volledige gratie aan hertog Mongo.

Het duurde een dag voordat het nieuws uitlekte – de gratieverleningen werden, met reden, niet bekendgemaakt door het Witte Huis – en toen schreeuwde de pers moord en brand. De man had de federale overheid in twintig jaar tijd zeshonderd miljoen dollar door de neus geboord. Hij was een schurk die voorgoed achter de tralies moest worden gezet, en nu mocht hij in zijn mammoetjet naar huis vliegen en zijn laatste levensdagen in obscene luxe doorbrengen. Het Backman-verhaal was sensationeel genoeg geweest, maar nu kreeg het niet alleen concurrentie van de gekidnapte Deense toeristen maar ook van de grootste belastingontduiker van het land.

Toch was het nog groot nieuws. De meeste grote ochtendbladen aan de Oostkust hadden ergens op de voorpagina een foto van 'De manipulator'. De meeste kwamen met lange verhalen over zijn schandaal, zijn schuldbekentenis en nu zijn gratie.

Carl Pratt las al die verhalen on line in een grote rommelige studeerkamer boven zijn garage in het noordwesten van Washington. Hij gebruikte deze kamer om zich te verstoppen, om buiten de oorlogen die binnen zijn firma woedden te blijven, om de collega's te mijden die hij niet kon uitstaan. Hij kon daar drinken zonder dat het iemand iets kon schelen. Hij kon met dingen gooien en op de muren schelden en alles doen wat hij maar wilde, want het was zijn toevluchtsoord.

Het Backman-dossier zat in een grote kartonnen doos die hij in een kast verborgen hield. Het lag nu op een werktafel, en Pratt nam het voor het eerst in vele jaren door. Hij had alles bewaard: krantenberichten, foto's, kantoormemo's, vertrouwelijke aantekeningen die hij had gemaakt, kopieën van de tenlasteleggingen, Jacy Hubbards sectierapport.

Wat een ellendige geschiedenis.

In januari 1996 hadden drie jonge Pakistaanse computerwetenschappers een verbijsterende ontdekking gedaan. Ze waren aan het werk in een hete, benauwde flat op de bovenste verdieping van een appartementengebouw aan de rand van Karachi, en ze hadden een serie computers aan elkaar gekoppeld die ze met overheidssubsidie on line hadden gekocht. Hun nieuwe 'supercomputer' werd aangesloten op een geavanceerde militaire satelliettelefoon die ook door de overheid was verstrekt. De hele operatie was geheim en werd door het ministerie van Defensie gefinancierd zonder dat het in de boeken kwam. Hun doel was eenvoudig geweest: een nieuwe Indiase spionagesatelliet, die vijfhonderd kilometer boven Pakistan hing, vinden en toegang tot die satelliet krijgen. Als ze de satelliet konden hacken, hoopten ze te kunnen volgen wat hij deed. En ze hadden nog een droom gehad: misschien konden ze hem manipuleren.

De gestolen inlichtingen waren in het begin opwindend geweest, maar bleken toen bijna nutteloos te zijn. De nieuwe Indiase 'ogen' hadden ongeveer hetzelfde gedaan als wat de oude al tien jaar hadden gedaan: duizenden foto's van dezelfde militaire installaties maken. Pakistaanse satellieten hadden in diezelfde tien jaar foto's van Indiase legerbases en troepenbewegingen naar de aarde gestuurd. De twee landen konden foto's uitwisselen en dan wisten ze nog steeds niets.

Toen hadden ze bij toeval nog een satelliet ontdekt, en nog een en nog een. Dat waren geen Pakistaanse of Indiase satellieten geweest, en ze hadden niet thuisgehoord op de plaats waar ze werden aangetroffen. Ze hadden zich allemaal op ongeveer vijfhonderd kilometer boven de aarde bevonden en hadden zich met een constante snelheid van 190 kilometer per uur naar het noord-noordoosten bewogen. In de loop van tien dagen hadden de opgewonden hackers de bewegingen van minstens zes verschillende satellieten gevolgd, die blijkbaar allemaal deel hadden uitgemaakt van hetzelfde systeem en die langzaam van het Arabische schiereiland kwamen aanzetten om vervolgens over Afghanistan en Pakistan naar het westen van China te trekken.

Ze hadden het aan niemand verteld, maar hadden kans gezien een nog krachtiger satelliettelefoon van het leger los te krijgen, zogenaamd om het project met de Indiase satelliet af te maken. Na een maand van systematische surveillance, 24 uur per dag, hadden ze een wereldwijd web ontdekt van negen identieke satellieten die allemaal met elkaar verbonden waren en allemaal zorgvuldig waren ontworpen om onzichtbaar te blijven voor iedereen behalve degenen die ze hadden gelanceerd.

Ze hadden hun ontdekking de codenaam Neptune gegeven.

De drie jonge whizzkids waren opgeleid in de Verenigde Staten. Hun leider was Safi Mirza, die in Stanford had gestudeerd en korte tijd bij Breedin Corp had gewerkt, een Amerikaanse defensieleverancier van dubieus gehalte die zich op satellietsystemen had toegelegd. Fazal Sharif had computerwetenschappen gestudeerd aan de Georgia Tech.

Het derde en jongste lid van de Neptune-bende was Farooq Khan, en hij was degene geweest die uiteindelijk de software had geschreven waarmee ze in de eerste Neptune-satelliet waren binnengedrongen. Toen hij eenmaal in het computersysteem van de satelliet had gezeten, had Farooq gegevens gedownload die zo geheim waren dat hij en Fazal en Safi wisten dat ze in een niemandsland terecht waren gekomen. Er waren scherpe kleurenbeelden geweest van trainingskampen voor terroristen in Afghanistan en van overheidslimousines in Peking. Neptune had mee kunnen luisteren als Chinese piloten op zesduizend meter hoogte met elkaar praatten, en de satelliet had ook een verdachte vissersboot in de gaten kunnen houden toen die in Jemen de haven opzocht. Neptune had een gepantserde truck gevolgd, vermoedelijk van Castro, door de straten van Havana. En op livevideobeelden waar ze alle drie van waren geschrokken, kon je zien hoe Arafat zelf in een steegje op zijn terrein in Gaza naar buiten kwam, een sigaret opstak en daarna urineerde.

Gedurende twee slapeloze dagen hadden de drie jongemannen in de satellieten gegluurd die zich over Pakistan bewogen. De software was in het Engels geweest, en omdat Neptune vooral op het Midden-Oosten, Azië en China gericht was, mochten ze aannemen dat Neptune van de Verenigde Staten was, met Engeland en Israël als andere kandidaten. Misschien was het project een gezamenlijk Amerikaans-Israëlisch geheim.

Na twee dagen van meekijken met de satelliet waren ze de flat ontvlucht en hadden ze zich geïnstalleerd in de boerderij van een vriend, vijftien kilometer buiten Karachi. Hun ontdekking was opwindend genoeg geweest, maar ze hadden een stap verder gewild. Vooral Safi. Hij had er alle vertrouwen in gehad dat ze het systeem konden manipuleren.

Het eerste succes dat hij had behaald, was dat hij Fazal Sharif een krant had zien lezen. Om hun locatie geheim te houden, had Fazal de bus naar het centrum van Karachi genomen. Hij had een groene pet en een zonnebril gedragen, had een krant gekocht en was op een parkbankje bij een bepaald kruispunt gaan zitten. Farooq had commando's ingevoerd via een versterkte satelliettelefoon, en een Neptune-satelliet had Fazal opgespoord en was zo nauwkeurig op hem ingezoomd dat de koppen van de krant te lezen waren. Alle beelden werden vervolgens teruggeseind naar de boerderij, waar ze met stomme verbazing werden bekeken.

De elektro-optische beeldverbinding met de aarde was van de hoogste resolutie die in de technologie van die tijd bekend was, tot op de meter nauwkeurig, te vergelijken met de scherpste beelden die Amerikaanse militaire verkenningssatellieten produceerden en ongeveer twee keer zo scherp als wat de beste Europese en Amerikaanse commerciële satellieten te bieden hadden.

Weken en maanden hadden de drie onderzoekers non-stop aan het schrijven van software voor hun ontdekking gewerkt. Veel van wat ze hadden geschreven, gooiden ze weg, maar toen ze de succesvolle programma's hadden bijgeschaafd, stonden ze nog meer versteld van de mogelijkheden die Neptune bood.

Achttien maanden nadat ze Neptune voor het eerst hadden ontdekt, hadden de drie jongemannen op vier Jaz-schijven van 2 gigabyte een softwareprogramma staan dat niet alleen de snelheid van de communicatie van Neptune met zijn talloze contactpunten op aarde vergrootte maar Neptune ook in staat stelde veel navigatie-, communicatie- en verkenningssatellieten te jammen die al in omloop waren. Bij gebrek aan een betere codenaam hadden ze hun programma JAM genoemd.

Hoewel het systeem dat ze Neptune noemden aan iemand anders toebehoorde, konden de drie samenzweerders het beheersen, grondig manipuleren en zelfs nutteloos maken. Er was grote ruzie ontstaan. Safi en Fazal waren hebberig geworden en wilden JAM aan de hoogste bieder verkopen. Farooq had voorzien dat hun programma hen alleen maar in de problemen zou brengen. Hij had het aan de Pakistaanse strijdkrachten willen geven en zijn handen van de hele zaak willen aftrekken.

In september 1998 waren Safi en Fazal naar Washington gegaan en hadden daar een frustrerende maand doorgebracht waarin ze via Pakistaanse contacten tot de militaire inlichtingendiensten probeerden door te dringen. Toen had een vriend hun over Joel Backman verteld, de man die alle deuren in Washington kon openen.

Maar het was een heel probleem om door zijn eigen deur te komen. De manipulator was toen een erg belangrijke man met belangrijke cliënten en er waren veel gewichtige personages die een klein beetje van zijn tijd verlangden. Zijn tarief voor een gesprek van één uur met een nieuwe cliënt was vijfduizend dollar geweest, en dat gold dan alleen de gelukkigen voor wie de grote man sympathie koesterde. Safi had tweeduizend dollar van een oom in Chicago geleend en had Backman toegezegd de rest binnen negentig dagen te betalen. Uit documenten die later op de rechtbank werden gepresenteerd, bleek dat hun eerste ontmoeting plaats had gevonden op 24 oktober 1998 in het kantoor van Backman, Pratt & Bolling. Die ontmoeting zou uiteindelijk het leven van alle aanwezigen verwoesten. Backman had in het begin sceptisch tegenover JAM en de ongelooflijke mogelijkheden daarvan gestaan. Of misschien had hij de betekenis meteen gezien en had hij een sluw spelletje met zijn nieuwe cliënten willen spelen. Safi en Fazal hadden ervan gedroomd om JAM voor een fortuin aan het Pentagon te verkopen, voor zoveel geld als Backman dacht dat hun product zou opbrengen. En als iemand in Washington een fortuin voor JAM kon krijgen, dan was het Joel Backman wel.

In het begin had hij Jacy Hubbard erbij gehaald, zijn spreekbuis van een miljoen dollar per jaar, die nog elke week met de president golfde en de bars op Capitol Hill afliep met kopstukken uit de politiek. Hij was kleurrijk, flamboyant, strijdlustig, drie keer gescheiden en gek op dure whisky's geweest, vooral wanneer ze werden aangeboden door lobbyisten. Hij had zich alleen in de politiek staande gehouden doordat hij bekendstond als de vuilste campagnevoerder uit de geschiedenis van de Amerikaanse senaat, geen gering wapenfeit. Hij stond erom bekend dat hij antisemitisch was en in de loop van zijn carrière had hij nauwe banden met de Saudi's ontwikkeld. Erg nauwe banden. Uit een van de vele onderzoeken naar ethiek was gebleken dat een prins, dezelfde met wie Hubbard ging skiën in Oostenrijk, hem een miljoen dollar voor een campagne had gegeven.

Aanvankelijk waren Hubbard en Backman het niet eens geweest over de beste manier om JAM op de markt te brengen. Hubbard had het programma aan de Saudi's willen verkopen; hij was ervan overtuigd geweest dat die er een miljard dollar voor zouden betalen. Backman had het nogal ouderwetse standpunt ingenomen dat zo'n gevaarlijk product in eigen huis moest blijven. Hubbard was ervan overtuigd geweest dat ze de Saudi's konden laten beloven dat ze JAM nooit tegen de Verenigde Staten, hun officiële bondgenoot, zouden inzetten. Backman was bang voor de Israëliërs geweest, hun machtige vrienden in de Verenigde Staten, hun strijdkrachten en vooral hun geheime spionagediensten.

In die tijd werkte Backman, Pratt & Bolling voor veel buitenlandse ondernemingen en overheden. De firma was zelfs 'het' adres voor eenieder die op korte termijn invloed wilde uitoefenen in Washington. Als je hun huiveringwekkende honoraria betaalde, had je toegang. Tot de eindeloze lijst van hun cliënten behoorden de Japanse staalindustrie, de Zuid-Koreaanse overheid, de Saudi's, de meeste banken in Caribische belastingparadijzen, een Boliviaanse landbouwcoöperatie die alleen maar cocaïne verbouwde, enzovoort, enzovoort. Er waren veel legitieme cliënten en ook veel cliënten die niet zo zuiver op de graat waren.

Het gerucht over JAM had zich langzaam door hun kantoor verspreid. De zaak zou wel eens het hoogste honorarium kunnen opleveren dat de firma ooit had ontvangen, en dat zei wel iets. In de loop van de volgende weken hadden andere vennoten in de firma uiteenlopende scenario's gepresenteerd voor het op de markt brengen van JAM. Het idee van patriottisme werd geleidelijk vergeten, er was gewoon veel te veel geld te verdienen! De firma werkte voor een Nederlandse onderneming die vliegtuigelektronica bouwde voor de Chinese luchtmacht, en via die onderneming zouden ze een lucratieve overeenkomst met de regering in Peking kunnen sluiten. De Zuid-Koreanen zouden zich veel prettiger voelen als ze precies wisten wat er in het noorden gebeurde. De Syriërs zouden hun hele schatkist wel willen geven voor de mogelijkheid om de Israëlische militaire communicatie uit te schakelen. Een zeker drugskartel zou miljarden willen neertellen voor de mogelijkheid om opsporingsoperaties van de DEA te signaleren.

Elke dag werden Joel Backman en zijn hebzuchtige advocaten rijker. In de grootste kamers van de firma werd over weinig anders gepraat.

De arts was nogal nors en had blijkbaar weinig tijd voor zijn nieuwe patiënt. Per slot van rekening was dit een militair ziekenhuis. Hij onderzocht pols, hart, longen, bloeddruk, reflexen, enzovoort, en toen zei hij opeens: 'Ik denk dat u uitgedroogd bent.'

43

'Hoe komt dat?' vroeg Backman.

'Dat gebeurt vaak op lange vluchten. We leggen u aan een infuus en dan bent u er binnen 24 uur weer bovenop.'

'Een infuus?'

'Ja.'

'Ik wil geen infuus.'

'Pardon?'

'Ik stotter toch niet? Ik wil geen naalden.'

'We hebben bloed bij u geprikt.'

'Ja, dat was bloed dat eruit ging, niet iets wat naar binnen ging. Vergeet het maar, dokter. Ik wil geen infuus.'

'Maar u bent uitgedroogd.'

'Ik voel me niet uitgedroogd.'

'Ik ben de arts, en ik zeg dat u bent uitgedroogd.'

'Geef me dan maar een glas water.'

Een halfuur later kwam er een zuster binnen met een stralende glimlach en een handvol medicijnen. Joel wilde geen slaaptabletten, en toen ze min of meer met een injectiespuit zwaaide, zei hij: 'Wat is dat?'

'Ryax.'

'Wat is Ryax nou weer?'

'Dat is een spierontspanner.'

'Nou, ik kan u vertellen dat mijn spieren op dit moment al erg ontspannen zijn. Ik heb niet geklaagd over gespannen spieren. Er is bij mij geen diagnose van gespannen spieren gesteld. Niemand heeft me gevraagd of mijn spieren gespannen zijn. Dus neemt u die Ryax maar weer mee en steekt u het in uw eigen reet, dan zijn we allebei veel gelukkiger en ook nog lekker ontspannen.'

Ze liet de naald bijna vallen. Na een lange pijnlijke stilte waarin ze geen woord kon uitbrengen, stamelde ze: 'Ik zal met de dokter overleggen.'

'Doet u dat. Bij nader inzien: waarom steekt u die naald niet in zíjn dikke reet? Hij is degene die zich moet ontspannen.' Maar ze was de kamer al uit.

Aan de andere kant van de basis zat sergeant McAuliffe op zijn toetsenbord te tikken. Hij stuurde een bericht naar het Pentagon, en vandaar werd het bijna onmiddellijk doorgestuurd naar het CIA-hoofdkantoor in Langley, waar het gelezen werd door Julia Javier, een veteraan die door directeur Maynard zelf was uitgekozen om de zaak-Backman te behandelen. Binnen tien minuten na het Ryax-incident keek Julia op haar monitor, mompelde het woord 'verdomme' en ging naar boven.

Zoals gewoonlijk zat Teddy Maynard aan het hoofd van een lange tafel. Hij had een deken om zich heen en las een van de talloze resumés die elk uur op zijn bureau belandden.

Julia Javier zei: 'Ik krijg net bericht van Aviano. Onze jongen weigert alle medicijnen. Wil geen infuus. Wil niets slikken.'

'Kunnen ze niet iets in zijn eten doen?' zei Teddy zachtjes.

'Hij eet niet.'

'Waarom niet?'

'Hij zegt dat zijn maag van streek is.'

'Kan dat?'

'Hij zit niet veel op het toilet. Het is moeilijk te zeggen.'

'Neemt hij wel vloeistoffen?'

'Ze brachten hem een glas water, maar dat weigerde hij. Hij stond erop dat hij water in flessen kreeg. Toen hij zo'n fles kreeg, bestudeerde hij de dop om er zeker van te zijn dat die niet eerder open was geweest.'

Teddy schoof het rapport opzij en wreef met zijn knokkels over zijn ogen. Ze waren van plan geweest Backman in het ziekenhuis met een infuus of injectie te verdoven, hem bewusteloos te maken, hem twee dagen gedrogeerd te houden en hem dan langzaam bij te brengen met een mix van de nieuwste narcotica. Als hij een paar dagen in een waas had verkeerd, zouden ze hem natriumpenthotal toedienen, het waarheidsserum waarmee hun ervaren ondervragers altijd de informatie uit iemand kregen die ze wilden hebben.

Dat eerste plan was gemakkelijk en trefzeker geweest. Plan twee zou maanden vergen en het succes was verre van zeker.

'Hij heeft grote geheimen in zijn hoofd, hè?' zei Teddy.

'Ongetwijfeld.'

'Maar dat wisten we toch?'

'Ja, dat wisten we.'

5

Twee van Joel Backmans drie kinderen hadden hem al in de steek gelaten toen het schandaal uitbrak. Neal, de oudste, had zijn vader minstens twee keer per maand geschreven, al was het hem in de tijd van het vonnis zwaar gevallen die brieven te schrijven.

Neal was een 25-jarige medewerker van de firma Backman toen zijn vader naar de gevangenis ging. Hoewel hij weinig van JAM en Neptune wist, kreeg hij toch de FBI op zijn dak en werd hij uiteindelijk in staat van beschuldiging gesteld door federale aanklagers.

Joels plotselinge besluit om zich schuldig te verklaren, had alles te maken met wat Jacy Hubbard was overkomen, maar ook met de slechte behandeling die zijn zoon van de autoriteiten kreeg. In het kader van zijn overeenkomst met het Openbaar Ministerie werden alle aanklachten tegen Neal ingetrokken. Toen zijn vader voor twintig jaar naar de gevangenis ging, werd Neal onmiddellijk door Carl Pratt ontslagen en door gewapende bewakers van de firma naar buiten geleid. De naam Backman was een vloek en hij kon in Washington geen werk krijgen. Een vriend uit zijn studententijd had een oom die rechter was geweest, en na wat telefoongesprekken met deze en gene kwam Neal in het stadje Culpeper in Virginia terecht, waar hij voor een firma van vijf advocaten werkte en blij was met de kans die hij kreeg.

Hij verlangde naar anonimiteit. Hij zat erover te denken om zijn naam te veranderen. Hij wilde niet over zijn vader praten. Hij deed overschrijvingen van onroerend goed, stelde testamenten en aktes op en wende aan het leven in een klein stadje. Uiteindelijk ontmoette hij een meisje uit Culpeper. Hij trouwde met haar en ze kregen algauw een dochter, Joels tweede kleinkind en het enige van wie hij een foto had.

Neal las in de *Washington Post* over de vrijlating van zijn vader. Hij besprak het nieuws uitgebreid met zijn vrouw en in het kort met zijn collega's. Het verhaal mocht in Washington dan wereldnieuws zijn, in Culpeper was het dat niet. Niemand scheen er iets van te weten of er belangstelling voor te hebben. Hij was niet de zoon van zijn vader, maar gewoon Neal Backman, een van de vele advocaten in een zuidelijk stadje.

Na een zitting nam een rechter hem apart en zei: 'Waar verbergen ze je ouweheer?'

Waarop Neal met alle respect antwoordde: 'Niet een van mijn favoriete onderwerpen, edelachtbare.' En dat was het einde van het gesprek.

Op het eerste gezicht veranderde er niets in Culpeper. Neal bleef zijn werk doen, alsof er gratie was verleend aan iemand die hij niet kende. Hij wachtte op een telefoontje; op een gegeven moment zou zijn vader wel contact met hem opnemen.

Na herhaalde verzoeken ging de hoofdzuster met de pet rond en haalde ze bijna drie dollar aan kleingeld op. Dat werd naar de patiënt gebracht die ze nog majoor Herzog noemden, een zonderling wiens conditie ongetwijfeld achteruitging doordat hij honger leed. Majoor Herzog nam het geld aan en ging meteen naar de automaat die hij op de eerste verdieping had ontdekt en kocht daar drie zakjes maïschips en twee blikjes Dr Pepper. Dat alles werd binnen enkele minuten geconsumeerd, en een uur later zat hij met hevige diarree op de wc.

Maar in elk geval had hij niet meer zo'n honger, en hij was ook niet gedrogeerd en zei geen dingen die hij niet zou moeten zeggen.

Hoewel hij officieel een vrij man was aan wie volledige gratie was verleend, zat hij nog gevangen op een basis van de Amerikaanse overheid, in een kamer die niet veel groter was dan zijn cel in Rudley. Het voedsel was daar afschuwelijk geweest, maar hij kon het tenminste eten zonder bang te zijn dat hij werd gedrogeerd. Nu leefde hij op maïschips en frisdrank. De zusters waren nauwelijks vriendelijker dan de bewaarders die hem hadden gekweld. De artsen wilden hem alleen maar drogeren, ongetwijfeld in opdracht van hogerhand. Ergens in dit gebouw was een kleine martelkamer, waar ze zich op hem zouden storten als de drugs hun wonderen hadden gedaan.

Hij verlangde naar de buitenwereld, naar frisse lucht en zonneschijn, naar veel eten, naar een beetje menselijk contact met iemand die geen uniform droeg. En na twee erg lange dagen kreeg hij dat.

Een jongeman met een onbewogen gezicht, Stennett, kwam op de derde dag zijn kamer binnenlopen en begroette hem vriendelijk: 'Oké, Backman, we doen het volgende. Ik heet Stennett.'

Hij gooide een map op de dekens, op Joels benen, naast een paar oude tijdschriften die voor de derde keer gelezen werden. Joel opende de map. 'Marco Lazzeri?'

'Dat ben jij, jongen. Je bent nu een echte Italiaan. Dat is je geboortebewijs en je nationale identiteitskaart. Je moet alle informatie zo snel mogelijk in je hoofd prenten.'

'In mijn hoofd prenten? Ik kan het niet eens lezen.'

'Leer dat dan. We vertrekken over ongeveer drie uur. Je wordt naar een stad hier in de buurt gebracht, waar je je nieuwe beste vriend ontmoet, en die zal een paar dagen je handje vasthouden.'

'Een paar dagen?'

'Misschien een maand. Dat hangt ervan af hoe goed je je door de overgang heen slaat.'

Joel legde de map neer en keek Stennett aan. 'Voor wie werk je?'

'Als ik je dat vertelde, zou ik je moeten doden.'

'Heel grappig. De CIA?'

'De Verenigde Staten, meer kan ik niet zeggen, en meer hoef je niet te weten.'

Joel keek naar het raam met het metalen kozijn en het slot, en zei: 'Ik heb geen paspoort in die map zien liggen.'

'Ja, nou, je gaat ook nergens heen, Marco. Je gaat een erg rustig leven leiden. Je buren zullen denken dat je in Milaan geboren bent maar in Canada bent opgegroeid, vandaar het slechte Italiaans dat je gaat leren. Als je ooit zin krijgt om te reizen, kan dat erg gevaarlijk voor je worden.'

'Gevaarlijk?'

'Kom nou, Marco. Speel geen spelletjes met me. Er zijn een paar heel gemene mensen op deze wereld die je erg graag zouden willen vinden. Als je doet wat wij zeggen, gebeurt dat niet.'

'Ik spreek geen woord Italiaans.'

'Natuurlijk wel: *pizza, spaghetti, caffè latte, bravo, opera, mamma mia.* Je leert het wel. Hoe sneller je leert en hoe beter je leert, des te veiliger ben je. Je krijgt een leraar.'

'Ik heb geen cent.'

'Dat heb ik gehoord. Tenminste niets wat ze konden vinden.' Hij haalde wat bankbiljetten uit zijn zak en legde ze op de map. 'Terwijl jij achter slot en grendel zat, heeft Italië de lire afgeschaft en de euro ingevoerd. Dit zijn er honderd. Een euro is ongeveer een dollar. Ik ben over een uur terug met wat kleren. In de map zit een klein woordenboekje, tweehonderd van je eerste woorden in het Italiaans. Ik stel voor dat je aan het werk gaat.'

Een uur later was Stennett terug met een overhemd, een broek, een jasje, schoenen en sokken, allemaal Italiaans. '*Buon giorno*,' zei hij.

'Ook hallo,' zei Backman.

'Wat is het woord voor auto?'

'*Macchina.*'

'Goed, Marco. Het is tijd om in de *macchina* te stappen.'

Achter het stuur van de kleine, onopvallende Fiat zat de zoveelste zwijgende man. Joel kroop op de achterbank met een canvas tas waarin hij al zijn aardse bezittingen had. Stennett ging voorin zitten. De lucht was koud en vochtig en er lag een dun laagje sneeuw. Toen ze het hek van de luchtmachtbasis Aviano passeerden, voelde Joel Backman zich voor het eerst een beetje vrij, al moest die lichte golf van opwinding het algauw afleggen tegen zijn spanningen.

Hij lette goed op de wegwijzers; op de voorbank werd geen woord gesproken. Ze zaten op weg 251, een tweebaansweg, en reden naar het zuiden, dacht hij. Toen ze de stad Pordenone naderden, werd het druk op de weg.

'Hoeveel inwoners heeft Pordenone?' vroeg Joel, die daarmee de diepe stilte doorbrak.

'Vijftigduizend,' zei Stennett.

'We zijn in het noorden van Italië, nietwaar?'

'Het noordoosten.'

'Hoe ver zijn we van de Alpen vandaan?'

Stennett knikte naar rechts en zei: 'Zo'n zeventig kilometer die kant op. Bij helder weer kun je ze zien.'

'Kunnen we ergens koffie drinken?' vroeg Joel.

'Nee, we, eh, we hebben geen toestemming om te stoppen.'

Tot nu toe leek het of de chauffeur volkomen doof was.

Ze reden om de noordelijke rand van Pordenone heen en waren algauw op de A28, een vierbaanssnelweg waar het leek of iedereen, behalve de truckers, bang was te laat op zijn werk te komen. Kleine auto's vlogen hen voorbij terwijl zij met een snelheid van niet meer dan honderd kilometer per uur over de weg tuften. Stennett vouwde een Italiaanse krant open, *La Repubblica*, en blokkeerde daarmee de halve voorruit.

Joel had er geen enkel bezwaar tegen om in stilte te rijden en naar het landschap te kijken dat aan hem voorbij gleed. De glooiende vlakte leek erg vruchtbaar, al was het eind januari en waren de velden leeg. Nu en dan zag hij op een terrasgewijs ingerichte helling een oude villa. Ooit had hij zo'n villa gehuurd. Een jaar of tien geleden had echtgenote nummer twee gedreigd van hem weg te lopen als hij niet ergens met haar heen ging voor een lange vakantie. Joel werkte tachtig uur per week en had tijd over voor nog meer werk. Hij was liever op kantoor dan thuis, en zoals het thuis toen ging, was het leven op kantoor ook veel vreedzamer. Maar omdat een scheiding te veel zou kosten, maakte Joel aan iedereen bekend dat hij en zijn dierbare vrouw een maand in Toscane zouden doorbrengen. Hij gedroeg zich alsof het allemaal zijn idee was: 'Een maandlang wijn en culinaire avonturen in het land van de chianti!'

Ze gingen naar een veertiende-eeuws klooster bij het middeleeuwse dorp San Gimignano, compleet met huishoudsters en koks, zelfs een chauffeur. Maar op de vierde dag van het avontuur kreeg Joel het alarmerende bericht dat de senaatscommissie voor budgetzaken overwoog een post te schrappen, waardoor een van zijn cliënten, een defensieleverancier, twee miljard dollar zou mislopen. Hij vloog met een gecharterde jet naar huis en ging aan het werk om de senaat weer op het rechte pad te krijgen. Echtgenote nummer twee bleef achter en hij zou later horen dat ze met de jonge chauffeur naar bed ging. De week daarop belde hij dagelijks en beloofde hij naar de villa terug te komen om hun vakantie af te maken, maar na de tweede week kwam ze niet meer aan de telefoon.

De budgetkwestie werd geheel naar zijn wensen opgelost.

Een maand later vroeg ze echtscheiding aan, een hard gevecht dat hem uiteindelijk meer dan drie miljoen dollar zou kosten.

En zij was zijn favoriete van de drie. Ze waren nu allemaal weg. De eerste, de moeder van twee van zijn kinderen, was na Joel twee keer hertrouwd, en haar huidige man was rijk geworden met het verkopen van vloeibare kunstmest aan derdewereldlanden. Ze had hem zelfs geschreven toen hij in de gevangenis zat, een wreed briefje waarin ze het rechtsstelsel prees omdat het voorgoed had afgerekend met een van de grootste schurken die er deel van hadden uitgemaakt.

Hij kon het haar niet kwalijk nemen. Ze pakte haar koffers nadat ze hem met een secretaresse had betrapt, het sletje dat echtgenote nummer twee werd.

Echtgenote nummer drie had vlak nadat hij in staat van beschuldiging was gesteld het zinkende schip verlaten.

Wat een bezopen leven. Tweeënvijftig jaar, en wat had het hem allemaal opgeleverd, al dat afzetten van cliënten, dat jagen op secretaresses, alle druk die hij op slijmerige politici had uitgeoefend, al die werkweken van zeven dagen, al die verwaarlozing van drie verrassend evenwichtige kinderen, al dat werken aan zijn imago, dat opbouwen van zijn grenzeloze ego, dat jagen op geld geld geld? Hoe wordt het roekeloos najagen van de grote Amerikaanse droom beloond?

Zes jaar in de gevangenis. En nu een valse naam omdat de oude naam te gevaarlijk was. En ongeveer honderd dollar op zak.

Marco? Hoe kon hij zichzelf elke morgen in de spiegel zien en zeggen: 'Buon giorno, Marco?'

Nou ja, het was beter dan: 'Goedemorgen, gevangenisboef.'

Stennett worstelde meer met de krant dan dat hij hem las. Het papier wilde niet in het gareel blijven en ging alle kanten op. Nu en dan wierp de chauffeur een geërgerde blik opzij.

Op een bord stond dat Venetië zestig kilometer naar het zuiden lag, en Joel besloot de monotonie te doorbreken. 'Ik zou graag in Venetië willen wonen, als het Witte Huis dat goedvindt.'

De chauffeur kromp even ineen en Stennetts krant zakte bijna twintig centimeter. De atmosfeer in de kleine auto was een ogenblik gespannen, maar toen kreunde Stennett en haalde zijn schouders op. 'Sorry,' zei hij.

'Ik moet dringend pissen,' zei Joel. 'Kun je toestemming krijgen voor een plaspauze?'

Ze stopten bij een moderne *servizio* ten noorden van het plaatsje

51

Conegliano. Stennett kocht espresso voor iedereen. Joel ging met zijn koffie naar het raam aan de voorkant, keek daar naar het verkeer en luisterde naar een jong stel dat ruzie zat te maken in het Italiaans. Hij hoorde geen van de tweehonderd woorden die hij uit zijn hoofd had geprobeerd te leren. Het leek hem onbegonnen werk.

Stennett kwam naast hem staan en keek ook naar het verkeer. 'Ben je veel in Italië geweest?' vroeg hij.

'Een keer een maand, in Toscane.'

'O, ja? Een hele maand? Dat moet mooi geweest zijn.'

'Eigenlijk vier dagen, maar mijn vrouw bleef een maand. Ze kreeg hier vrienden. En jij? Is dit een van je vaste stekken?'

'Ik reis veel.' Zijn gezicht was net zo vaag als zijn antwoord. Hij nam een slok uit het kleine kopje en zei: 'Conegliano, bekend om zijn *prosecco*.'

'De Italiaanse versie van champagne,' zei Joel.

'Ja. Ben jij een drinker?'

'Ik heb in zes jaar geen druppel gedronken.'

'Dat hadden ze niet in de gevangenis?'

'Nee.'

'En nu?'

'Nu ga ik er zachtjes aan weer mee beginnen. Ik had er vroeger een probleem mee.'

'Kom, we gaan verder.'

'Hoe lang nog?'

'Niet zo lang.'

Stennett liep naar de deur, maar Joel hield hem tegen. 'Hé, wacht eens, ik heb honger. Kan ik een sandwich krijgen voor onderweg?'

Stennett keek naar een rek met kant-en-klare *panini*. 'Goed.'

'Of twee?'

'Geen probleem.'

De A27 leidde in zuidelijke richting naar Treviso, en toen duidelijk werd dat ze niet om de stad heen zouden rijden, nam Joel aan dat er nu een eind aan de rit zou komen. De chauffeur ging langzamer rijden, sloeg twee keer af, en algauw hobbelden ze door de smalle straten van de stad.

'Hoeveel inwoners heeft Treviso?' vroeg Joel.

'Vijfentachtigduizend,' antwoordde Stennett.

'Wat weet je van de stad?'

'Het is een welvarend stadje dat in vijfhonderd jaar niet veel veranderd is. Ooit was het een trouwe bondgenoot van Venetië. Dat was in de tijd dat die steden allemaal tegen elkaar vochten. We hebben er nogal wat bommen op gegooid in de Tweede Wereldoorlog. Een mooie stad, niet te veel toeristen.'

Een goede plaats om je schuil te houden, dacht Joel. 'Blijf ik hier?'

'Zou kunnen.'

Een hoge klokkentoren lokte al het verkeer naar het centrum van de stad, waar het voortkroop over de Piazza dei Signori. Scooters en brommers zigzagden tussen auto's door; hun bestuurders kenden blijkbaar geen enkele angst. Joel keek aandachtig naar de leuke winkeltjes: de *tabaccheria* met rekken vol kranten bij de deur, de *farmacia* met het groene neonkruis, de slager met allerlei hammen die in de etalage hingen, en natuurlijk de terrasjes waar alle tafels bezet waren door mensen die blijkbaar niets meer van het leven verlangden dan dat ze daar konden zitten lezen en praten en espresso drinken. Het was bijna elf uur 's morgens. Wat zouden die mensen toch voor de kost doen, als ze al een uur voor de lunchpauze op een terras konden zitten?

Het zou een uitdaging voor hem zijn om dat te ontdekken, besloot hij.

De naamloze chauffeur reed een tijdelijke parkeerplek op. Stennett toetste een nummer in op zijn mobiele telefoon, wachtte even en zei toen snel iets in het Italiaans. Toen hij klaar was, wees hij door de voorruit en zei: 'Zie je die cafetaria daar, onder die rood-met-witte luifel? Caffè Donati?'

Joel tuurde vanaf de achterbank en zei: 'Ja, ik zie hem.'

'Je gaat naar binnen, loopt links langs de bar en gaat naar achteren, waar acht tafels staan. Je gaat zitten, bestelt koffie en wacht.'

'Waarop?'

'Na ongeveer tien minuten komt er een man naar je toe. Je doet wat hij zegt.'

'En als ik dat niet doe?'

'Speel geen spelletjes, Backman. We houden je in de gaten.'

'Wie is die man?'

'Je nieuwe beste vriend. Blijf bij hem, en je blijft waarschijnlijk in leven. Als je iets stoms probeert, hou je het geen maand uit.' Stennett zei dat met een zekere voldoening, alsof hij zelf heel graag degene zou willen zijn die de arme Marco uit de weg ruimde.

'Dus wat ons betreft, is het *adios*, hè?' Joel pakte zijn tas op.
'*Arrivederci*, Marco, niet *adios*. Je hebt je papieren?'
'Ja.'
'Nou, dan *arrivederci*.'

Joel stapte langzaam uit en liep weg. Hij vocht tegen de aandrang om achterom te kijken om te zien of Stennett, zijn beschermer, nog oplette en nog klaarzat om hem voor onbekende gevaren te behoeden. Maar hij draaide zich niet om. In plaats daarvan deed hij zo normaal mogelijk terwijl hij daar met zijn canvas tas over straat liep, de enige canvas tas die hij op dat moment in het centrum van Treviso zag.

Stennett keek natuurlijk naar hem. En wie nog meer? In elk geval was zijn nieuwe beste vriend daar ergens. Die zou zich wel half achter een krant verschuilen en tekens geven aan Stennett en de rest van het stel. Joel bleef even voor de *tabaccheria* staan en keek naar de koppen van de Italiaanse kranten, al begreep hij daar geen woord van. Hij bleef staan omdat hij kon blijven staan, omdat hij een vrij man was met de mogelijkheid en het recht om te blijven staan waar hij wilde en om door te lopen wanneer hij dat wilde.

Hij ging Caffè Donati binnen en werd begroet met een zacht '*Buon giorno*' van de jongeman die de bar afveegde.

'*Buon giorno*,' kon Joel antwoorden, zijn eerste echte woorden tegen een echte Italiaan. Om verder niets te hoeven zeggen liep hij door, langs de bar, langs een wenteltrap waarbij een bord naar een cafetaria boven verwees, langs een groot buffet vol prachtig gebak. De achterkamer was donker en vol en benauwd van de sigarettenrook. Hij ging aan een van de twee lege tafels zitten en lette niet op de andere bezoekers. Hij was doodsbang voor de ober, doodsbang voor de bestelling die hij moest doen, doodsbang dat hij al in zo'n vroeg stadium zou worden ontmaskerd, en daarom ging hij alleen maar met zijn hoofd omlaag zitten en las zijn nieuwe identiteitspapieren.

'*Buon giorno*,' zei een jonge vrouw bij zijn linkerschouder.

'*Buon giorno*,' kon Joel antwoorden. En voordat ze het menu kon opsommen, zei hij: 'Espresso.' Ze glimlachte en zei iets onverstaanbaars waarop hij '*No*' antwoordde.

Het werkte, ze ging weg, en voor Joel was dat een grote overwinning. Niemand keek naar hem alsof hij een onwetende buitenlander was. Toen ze de espresso bracht, zei hij heel zachtjes '*Grazie*', en ze glimlachte zelfs naar hem. Hij dronk langzaam, want hij wist niet hoe lang hij ermee zou moeten doen en wilde het niet op hebben, want dan zou hij zich misschien gedwongen zien opnieuw iets te bestellen.

Overal om hem heen werd Italiaans gesproken, het zachte onophoudelijke geprat van vrienden die in snel tempo nieuwtjes uitwisselden. Klonk Engels ook zo snel? Waarschijnlijk wel. Het leek hem volstrekt onmogelijk dat hij die taal goed genoeg onder de knie zou krijgen om te kunnen verstaan wat er om hem heen werd gezegd. Hij keek naar zijn schamele lijstje van tweehonderd woorden en deed toen een paar minuten erg zijn best om ook maar één van die woorden te horen.

De serveerster kwam langs en stelde een vraag. Hij gaf zijn standaardantwoord '*No*', en opnieuw werkte het.

En zo dronk Joel Backman een espresso in een kleine bar aan de Via Verde, bij de Piazza dei Signori in het centrum van Treviso, in de Veneto, in het noordoosten van Italië, terwijl in de federale strafinrichting Rudley zijn oude maten nog in eenzame opsluiting zaten, met smerig eten en waterige koffie en sadistische bewaarders en stomme regels en nog jaren te gaan voordat ze zelfs maar van een leven in de buitenwereld konden dromen.

In tegenstelling tot eerdere plannen zou Joel Backman niet achter de tralies van Rudley sterven. Hij zou niet meemaken dat zijn kracht en lichaam en geest langzaam wegkwijnen. Hij had zijn kwellers veertien jaar ontnomen, en nu zat hij zonder boeien in een gezellige cafetaria, een uur bij Venetië vandaan.

Waarom dacht hij aan de gevangenis? Omdat je wel naschokken moet voelen als zoiets gebeurt. Je neemt iets van je verleden met je mee, hoe onaangenaam dat ook is. Door de verschrikkingen van de gevangenis was zijn plotselinge vrijlating zo geweldig. Het zou tijd kosten, en hij besloot zich op het heden te concentreren. Hij wilde niet aan de toekomst denken.

Luister naar de geluiden, zei hij tegen zichzelf, naar het radde Italiaans van vrienden, het lachen, de man die daar in een mobiele telefoon zit te fluisteren, de leuke serveerster die iets naar de keuken roept. Neem de geuren in je op: de sigarettenrook, de heerlijke koffie, het verse gebak, de warmte van een kleine ruimte waar mensen uit de stad al eeuwen bij elkaar zitten.

En voor de honderdste keer vroeg hij zich af waarom hij daar was.

Waarom was hij uit de gevangenis gehaald en het land uit gesmokkeld? Gratie was nog tot daaraantoe, maar waarom een grootscheepse internationale ontsnapping? Waarom hadden ze hem niet gewoon zijn vrijlatingspapieren gegeven, zodat hij afscheid van dat goeie ouwe Rudley kon nemen en zijn leven kon leiden, zoals alle andere veroordeelden die gratie kregen?

Hij had een idee. Misschien kon je het zelfs een vrij sterk vermoeden noemen.

En het beangstigde hem.

Luigi dook op uit het niets.

6

Luigi was begin dertig, met donkere trieste ogen, een stoppelbaard van minstens vier dagen en donker haar dat zijn oren gedeeltelijk bedekte. Hij droeg een grof zwaar jasje waardoor hij er, vooral in combinatie met zijn ongeschoren gezicht, als een aantrekkelijke boer uitzag. Hij bestelde een espresso en glimlachte veel. Joel zag meteen dat zijn handen en nagels schoon waren en dat hij een goed gebit had. Dat boerenjasje en die stoppelbaard maakten deel uit van zijn act. Luigi had waarschijnlijk aan Harvard gestudeerd.

Hij sprak foutloos Engels met een accent dat net zwaar genoeg was om iedereen ervan te overtuigen dat hij in werkelijkheid een Italiaan was. Hij zei dat hij uit Milaan kwam. Zijn Italiaanse vader was diplomaat en reisde met zijn Amerikaanse vrouw en hun twee kinderen de wereld over om zijn land te dienen. Joel veronderstelde dat Luigi veel over hem wist en deed zijn best om zo veel mogelijk over zijn nieuwe begeleider aan de weet te komen.

Hij kreeg niet veel te horen. Getrouwd: nee. Gestudeerd: Bologna. In de Verenigde Staten gestudeerd: ja, ergens in het Midwesten. Baan: overheid. Welke overheid: kon hij niet zeggen. Hij had een ongedwongen glimlach die hij gebruikte om vragen uit de weg te gaan waarop hij geen antwoord wilde geven. Joel wist dat hij met een professional te maken had.

'Ik neem aan dat je iets over mij weet,' zei Joel.

Die glimlach, dat volmaakte gebit. De trieste ogen gingen bijna dicht als hij glimlachte. Die jongen zou moeite hebben zich de dames van het lijf te houden. 'Ik heb het dossier gezien.'

'Het dossier? Het dossier over mij zou niet in deze kamer passen.'

'Ik heb het dossier gezien.'

'Goed, hoe lang heeft Jacy Hubbard in de Amerikaanse senaat gezeten?'

'Te lang, zou ik zeggen. Hoor eens, Marco, we gaan het verleden niet weer tot leven wekken. We hebben nu te veel te doen.'

'Mag ik een andere naam? Ik vind Marco maar niks.'

'Mijn idee was het niet.'

'Nou, wiens idee dan wel?'

'Dat weet ik niet. Ik niet. Je stelt veel nutteloze vragen.'

'Ik ben 25 jaar advocaat geweest. Het is een oude gewoonte.'

Luigi dronk zijn espresso op en legde wat euro's op de tafel. 'Laten we gaan wandelen,' zei hij en hij stond op. Joel pakte zijn canvas tas op en liep met zijn begeleider mee naar buiten. Ze liepen over het trottoir en sloegen een zijstraat met minder verkeer in. Ze hadden maar een paar meter afgelegd of Luigi bleef voor de Albergo Campeol staan. 'Dit is je eerste halteplaats,' zei hij.

'Wat is het?' vroeg Joel. Het was een wit gebouw van vier verdiepingen dat tussen twee andere gebouwen zat ingeklemd. Boven de ingang hingen kleurrijke vlaggen.

'Een hotelletje. "*Albergo*" betekent hotel. Je kunt ook het woord "hotel" gebruiken, als je dat wilt, maar in de kleinere steden zeggen ze liever *albergo*.'

'Dus het is een gemakkelijke taal.' Joel keek de smalle straat in beide richtingen door. Blijkbaar was dit zijn nieuwe buurt.

'Gemakkelijker dan Engels.'

'We zullen zien. Hoeveel talen spreek jij?'

'Vijf of zes.'

Ze gingen naar binnen en liepen door de kleine hal. Luigi knikte de receptionist toe. Joel kon een redelijk goed '*Buon giorno*' uitbrengen, maar hij liep door, want hij wilde een onverstaanbaar antwoord vermijden. Ze gingen drie trappen op en liepen naar het eind van een smalle gang. Luigi had de sleutel van kamer 30, een eenvoudige maar comfortabel ingerichte kamer met ramen aan drie kanten en uitzicht op een kanaal beneden.

'Dit is de mooiste kamer,' zei Luigi. 'Hij is niet luxe, maar wel redelijk goed.'

'Je had mijn vorige kamer moeten zien.' Joel gooide zijn tas op het bed en trok de gordijnen open.

Luigi maakte de deur van de erg kleine kast open. 'Kijk. Je hebt vier overhemden, vier broeken, twee jasjes, twee paar schoenen, allemaal in jouw maat. Plus een dikke wollen jas, het kan hier in Treviso erg koud worden.' Joel keek naar zijn nieuwe garderobe. De kleren hingen volkomen recht, allemaal geperst en klaar om gedragen te worden. De kleuren waren gedempt, smaakvol, en elk overhemd kon bij elk jasje en elke broek gedragen worden. Ten slotte haalde hij zijn schouders op en zei: 'Bedankt.'

'In de la daar liggen een riem, sokken, ondergoed, alles wat je nodig hebt. In de badkamer vind je alle noodzakelijke toiletartikelen.'

'Mooi hoor.'

'En hier op het bureau liggen twee brillen.' Luigi pakte een bril op en hield hem tegen het licht. De kleine rechthoekige glazen zaten in een dun, zwart, erg Europees metalen montuur. 'Armani,' zei Luigi met een zekere trots.

'Een leesbril?'

'Ja en nee. Ik stel voor dat je hem altijd draagt wanneer je buiten deze kamer bent. Hij maakt deel uit van de vermomming, Marco, van je nieuwe imago.'

'Je had het oude moeten zien.'

'Nee, dank je. Het uiterlijk is erg belangrijk voor Italianen, zeker hier in het noorden. Je kleding, je bril, je kapsel, alles moet precies bij elkaar passen, anders val je op.'

Joel voelde zich niet op zijn gemak, maar ach, wat gaf het? Hij had langer in gevangeniskleren rondgelopen dan hij zich wilde herinneren. In zijn glorietijd was het voor hem de gewoonste zaak van de wereld geweest om drieduizend dollar voor een perfect gesneden pak neer te tellen.

Luigi ging verder met zijn lessen. 'Geen korte broek, geen zwarte sokken en witte sportschoenen, geen polyester broek, geen golfshirts, en alsjeblieft, word niet dik.'

'Hoe zeg je "lik m'n reet" in het Italiaans?'

'Daar komen we later nog op. Gewoonten en gebaren zijn belangrijk. Ze zijn gemakkelijk te leren en je hebt er veel aan. Bestel bijvoorbeeld nooit cappuccino na halfelf 's morgens. Maar een espresso kun je op elk uur van de dag bestellen. Wist je dat?'

'Nee.'

'Alleen toeristen bestellen cappuccino na de lunch of het diner. Een schande. Al die melk op een volle maag.' Een ogenblik fronste Luigi zijn wenkbrauwen alsof hij alle reden had om over te geven.

Joel bracht zijn rechterhand omhoog en zei: 'Ik zweer je dat ik dat niet zal doen.'

'Ga zitten,' zei Luigi, terwijl hij wees naar het kleine bureau en de twee stoelen. Ze gingen zitten en probeerden het zich gemakkelijk te maken. Hij ging verder: 'Ten eerste, de kamer. Die staat op mijn naam, maar het personeel denkt dat een Canadese zakenman hier een paar weken zal verblijven.'

'Een paar weken?'

'Ja, en dan ga je naar een andere locatie,' zei Luigi zo onheilspellend mogelijk, alsof er al legertjes huurmoordenaars door Treviso rond-liepen, op zoek naar Joel Backman. 'Vanaf dit moment laat je een spoor achter. Denk daar wel aan; alles wat je doet, iedereen die je ontmoet, het maakt allemaal deel uit van je spoor. Dat is het geheim van in leven blijven: zo min mogelijk sporen achterlaten. Praat met erg weinig mensen, en nu heb ik het ook over de recep-tionist beneden en de huishoudster. Hotelmedewerkers letten op hun gasten, en ze hebben een goed geheugen. Over zes maanden komt er misschien iemand naar dit hotel om vragen over jou te stel-len. Misschien heeft hij een foto. Misschien probeert hij mensen om te kopen. En dan is er kans dat de receptionist zich jou herin-nert en ook nog weet dat je bijna geen Italiaans sprak.'

'Ik heb een vraag.'

'Ik heb erg weinig antwoorden.'

'Waarom hier? Waarom een land waar ik de taal niet van spreek? Waarom niet Engeland of Australië, ergens waar ik gemakkelijker in de bevolking kan opgaan?'

'Dat besluit is door iemand anders genomen, Marco. Niet door mij.'

'Dat dacht ik al.'

'Waarom vroeg je het dan?'

'Geen idee. Kan ik overplaatsing aanvragen?'

'Weer een nutteloze vraag.'

'Een slechte grap, geen slechte vraag.'

'Kunnen we verdergaan?'

'Ja.'

'De eerste paar dagen ga ik met je uit lunchen en dineren. We gaan dan steeds naar verschillende gelegenheden. Treviso is een mooie stad met veel etablissementen en die gaan we allemaal proberen. Je moet beginnen te denken aan de dag waarop ik er niet meer ben. Wees voorzichtig met de mensen die je ontmoet.'

'Ik heb weer een vraag.'

'Ja, Marco.'

'Het gaat over geld. Ik vind het niet leuk om blut te zijn. Zijn jullie van plan me een toelage te geven of zoiets? Dan was ik jullie auto en doe ik andere klusjes.'

'Wat is een toelage?'

'Geld? Geld in mijn zak.'

'Maak je niet druk om geld. Voorlopig betaal ik de rekeningen. Je zult geen honger lijden.'

'Goed.'

Luigi stak zijn hand diep in de zak van zijn jasje en haalde een mobiele telefoon tevoorschijn. 'Die is voor jou.'

'En wie ga ik daarmee bellen?'

'Mij, als je iets nodig hebt. Mijn nummer staat op de achterkant.'

Joel nam de telefoon aan en legde hem op het bureau. 'Ik heb honger. Ik heb gedroomd van een uitgebreide lunch met pasta en wijn en een dessert, en natuurlijk van espresso, zeker niet cappuccino op dit uur, en dan misschien de voorgeschreven siësta. Ik ben nu al vier dagen in Italië en ik heb alleen maar maïschips en sandwiches te eten gehad. Nou?'

Louis keek op zijn horloge. 'Ik weet precies waar we heen kunnen gaan, maar eerst nog een paar dingen. Je spreekt geen Italiaans, hè?'

Joel sloeg zijn ogen ten hemel en blies geërgerd zijn adem uit. Toen probeerde hij te glimlachen en zei: 'Nee, ik ben nooit in de gelegenheid geweest om Italiaans te leren, of Frans of Duits of iets anders. Ik ben Amerikaan, weet je nog wel, Luigi? Mijn land is groter dan heel Europa. Je hebt daar alleen maar Engels nodig.'

'Je bent Canadees, weet je nog wel?'

'Goed, mij best, maar we zijn geïsoleerd. Alleen wij en de Amerikanen.'

'Ik heb opdracht om over je veiligheid te waken.'

'Dank je.'

'En om ons daarbij te helpen moet je zo snel mogelijk veel Italiaans leren.'

'Dat begrijp ik.'

'Je krijgt een leraar, een jonge student die Ermanno heet. Je studeert 's morgens met hem, en 's middags opnieuw. Het zal niet meevallen.'

'Hoe lang gaat het duren?'

'Zo lang als nodig is. Dat hangt van jou af. Als je hard werkt, kun je over drie of vier maanden misschien op jezelf leven.'

'Hoe lang heb jij erover gedaan om Engels te leren?'

'Mijn moeder is Amerikaanse. We spraken thuis Engels en daarbuiten Italiaans.'

'Dat is niet eerlijk. Wat spreek je nog meer?'

'Spaans, Frans, nog een paar talen. Ermanno is een uitstekende leraar. De lesruimte is hier in de straat.'

'Niet hier in het hotel?'

'Nee, nee, Marco. Je moet aan je spoor denken. Wat zou de liftbediende of de huishoudster zeggen als je elke dag vier uur lang een jongeman in je kamer had?'

'God verhoede dat.'

'De huishoudster zou aan de deur luisteren en de lessen horen. Ze zou het aan haar baas vertellen. Binnen een dag of twee zou het hele personeel weten dat de Canadese zakenman hard aan het studeren is. Vier uur per dag!'

'Ik snap het. Zullen we dan nu gaan lunchen?'

Toen ze het hotel verlieten, slaagde Joel erin om zonder een woord te zeggen naar de receptionist, de portier en de piccolo te glimlachen. Ze liepen een huizenblok naar het centrum van Treviso, de Piazza dei Signori, het grote plein met galerijen en cafés. Het was ongeveer twaalf uur en het was druk op de trottoirs, want de Italianen haastten zich naar hun lunch. Het werd kouder, al voelde Joel zich behaaglijk in zijn nieuwe wollen jas. Hij deed zijn best om er Italiaans uit te zien.

'Binnen of buiten?' vroeg Luigi.

'Binnen,' zei Joel, en ze doken het Caffè Beltrame in, dat uitkeek op de piazza. Een bakstenen oven aan de voorkant verwarmde het restaurant, en de geur van het dagelijks feestmaal kwam van de achterkant. Luigi en de ober praatten tegelijk, en toen lachten ze, en even later hadden ze een tafel bij een raam.

'We hebben geluk,' zei Luigi, toen ze hun jassen uittrokken en gingen zitten. 'Het gerecht van de dag is *farana con polenta*.'

'En wat mag dat zijn?'

'Parelhoen met polenta.'

'Wat nog meer?'

Luigi bestudeerde een van de schoolborden die aan een ruwe balk hingen. '*Panzerotti di funghi al burro,* gebakken champignonpasteitjes. *Conchiglie con cavalfiori,* pastaschelpjes met bloemkool. *Spiedino di carne misto alla griglia,* gegrilde sjisj-kebab van gemengd vlees.'

'Ik neem alles.'

'De huiswijn is vrij goed.'

'Doe mij maar rood.'

Binnen enkele minuten zat het café vol met mensen die elkaar allemaal schenen te kennen. Een jolig mannetje met een vuil wit schort liep vlug langs de tafel, hield net lang genoeg de pas in om oogcontact met Joel te maken en noteerde niets toen Luigi een lange lijst opdreunde van wat ze wilden eten. Er kwam een kruik huiswijn met een kommetje warme olijfolie en een schaal met in plakjes gesneden *focaccia,* en Joel at. Luigi legde hem de finesses van lunch en ontbijt uit, de gewoonten en de traditie en de fouten die toeristen maakten wanneer ze voor authentieke Italianen wilden doorgaan.

Voor Luigi was alles even leerzaam.

Hoewel Joel van het eerste glas wijn genoot, steeg de alcohol meteen naar zijn hoofd. Een heerlijke warme verdoving verspreidde zich door zijn lichaam. Hij was vrij, vele jaren eerder dan de bedoeling was geweest, en hij zat in een rustiek restaurant in een Italiaans stadje waarvan hij nooit had gehoord, en hij dronk de voortreffelijke plaatselijke wijn en rook de geuren van een heerlijk feestmaal. Hij glimlachte naar Luigi, die hem dingen bleef uitleggen, maar op een gegeven moment zweefde Joel weg naar een andere wereld.

Ermanno zei dat hij drieëntwintig was, maar leek niet ouder dan zestien. Hij was lang en griezelig mager en leek met zijn rossige haar en bruine ogen eerder op een Duitser dan op een Italiaan. Hij was ook erg verlegen en nogal nerveus, en de eerste indruk die Joel van hem had, stond hem niet aan.

Ze ontmoetten Ermanno in zijn kleine woning op de tweede verdieping van een slecht onderhouden gebouw, zes straten van Joels hotel vandaan. Er waren drie kleine vertrekken – keuken, slaapkamer, huiskamer – allemaal spaarzaam ingericht, maar Ermanno was een student, dus zo'n omgeving kon je verwachten. Toch zag alles eruit alsof hij hier net was komen wonen en elk moment weer kon vertrekken.

Ze zaten aan een kleine tafel midden in de huiskamer. Er was geen televisie. Het was koud in de kamer, en de verlichting was zwak, en Joel kreeg onwillekeurig het gevoel dat hij in een ondergrondse ruimte terecht was gekomen, waar voortvluchtigen in leven werden gehouden en in het geheim hun gang gingen. De warmte van de lunch, die twee uur had geduurd, trok snel weg.

De nervositeit van zijn leraar maakte de zaak er niet beter op.

Toen bleek dat Ermanno de leiding van het gesprek niet kon nemen, kwam Luigi vlug tussenbeide. Hij stelde voor dat ze elke morgen van negen tot elf uur zouden studeren, daarna twee uur pauze zouden nemen, en dan vanaf halftwee weer zouden studeren tot ze moe waren. Ermanno en Joel gingen akkoord. Joel stelde zichzelf trouwens een voor de hand liggende vraag: als die jongen student was, hoe kon het dan dat hij tijd had om hem de hele dag les te geven? Maar hij stelde die vraag niet. Dat kon hij later nog wel eens doen.

O, al die vragen waarop hij geen antwoord had.

Ermanno ontspande uiteindelijk en zette uiteen wat de taalcursus inhield. Als hij langzaam sprak, viel zijn accent niet zo op. Maar als hij vlug iets wilde zeggen, zoals vaak het geval was, leek zijn Engels net Italiaans. Luigi onderbrak hem een keer en zei: 'Ermanno, het is belangrijk dat je erg langzaam spreekt, in elk geval de eerste paar dagen.'

'Dank je,' zei Joel als een echte wijsneus.

Ermanno kreeg zowaar een kleur en hij zei erg timide: 'Sorry.'

Hij gaf Joel de leermiddelen: cursusboek nummer 1, samen met een kleine cassetterecorder en twee cassettes. 'De bandjes volgen het boek,' zei hij erg langzaam. 'Vanavond moet u hoofdstuk 1 bestuderen en een aantal keren naar beide bandjes luisteren. Morgen beginnen we daarmee.'

'Het wordt een intensieve studie,' voegde Luigi daaraan toe om nog meer druk uit te oefenen, voorzover dat nodig was.

'Waar heb je Engels geleerd?' vroeg Joel.

'Op de universiteit,' zei Ermanno. 'In Bologna.'

'Dus je hebt niet in de Verenigde Staten gestudeerd?'

'Dat ook,' zei hij en hij wierp nerveus een blik op Luigi, alsof hij liever niet wilde praten over de dingen die hem in de Verenigde Staten waren overkomen. In tegenstelling tot Luigi was Ermanno gemakkelijk te doorgronden. Hij was beslist geen professional.

'Waar?' vroeg Joel, die wilde nagaan hoeveel hij uit hem kon krijgen.

'Furman,' zei Ermanno. 'Een kleine universiteit in South Carolina.'

'Wanneer was je daar?'

Luigi kwam hem te hulp. Hij schraapte zijn keel en zei: 'Jullie hebben daar later nog tijd genoeg voor. Het is belangrijk dat je het Engels vergeet, Marco. Vanaf vandaag leef je in een wereld waar Italiaans wordt gesproken. Alles wat je aanraakt, heeft een Italiaanse naam. Elke gedachte moet worden vertaald. Over een week bestel je dingen in restaurants. Over twee weken droom je in het Italiaans. Het is een volledige, absolute onderdompeling in de taal en cultuur, en er is geen weg terug.'

'Kunnen we om acht uur 's morgens beginnen?' vroeg Joel.

Ermanno keek schichtig en zei toen: 'Misschien om halfnegen?'

'Goed. Ik ben hier om halfnegen.'

Ze verlieten het appartement en slenterden terug naar de Piazza dei Signori. Het was midden op de middag, het verkeer was veel rustiger en de trottoirs waren bijna verlaten. Luigi bleef voor de Trattoria del Monte staan. Hij knikte naar de deur en zei: 'Ik ontmoet je hier om acht uur voor het diner. Goed?'

'Ja, goed.'

'Je weet waar je hotel is?'

'Ja, de *albergo*.'

'En je hebt een plattegrond van de stad?'

'Ja.'

'Goed. Je bent nu op jezelf aangewezen, Marco.' En na die woorden liep Luigi een steegje in. Joel keek hem even na en vervolgde toen zijn weg naar het grote plein.

Hij voelde zich erg alleen. Vier dagen na zijn vertrek uit Rudley was hij eindelijk vrij en op zichzelf, misschien zelfs onbespied, al betwijfelde hij dat. Hij zou door de stad lopen en zich gedragen alsof er niemand naar hem keek. En terwijl hij deed alsof hij naar de voorwerpen in de etalage van een lederwarenwinkeltje keek, zei hij tegen zichzelf dat hij de rest van zijn leven niet meer achterom zou kijken.

Ze zouden hem niet vinden.

Hij slenterde door de straten tot hij op de Piazza San Vito was, een pleintje met twee kerken die daar al zevenhonderd jaar stonden. De Santa Lucia en de San Vito waren allebei dicht, maar volgens een oude koperen plaat zouden ze van vier tot zes uur 's middags weer open zijn. Waarom zou je iets sluiten tussen twaalf en vier uur?

De cafés waren niet dicht, alleen maar leeg. Uiteindelijk verzamelde hij de moed om er een binnen te gaan. Hij trok een kruk bij, hield zijn adem in en zei het woord '*Birra*' toen de barkeeper naar hem toe kwam.

De barkeeper zei iets terug en wachtte op een antwoord, en gedurende een fractie van een seconde kwam Joel in de verleiding om weg te lopen. Maar hij zag de tap en wees daarnaar alsof het volkomen duidelijk was wat hij wilde, en de barkeeper pakte een leeg glas.

Het eerste glas bier in zes jaar. Het was koel en lekker, en hij genoot van elke druppel. Op een televisie aan het eind van de tapkast was een soap aan de gang. Hij luisterde er van tijd tot tijd naar, begreep geen enkel woord en probeerde zichzelf ervan te overtuigen dat hij de taal kon leren. Toen hij weg wilde gaan, naar zijn hotel terug, keek hij door het raam naar buiten.

Stennett liep voorbij.

Joel bestelde nog een glas bier.

7

De affaire-Backman was gedetailleerd beschreven door Dan Sandberg, een ervaren journalist bij de *Washington Post*. In 1998 was hij met het verhaal gekomen over uiterst geheime papieren die het Pentagon ongeoorloofd hadden verlaten. Het FBI-onderzoek dat daarop volgde hield hem een halfjaar bezig. In die tijd schreef hij achttien verhalen, en de meeste daarvan kwamen op de voorpagina. Hij had betrouwbare contacten bij de CIA en de FBI. Hij kende de vennoten van Backman, Pratt & Bolling en was bij hen op kantoor geweest. Hij bestookte het ministerie van Justitie met verzoeken om informatie. Hij was in de rechtszaal geweest op de dag dat Backman zich vlug schuldig verklaarde en verdween.

Een jaar later had hij een van de twee boeken over het schandaal geschreven. Van dat van hem werden maar liefst 24.000 gebonden exemplaren verkocht, van het andere boek ongeveer de helft daarvan.

In de loop van de jaren had Sandberg enkele belangrijke relaties opgebouwd. Vooral een daarvan groeide uit tot een waardevolle, zij het volslagen onverwachte, bron. Een maand voor de dood van Jacy Hubbard had Carl Pratt, die toen nog onder zware verdenking stond, net als de meeste andere vennoten in de firma, contact opgenomen met Sandberg en hem om een gesprek verzocht. Uiteindelijk ontmoetten ze elkaar meer dan tien keer in de tijd dat het schandaal in het nieuws was, en in de jaren daarna waren ze drinkmaatjes geworden. Minstens twee keer per jaar kwamen ze bij elkaar om nieuwtjes uit te wisselen.

Drie dagen na het nieuws van de gratieverlening belde Sandberg de advocaat op. Ze spraken af op hun favoriete stek, een studentenbar in de buurt van de Georgetown University.

Pratt zag er afschuwelijk uit, alsof hij al dagen had gedronken. Hij bestelde wodka; Sandberg hield het op bier.

'Nou, waar is je vriend?' vroeg Sandberg met een grijns.

'Die zit niet meer in de gevangenis. Dat staat vast.' Pratt nam een bijna dodelijke slok wodka en smakte met zijn lippen.

'Niets van hem gehoord?'

'Nee. Ik niet en ook niemand anders bij de firma.'

'Zou je verbaasd zijn als hij belde of langskwam?'

'Ja en nee. Niets verbaast me nog aan Backman.' Nog meer wodka. 'Als hij nooit meer een stap in Washington zet, zou ik niet verbaasd zijn. Als hij morgen opduikt en de opening van een nieuw advocatenkantoor bekendmaakt, ben ik ook niet verbaasd.'

'Die gratieverlening heeft je wel verbaasd.'

'Ja, maar dat was niet Backmans werk, hè?'

'Dat betwijfel ik.' Er liep een studente voorbij en Sandberg keek haar na. Hij was twee keer gescheiden en hij was voortdurend op jacht. Hij nam een slok bier en zei: 'Hij kan de advocatuur toch niet uitoefenen? Ze hebben zijn vergunning toch ingetrokken?'

'Dat zou Backman niet weerhouden. Hij zou het "overheidsbetrekkingen" of "consulting" noemen of zoiets. Het is lobbyen, dat is zijn specialiteit, en daar heb je geen vergunning voor nodig. Ach, de helft van de advocaten in deze stad weet niet eens de weg naar de dichtstbijzijnde rechtbank. Maar het Capitool kunnen ze verrekte goed vinden.'

'En cliënten?'

'Het gaat niet gebeuren. Backman komt niet naar Washington terug. Of heb jij iets anders gehoord soms?'

'Ik heb niets gehoord. Hij is verdwenen. Niemand in de gevangenis zelf wil iets zeggen. Ik krijg niets los van de mensen uit het gevangeniswezen.'

'Wat is jouw theorie?' vroeg Pratt. Hij dronk zijn glas leeg en had zo te zien wel trek in een tweede.

'Ik heb vandaag gehoord dat Teddy Maynard op de negentiende

's avonds naar het Witte Huis is gegaan. Alleen iemand als Teddy zou dit van Morgan gedaan kunnen krijgen. Backman heeft de gevangenis verlaten, waarschijnlijk met een escorte, en hij is verdwenen.'

'Zouden ze hem een andere identiteit hebben gegeven?'

'Best mogelijk. De CIA heeft al vaker mensen verborgen. Dat moet wel. Er wordt niets over bekendgemaakt, maar ze hebben de middelen.'

'Waarom zouden ze Backman verbergen?'

'Om wraak te nemen. Weet je nog, Aldrich Ames, de grootste mol uit de geschiedenis van de CIA?'

'Ja.'

'Die zit nu veilig opgeborgen in een federale gevangenis. Denk je dat de CIA hem niet graag overhoop zou willen schieten? Dat kunnen ze niet doen, want het is in strijd met de wet, ze kunnen geen Amerikaans staatsburger doden, niet hier en niet in het buitenland.'

'Backman was geen CIA-mol. Hij had de pest aan Teddy Maynard, en dat was wederzijds.'

'Maynard zal hem niet doden. Hij zal het alleen zo regelen dat iemand anders het kan doen.'

Pratt stond op. 'Wil je er daar nog een van?' Hij wees naar het bier.

'Straks misschien.' Sandberg pakte zijn glas voor de tweede keer op en nam een slok.

Toen Pratt met een dubbele wodka terugkwam, ging hij zitten en zei: 'Dus jij denkt dat Backmans dagen geteld zijn?'

'Dat is mijn theorie. Laat me die van jou eens horen.'

Een redelijke slok wodka, en toen: 'Hetzelfde resultaat, maar vanuit een iets andere hoek.' Pratt stak zijn vinger in de wodka, roerde erin, likte aan zijn vinger en dacht even na. 'Off the record, ja?'

'Natuurlijk.' Ze hadden in de loop van de jaren zoveel gepraat dat alles off the record was.

'Er zaten acht dagen tussen Hubbards dood en Backmans schuldigverklaring. Dat was een erg angstaanjagende tijd. Kim Bolling en ik stonden allebei onder FBI-bescherming, 24 uur per dag, overal. Eigenlijk was het nogal vreemd. De FBI deed zijn best om ons voorgoed in de gevangenis te stoppen en tegelijk voelden ze zich gedwongen om ons te beschermen.' Een slokje, en hij keek om zich heen om te zien of er geen studenten meeluisterden. Dat was niet het geval. 'Er waren bedreigingen en er werden serieuze stappen ondernomen door dezelfde mensen die Jacy Hubbard hadden vermoord. De FBI heeft maanden nadat Backman was veroordeeld en de dingen tot rust waren gekomen de bescherming ingetrokken. We voelden ons een beetje veiliger, maar Bolling en ik hebben nog twee jaar voor gewapende bewakers betaald. Ik kijk nog steeds in mijn achteruitkijkspiegel. Die arme Kim heeft zijn verstand verloren.'

'Van wie kwamen die bedreigingen?'

'Van dezelfde mensen die Joel Backman graag zouden willen vinden.'

'Wie dan?'

'Backman en Hubbard waren met de Saudi's tot overeenstemming gekomen. Ze zouden het product aan hen verkopen voor een gigantische hoeveelheid geld. Erg duur, maar veel minder duur dan het opbouwen van een gloednieuw satellietsysteem. De deal ging niet door. Hubbard werd vermoord. Backman ging in allerijl de gevangenis in, en de Saudi's waren helemaal niet blij. En de Israëliërs evenmin, want die wilden ook zakendoen. Bovendien waren ze woedend omdat Hubbard en Backman met de Saudi's in zee wilden gaan.' Hij zweeg even en nam een slok, alsof hij zich moed wilde indrinken voor de rest van zijn verhaal. 'En dan heb je nog de mensen die het systeem in eerste instantie hadden gebouwd.'

'De Russen?'

'Waarschijnlijk niet. Jacy Hubbard hield van Aziatische meisjes. Hij is voor het laatst gezien toen hij uit een bar kwam met een bloedmooi jong ding, lang zwart haar, rond gezicht, afkomstig van de andere kant van de wereld. China gebruikt duizenden mensen hier in Amerika om aan informatie te komen. Al die Chinese studenten, zakenlieden, diplomaten hier in Amerika; het krioelt hier van de Chinezen die aan het rondsnuffelen zijn. Daar komt nog bij dat hun inlichtingendienst over erg goede agenten beschikt. In een geval als dit zouden ze niet aarzelen om achter Hubbard en Backman aan te gaan.'

'Weet je zeker dat het China is?'

'Niemand weet het zeker. Misschien weet Backman het, maar hij heeft het nooit iemand verteld. Bedenk wel, de CIA wist niet eens van het systeem af. Ze waren totaal verrast, en Teddy is er nog steeds niet helemaal achter.'

'Een kolfje naar Teddy's hand, nietwaar?'

'Zeg dat wel. Hij fluistert Morgan iets in over de nationale veiligheid. Morgan trapt er natuurlijk in. Backman komt vrij. Teddy smokkelt hem het land uit en kijkt dan wie er opduikt met een geweer in zijn hand. Het is een spel dat Teddy niet kan verliezen.'
'Het is briljant.'
'Het is meer dan briljant, Dan. Ga maar na. Als Joel Backman bij zijn schepper komt, zal niemand daar iets van weten. Niemand weet waar hij nu is. Als zijn lichaam wordt gevonden, weet niemand wie het is.'
'Als het wordt gevonden.'
'Precies.'
'En Backman weet dat?'
Pratt dronk zijn tweede glas leeg en veegde met zijn mouw over zijn mond. Hij fronste zijn wenkbrauwen. 'Backman is beslist niet dom. Maar veel van wat wij weten, is aan het licht gekomen toen hij al in de gevangenis zat. Hij heeft zes jaar gevangenis overleefd en zal wel denken dat hij alles kan overleven.'

Critz ging naar een café niet ver van het Connaught Hotel in Londen. De lichte regen was gestaag geworden en hij wilde ergens zijn waar hij droog bleef. Mevrouw Critz zat in het appartementje dat ze van hun nieuwe werkgever te leen hadden, en Critz permitteerde zich nu de luxe van een paar glazen bier in een druk café waar niemand hem kende. Hij was inmiddels een week in Londen en zou daar nog een week blijven voordat hij de Atlantische Oceaan weer moest oversteken, terug naar Washington, waar hij aan een ellendige baan zou beginnen; lobbyen voor een bedrijf dat naast andere apparatuur slecht werkende projectielen maakte waar het Pentagon de pest aan had maar die het toch moest kopen omdat de onderneming over de juiste lobbyisten beschikte.
Hij ging aan een vrij tafeltje in een nis zitten, waar hij maar half door de mist van tabaksrook te zien zou zijn. Wat was het prettig om in zijn eentje te zitten drinken zonder bang te hoeven zijn dat er iemand naar hem toe kwam en zou zeggen: 'Hé, Critz, wat stelden jullie idioten je voor bij dat Berman-veto?' Bla bla bla.
Hij luisterde naar de opgewekte Britse stemmen om hem heen die kwamen en gingen. Hij had niet eens last van de rook. Hij was alleen en onbekend en hij genoot van zijn privacy.
Toch was zijn anonimiteit niet volmaakt. Achter hem dook een

klein mannetje met een versleten zeemanspet op. Hij kwam opeens de nis in en ging tegenover Critz zitten. Critz schrok ervan.

'Mag ik bij u komen zitten, meneer Critz?' zei de zeeman met een glimlach waardoor zijn grote gele tanden te zien waren. Critz zou zich dat slechte gebit herinneren.

'Gaat u zitten,' zei Critz behoedzaam. 'En u heet?'

'Ben.' Hij was niet Brits, en Engels was niet zijn moedertaal. Ben was een jaar of dertig en hij had donker haar, donkerbruine ogen en een lange spitse neus waardoor hij er nogal Grieks uitzag.

'Geen achternaam, hè?' Critz nam een slok uit zijn glas en zei: 'Hoe weet u hoe ik heet?'

'Ik weet alles van u.'

'Ik wist niet dat ik zo beroemd was.'

'Ik zou het geen beroemdheid noemen, meneer Critz. Ik zal meteen terzake komen. Ik werk voor mensen die Joel Backman erg graag willen opsporen. Ze betalen veel geld, cash. Cash in een doos, of cash op een Zwitserse bank, dat doet er niet toe. Het kan snel geregeld worden, binnen uren. U vertelt ons waar hij is, u krijgt een miljoen dollar, en niemand die er ooit achter komt.'

'Hoe hebt u me gevonden?'

'Dat was niet moeilijk, meneer Critz. Wij zijn, laten we zeggen, professionals.'

'Spionnen?'

'Dat is niet belangrijk. Wij zijn wie we zijn, en we zullen Backman vinden. De vraag is: wilt u dat miljoen?'

'Ik weet niet waar hij is.'

'Maar u kunt erachter komen?'

'Misschien wel.'

'Wilt u zakendoen?'

'Niet voor een miljoen dollar.'

'Voor hoeveel dan?'

'Daar moet ik over nadenken.'

'Wel snel graag.'

'En als ik niet aan de informatie kan komen?'

'Dan zien we u nooit terug. Dan heeft dit gesprek niet plaatsgevonden. Het is heel simpel.'

Critz nam een grote slok van zijn bier en dacht na. 'Goed, laten we zeggen dat ik aan die informatie kan komen – ik ben niet te optimistisch – maar als ik nu eens geluk heb? Wat dan?'

'Dan neemt u een Lufthansa-vlucht van Dulles naar Amsterdam, eersteklas. U neemt een kamer in het Amstel Hotel. We vinden u wel, zoals we u hier ook hebben gevonden.'

Critz zweeg even en prentte de details in zijn geheugen. 'Wanneer?' vroeg hij.

'Zo gauw mogelijk, meneer Critz. Er zijn anderen op zoek naar hem.'

Ben verdween zo snel als hij was opgedoken. Critz tuurde door de rook en vroeg zich af of het een droom was geweest. Na een uur verliet hij het café, zijn gezicht verborgen onder een paraplu, ervan overtuigd dat hij werd gevolgd.

Zouden ze hem in Washington ook in de gaten houden? Hij had het verontrustende gevoel van wel.

8

De siësta werkte niet. De wijn bij de lunch en de twee biertjes 's middags hielpen niet. Er was gewoon te veel om over na te denken.
Trouwens, hij was te goed uitgerust; er zat te veel slaap in zijn lichaam. Na zes jaar solitaire opsluiting verkeerde zijn lichaam in zo'n passieve staat dat slapen een van de belangrijkste activiteiten was geworden. Na de eerste maanden in Rudley kreeg Joel acht uur slaap per nacht en ook nog een dutje na het middageten, en dat was gebruikelijk, want in de twintig jaar daarvoor, toen hij overdag de Verenigde Staten bijeenhield en 's nachts achter de vrouwen aan zat, had hij erg weinig slaap gekregen. Na een jaar in de gevangenis kon hij rekenen op negen, soms tien uur slaap. Verder had hij weinig te doen, behalve lezen en televisiekijken. Uit verveling hield hij eens een enquête, een van zijn vele clandestiene opiniepeilingen, door een stuk papier van cel tot cel te laten doorgeven terwijl de bewaarders zelf sliepen, en toen bleek dat de 37 respondenten in zijn cellenblok gemiddeld elf uur per dag sliepen. Mo, de maffiaverklikker, beweerde dat hij zestien uur sliep en ze konden hem vaak 's middags horen snurken. Mad Cow Miller scoorde het laagst met maar drie uur, maar die arme kerel had jaren geleden zijn verstand verloren en Joel kon zijn antwoorden op de enquête niet echt mee laten tellen.
Er waren ook perioden van slapeloosheid geweest. Dan had hij in de duisternis gestaard en aan zijn vrouwen en kinderen en kleinkin-

deren gedacht, aan de vernederingen in het verleden en de angst voor de toekomst. En er waren weken waarin er slaaptabletten in zijn cel werden afgeleverd, één tegelijk, maar ze werkten nooit. Joel vermoedde altijd dat het alleen maar placebo's waren.

Toch had hij in die zes jaar te veel geslapen. Zijn lichaam was nu goed uitgerust. Zijn geest maakte overuren.

Hij stond langzaam op van het bed waarop hij een uur had gelegen zonder zijn ogen dicht te kunnen doen, liep naar het tafeltje en pakte de mobiele telefoon op die Luigi hem had gegeven. Hij ging ermee naar het raam, toetste de cijfers in die achterop stonden en hoorde na vier keer overgaan een vertrouwde stem.

'*Ciao,* Marco. *Come stai?*'

'Ik wilde alleen even kijken of dit ding werkt,' zei Joel.

'Dacht je dat ik je een defecte telefoon zou geven?' vroeg Luigi.

'Nee, natuurlijk niet.'

'Heb je goed geslapen?'

'Eh, goed, erg goed. Tot vanavond.'

'*Ciao.*'

Waar was Luigi? Hing hij ergens in de buurt rond met een telefoon in zijn zak, wachtend tot Joel zou bellen? Hield hij het hotel in het oog? Als Stennett en de chauffeur nog in Treviso waren, samen met Luigi en Ermanno, waren er dus vier 'vrienden' die opdracht hadden Joel Backman in de gaten te houden.

Hij pakte de telefoon en vroeg zich af wie er nog meer van het telefoontje wisten. Wie luisterden er nog meer mee? Hij keek naar de straat en vroeg zich af wie daar waren. Alleen Luigi?

Hij zette die gedachten uit zijn hoofd en ging aan de tafel zitten. Hij wilde koffie, misschien een dubbele espresso om zijn zenuwen te bedwingen, zeker geen cappuccino want daar was het te laat voor, maar hij was er nog niet aan toe om de telefoon te pakken en iets te bestellen. Hij kende de woorden voor 'hallo' en 'koffie', maar hij zou een stroom van andere woorden te horen krijgen die hij niet kende.

Hoe kan iemand zich in leven houden zonder sterke koffie? Zijn favoriete secretaresse had hem ooit elke morgen om precies halfzeven zijn eerste kop sterke Turkse koffie gebracht, zes dagen per week. Hij was bijna met haar getrouwd. Elke morgen om tien uur was de manipulator zo opgefokt dat hij met dingen gooide en tegen ondergeschikten schreeuwde en drie telefoongesprekken tegelijk voerde, terwijl senatoren in de wacht werden gezet.

Die flashback stond hem niet aan. Dat gold voor veel van die flash-backs, en in zes jaar eenzame opsluiting had hij een verwoede mentale strijd gevoerd om zijn verleden te zuiveren.

Terug naar de koffie, die hij niet durfde te bestellen omdat hij bang was voor de taal. Joel Backman was nooit ergens bang voor geweest, en als hij driehonderd wetsvoorstellen kon volgen die zich door het labyrint van het Congres bewogen, en als hij honderd telefoongesprekken per dag kon voeren en daarbij zelden in een Rolodex of telefoonboek hoefde te kijken, kon hij vast en zeker ook genoeg Italiaans leren om koffie te bestellen. Hij legde Ermanno's lesmateriaal netjes op de tafel en keek naar de inhoudsopgave. Hij controleerde de batterijen in de kleine cassetterecorder en pakte de bandjes. De eerste bladzijde van les 1 bestond uit een nogal primitieve kleurentekening van een huiskamer waarin mama en papa en de kinderen televisiekeken. De namen van de voorwerpen stonden er in het Engels en Italiaans bij: deur en *porta*, bank en *sofà*, raam en *finestra*, schilderij en *quadro*, enzovoort. De jongen was een *ragazzo*, de moeder was *madre*, de oude man die steunend op een stok in de hoek stond was de opa, of *il nonno*.

Enkele bladzijden verder was de keuken te zien, en daarna de slaapkamer en de badkamer. Een uur later, nog steeds zonder koffie, liep Joel zachtjes door zijn kamer. Hij wees dingen aan en fluisterde de naam van alles wat hij zag: bed, *letto*; lamp, *lampada*; klok, *orologio*; zeep, *sapone*. Voor de goede orde waren er ook een paar werkwoorden doorheen gegooid: spreken, *parlare*; eten, *mangiare*; drinken, *bere*; denken, *pensare*. Hij stond daar voor de kleine spiegel (*specchio*) in zijn badkamer (*bagno*) en probeerde zichzelf ervan te overtuigen dat hij echt Marco was. Marco Lazzeri. 'Sono Marco, *sono* Marco,' herhaalde hij. Ik ben Marco. Ik ben Marco. Eerst vond hij het belachelijk, maar dat mocht niet. De inzet was zo hoog dat hij zich niet aan een oude naam mocht vastklampen die zijn dood zou kunnen worden. Als hij zijn leven kon redden door Marco te zijn, dan was hij Marco.

Marco. Marco. Marco.

Hij zocht woorden op die niet op de tekeningen voorkwamen. In zijn nieuwe woordenboek vond hij *carta igienica* voor wc-papier, *guanciale* voor kussen, *soffitto* voor plafond. Alles had een nieuwe naam. Elk voorwerp in zijn kamer, in zijn eigen kleine wereld, alles wat hij op dat moment kon zien, werd iets nieuws. Keer op keer liet hij zijn blik van het ene naar het andere voorwerp gaan en sprak hij de Italiaanse woorden uit.

En hijzelf? Hij had hersenen, *cervello*. Hij raakte een hand aan, *mano*; een arm, *braccio*; een been, *gamba*. Hij moest ademhalen, *respirare*; zien, *vedere*; aanraken, *toccare*; horen, *sentire*; slapen, *dormire*; dromen, *sognare*. Hij dwaalde nu af, en hij riep zichzelf tot de orde. De volgende dag zou Ermanno met les 1 beginnen, het eerste salvo woorden met de nadruk op elementaire dingen: begroetingen, beleefdheidsfrases, de getallen van een tot honderd, de dagen van de week, de maanden van het jaar, zelfs het alfabet. De werkwoorden 'zijn' (*essere*) en 'hebben' (*avere*) zouden in de tegenwoordige, verleden en toekomstige tijd worden vervoegd.

Toen het tijd was voor het diner, had Marco de hele eerste les uit zijn hoofd geleerd en tien keer naar het bijbehorende bandje geluisterd. Hij stapte de erg koele avond in en liep tevreden in de richting van de Trattoria del Monte, waar Luigi aan een goede tafel en met uitstekende menusuggesties op hem zou wachten. Hij was nog niet helemaal bekomen van de uren waarin hij al die woorden had geleerd. Op straat zag hij een scooter, een fiets, een hond, tweelingzusjes, en het drong met een schok tot hem door dat hij geen van die woorden in zijn nieuwe taal kende.

Dat alles was in zijn hotelkamer achtergebleven.

Maar omdat er voedsel op hem wachtte, liep hij onversaagd door. Hij had er nog steeds vertrouwen in dat hij, Marco, een enigszins respectabele Italiaan zou kunnen worden. Aan een tafel in de hoek begroette hij Luigi met een zwierig gebaar. '*Buena sera, signore, come sta?*'

'*Sto bene, grazie, e tu?*' zei Luigi met een goedkeurende glimlach. Goed, dank je, en jij?

'*Molto bene, grazie*,' zei Marco. Erg goed, dank je.

'Dus je hebt gestudeerd?' zei Luigi.

'Ja, er is niets anders te doen.'

Voordat Marco zijn servet kon openvouwen, kwam er een ober aan met de rode huiswijn in een mandfles. Hij schonk vlug twee glazen in en verdween toen. 'Ermanno is een erg goede leraar,' zei Luigi.

'Je hebt hem al eerder gebruikt?' vroeg Marco terloops.

'Ja.'

'Hoe vaak haal je hier iemand als ik binnen en maak je een Italiaan van hem?'

Luigi glimlachte. 'Zo af en toe.'

'Dat kan ik bijna niet geloven.'

'Geloof maar wat je wilt, Marco. Het is allemaal verzonnen.'

'Je praat als een spion.'

Een schouderophalen, geen echt antwoord.

'Voor wie werk je, Luigi?'

'Voor wie denk je?'

'Je maakt deel uit van het alfabet: CIA, FBI, NSA. Misschien een obscure tak van de militaire inlichtingendienst.'

'Vind je het prettig mij in deze mooie kleine restaurants te ontmoeten?' vroeg Luigi.

'Kan het ergens anders dan?'

'Als je zulke vragen blijft stellen, ontmoeten we elkaar niet meer. En als wij elkaar niet meer ontmoeten, komt jouw leven, dat toch al kwetsbaar is, nog meer in gevaar.'

'Ik dacht dat het jouw taak was om mij in leven te houden.'

'Dat is zo. Dus stel me geen vragen meer over mezelf. Ik verzeker je dat ik je toch niets vertel.'

Alsof hij op de loonlijst stond, verscheen de ober precies op dat moment om twee grote menu's tussen hen in te laten vallen, waardoor het gesprek vanzelf op iets anders kwam. Marco keek met gefronste wenkbrauwen naar de lijst gerechten en werd er weer aan herinnerd hoe lang de weg nog was die hij moest gaan om Italiaans te leren. Onderaan herkende hij de woorden *caffè*, *vino* en *birra*.

'Wat raad je aan?' vroeg hij.

'De kok komt uit Siena en houdt dus van Toscaanse gerechten. De risotto met porcini-paddestoelen zou een erg goede eerste gang zijn. Ik heb de Florentijnse steak gehad en die was voortreffelijk.'

Marco sloot zijn menu en snoof de geuren op die uit de keuken kwamen. 'Ik neem beide.'

Luigi sloot het zijne ook en wenkte de ober. Nadat hij had besteld, dronken ze enkele minuten in stilte hun wijn. 'Een paar jaar geleden,' begon Luigi, 'werd ik op een ochtend wakker in een kleine hotelkamer in Istanbul. Ik was alleen en ik had ongeveer vijfhonderd dollar op zak. En een vals paspoort. Ik sprak geen woord Turks. Mijn instructeur was in de stad, maar als ik contact met hem opnam, zou ik een nieuwe baan moeten zoeken. Over precies tien maanden moest ik naar hetzelfde hotel terugkomen om een vriend te ontmoeten die me het land uit zou brengen.'

'Dat klinkt als elementaire CIA-training.'

'Verkeerde deel van het alfabet,' zei hij, en toen zweeg hij, nam een slokje en ging verder. 'Omdat ik van eten hou, heb ik geleerd me in leven te houden. Ik nam de taal in me op, en de cultuur en alles om me heen. Dat lukte me vrij aardig. Ik ging op in de omgeving, en toen ik tien maanden later mijn vriend ontmoette, had ik meer dan duizend dollar.'

'Italiaans, Engels, Frans, Spaans, Turks, wat nog meer?'

'Russisch. Ze hebben me een jaar in Stalingrad gedropt.'

Marco vroeg bijna wie 'ze' waren, maar deed dat niet. Hij zou geen antwoord krijgen; trouwens, hij dacht dat hij het wel wist.

'Dus ik ben hier gedropt?' vroeg Marco.

De ober zette een mand met brood en een schaaltje olijfolie voor hen neer. Luigi begon te dopen en te eten, en de vraag werd vergeten of genegeerd. Er volgde nog meer voedsel, een bord met ham, salami en olijven, en er werd weinig gesproken. Luigi was een spion, of een contraspion, of een of ander soort agent, of gewoon een contactpersoon of een begeleider van informanten, of misschien zelf een informant, maar in de allereerste plaats was hij een Italiaan. Alle mogelijke training kon zijn aandacht niet afleiden van de uitdaging waarvoor hij zich gesteld zag toen het eten was opgediend.

Onder het eten veranderde Luigi van onderwerp. Hij zette de regels van een echt Italiaans diner uiteen. Eerst de *antipasti*; meestal een bord met gemengd vlees, zoals zij nu voor zich hadden. Dan de eerste gang, *primi*; meestal een redelijk grote portie pasta, rijst, soep of polenta, opdat de maag als het ware warm kan lopen voor de hoofdgang, de *secondi*; een stevig gerecht van rundvlees, vis, varkensvlees, kip of lamsvlees. Wees voorzichtig met toetjes, waarschuwde hij onheilspellend, en hij keek om zich heen om er zeker van te zijn dat de ober niet meeluisterde. Hij schudde triest zijn hoofd en legde uit dat veel goede restaurants ze niet meer zelf bereidden en dat er zoveel suiker of goedkope drank in zat dat je tanden bijna ter plekke wegrotten.

Marco zag kans om voldoende geschokt op dit nationale schandaal te reageren.

'Ken je het woord "*gelato*"?' zei hij, en zijn ogen schitterden weer.

'IJs,' zei Marco.

'Goed zo. Het beste ter wereld. Er is een *gelateria* in de straat. Daar gaan we na het eten heen.'

Er was geen roomservice meer na twaalf uur 's nachts. Om vijf voor twaalf pakte Marco langzaam de telefoon op en toetste twee keer de vier in. Hij slikte en hield zijn adem in. Hij had deze dialoog dertig minuten gerepeteerd.

Nadat de telefoon aan de andere kant een paar keer loom was over- gegaan en hij al twee keer bijna had opgehangen, antwoordde een slaperige stem: '*Buona sera.*'

Marco deed zijn ogen dicht en stak van wal. '*Buona sera. Vorrei un caffè, per favore. Un espresso doppio.*'

'*Sì, latte e zucchero?* Melk en suiker?'

'*No, senza latte e zucchero.*'

'*Sì, cinque minuti.*'

'*Grazie.*' Marco hing vlug op voordat hij nog meer zou moeten zeg- gen, al twijfelde hij daar sterk aan, gezien het peil van het enthou- siasme aan de andere kant van de lijn. Hij sprong overeind, stomp- te met zijn vuist in de lucht en klopte zichzelf op de schouder omdat hij zijn eerste gesprek in het Italiaans had gevoerd. Geen enkel probleem. Beide partijen hadden alles begrepen wat de ander zei.

Om een uur zat hij zijn dubbele espresso nog te drinken. Die was koud geworden, maar hij genoot er toch van. Hij was verdiept in les 3, en omdat van slapen toch niets zou komen, dacht hij erover om misschien het hele boek door te nemen voor zijn eerste sessie met Ermanno.

Hij klopte tien minuten te vroeg op de deur van het appartement. Dat was iets dwangmatigs. Hoewel hij het probeerde tegen te gaan, viel hij impulsief in zijn oude gewoonten terug. Hij wilde graag zelf beslissen wanneer de les begon. Tien minuten te vroeg of twintig minuten te laat; de tijd deed er niet toe. Terwijl hij op de groezelige gang stond te wachten, dacht hij terug aan een bespreking op hoog niveau die hij eens in zijn enorme vergaderkamer had voorgezeten. Er waren allemaal topmanagers en directeuren van federale dien- sten aanwezig geweest, allemaal opgeroepen door de manipulator. Hoewel de vergaderkamer maar twintig stappen van zijn eigen kan- toor verwijderd was geweest, was hij twintig minuten te laat geko- men. Hij verontschuldigde zich en legde uit dat hij had getelefo- neerd met de premier van een of ander klein land.

Wat had hij toch kinderachtige spelletjes gespeeld.

Ermanno was niet echt onder de indruk. Hij liet zijn leerling minstens vijf minuten wachten voordat hij de deur openmaakte met een timide glimlachje en een vriendelijk: '*Buon giorno, Signor Lazzeri.*'

'*Buon giorno, Ermanno. Come stai?*'

'*Molto bene, grazie, e tu?*'

'*Molto bene, grazie.*'

Ermanno maakte de deur verder open, maakte een gebaar en zei: '*Prego.*' Kom binnen.

Marco ging naar binnen en het viel hem weer op hoe spaarzaam en tijdelijk alles eruitzag. Hij legde zijn boeken op het tafeltje midden in de voorkamer en hield zijn jas aan. Het was buiten niet meer dan zo'n vijf graden en binnen was het niet veel warmer.

'*Vorrebbe un caffè?*' vroeg Ermanno. Wil je koffie?

'*Sì, grazie.*' Hij had ongeveer twee uur geslapen, van vier tot zes, en daarna had hij gedoucht, zich aangekleed en zich in de straten van Treviso gewaagd, waar hij een café had ontdekt dat al open was en waar oude mannen bijeenkwamen om espresso te drinken en door elkaar heen te praten. Hij wilde meer koffie, maar hij zou vooral iets willen eten. Een croissant of een broodje of zo, iets waarvan hij de naam nog niet had geleerd. Hij dacht dat hij het wel zonder eten uithield tot de middag, en dan zou hij weer met Luigi op verkenning gaan in de Italiaanse cuisine.

'Jij bent student, nietwaar?' vroeg hij toen Ermanno met twee kopjes uit de keuken terugkwam.

'*Non inglese, Marco, non inglese.*'

En dat was het einde van het Engels. Een plotseling einde, een hard en definitief afscheid van zijn moedertaal. Ermanno zat aan de ene kant van de tafel, Marco aan de andere, en om precies halfnegen sloegen ze allebei de eerste bladzijde van les 1 op. Marco las de eerste dialoog in het Italiaans en Ermanno verbeterde hem nu en dan tactvol, al was hij erg onder de indruk van het werk dat zijn leerling al had verzet. De woorden zaten goed in Marco's hoofd, al moest er nog iets aan zijn uitspraak worden gedaan. Een uur later wees Ermanno verschillende voorwerpen in de kamer aan – vloerkleed, boek, tijdschrift, stoel, deken, gordijnen, radio, vloer, muur, rugzak – en Marco antwoordde met gemak. Met een steeds betere uitspraak dreunde hij de hele lijst van beleefde uitdrukkingen op – goedendag, hoe gaat het, goed dank je, alsjeblieft, dag, tot ziens, goedenavond – en nog dertig andere. Hij somde de dagen van de week op en de maanden van het jaar. Les 1 was al na twee uren afgewerkt en Ermanno vroeg of ze moesten pauzeren. 'Nee.' Ze begonnen aan les 2, met weer een bladzijde vol woorden die Marco al onder de knie had en meer dialogen, die hij indrukwekkend goed beheerste.

'Je hebt gestudeerd,' mompelde Ermanno in het Engels.

'*Non inglese, Ermanno, non inglese*,' verbeterde Marco hem. Het spel was begonnen: wie kon de meeste intensiteit aan den dag leggen? Tegen de middag was de leraar uitgeput en aan pauze toe, en ze waren allebei opgelucht toen er op de deur werd geklopt en de stem van Luigi op de gang klonk. Hij kwam binnen en zag hen tegenover elkaar aan het kleine, met boeken en papier bezaaide tafeltje zitten, alsof ze urenlang aan het armworstelen waren geweest.

'*Come va?*' vroeg Luigi. Hoe gaat het?

Ermanno keek hem vermoeid aan en zei: '*Molto intenso.*' Erg intens.

'*Vorrei pranzare*,' zei Marco, terwijl hij langzaam overeind kwam. Ik zou willen lunchen.

Marco hoopte op een aangename lunch met een beetje Engels ertussendoor om de dingen gemakkelijker te maken en om misschien even verlost te zijn van de druk die hij voelde doordat hij elk woord dat hij hoorde moest vertalen. Maar na Ermanno's enthousiaste beschrijving van de ochtendsessie voelde Luigi zich geïnspireerd om de onderdompeling in de Italiaanse taal ook onder de maaltijd voort te zetten, of tenminste onder het eerste deel daarvan. Het menu bevatte geen woord Engels, en nadat Luigi alle gerechten in onbegrijpelijk Italiaans had beschreven, maakte Marco een wanhopig gebaar en zei: 'Nu is het uit. Het komende uur spreek ik geen Italiaans en luister ik daar ook niet naar.'

'En je lunch dan?'

'Ik neem wat jij neemt.' Hij nam een slok van de rode wijn en probeerde zich te ontspannen.

'Goed. We kunnen wel een uurtje Engels spreken.'

'*Grazie*,' zei Marco voordat hij er erg in had.

9

In de loop van de ochtendsessie van de volgende dag veranderde Marco plotseling van koers. Midden in een saai stuk dialoog zette hij het Italiaans overboord en zei: 'Jij bent geen student.'
Ermanno keek op van het lesboek, dacht even na en zei toen: '*Non inglese, Marco. Soltanto italiano.*' Alleen Italiaans.
'Ik heb even genoeg van Italiaans, ja? Jij bent geen student.'
Ermanno kon niet goed liegen, en hij wachtte iets te lang. 'Dat ben ik wel,' zei hij zonder veel overtuiging.
'Nee, volgens mij niet. Het is duidelijk dat je geen lessen volgt, want dan zou je mij niet de hele dag kunnen lesgeven.'
'Misschien volg ik 's avonds lessen. Wat maakt het uit?'
'Jij volgt helemaal geen lessen. Er zijn hier geen boeken, geen studentenkranten, niets van de gebruikelijke troep die studenten overal laten rondslingeren.'
'Misschien in de andere kamer.'
'Laat maar zien dan.'
'Waarom? Waarom is het belangrijk?'
'Omdat ik denk dat jij voor dezelfde mensen werkt als Luigi.'
'En stel dat dat zo is, wat dan nog?'
'Ik wil weten wie het zijn.'
'En als ik dat niet weet? Waarom zou je je daar druk om maken? Het is jouw taak om de taal te leren.'

'Hoe lang woon je hier al, in dit appartement?'

'Ik hoef je vragen niet te beantwoorden.'

'Ik denk namelijk dat je hier pas vorige week bent aangekomen; dat dit een huis is dat als schuilplaats wordt gebruikt; dat jij niet echt bent wie je zegt dat je bent.'

'Dat kan ik ook van jou zeggen.' Ermanno stond plotseling op en liep door het kleine keukentje naar de achterkant van het appartement. Hij kwam met wat papieren terug die hij naar Marco toe schoof. Het was een registratiepakket van de universiteit van Bologna, geadresseerd aan Ermanno Rosconi, op het adres waar ze op dat moment zaten.

'Ik ga binnenkort weer studeren,' zei Ermanno. 'Wil je nog wat koffie?'

Marco keek naar de formulieren en begreep er net genoeg van om de betekenis te vatten. 'Ja, graag,' zei hij. Het waren maar papieren, gemakkelijk te vervalsen. Maar als het een vervalsing was, dan wel een heel goede. Ermanno liep naar de keuken en draaide de kraan open.

Marco schoof zijn stoel naar achteren en zei: 'Ik ga een blokje om. Ik moet wat bijkomen.'

Die avond kwam er verandering in de gang van zaken. Luigi en hij troffen elkaar voor een tabakswinkel aan de Piazza dei Signori en ze wandelden door een druk straatje, waar winkeliers aan het afsluiten waren. Het was al donker en erg koud, en elegant geklede zakenlieden haastten zich naar huis, hun hoofd bedekt met hoed en sjaal.

Luigi droeg handschoenen, maar stak zijn handen toch diep in de zakken van zijn lange winterjas, een jas die hij van zijn grootvader kon hebben geërfd maar ook de week daarvoor in een afschuwelijk dure designerwinkel in Milaan kon hebben gekocht. In elk geval droeg hij hem met stijl, en voor de zoveelste keer was Marco jaloers op de nonchalante elegantie van zijn begeleider.

Luigi had geen haast en scheen de kou wel prettig te vinden. Hij maakte een paar opmerkingen in het Italiaans, maar Marco weigerde dat mee te spelen. 'Engels, Luigi,' zei hij twee keer. 'Ik heb behoefte aan Engels.'

'Oké. Hoe was je tweede lesdag?'

'Goed. Ermanno doet het goed. Geen gevoel voor humor, maar een goede leraar.'

'Ga je vooruit?'

'Hoe zou ik niet vooruit kunnen gaan?'

'Ermanno zegt dat je gevoel voor taal hebt.'

'Ermanno kan niet goed liegen; dat weet jij net zo goed als ik. Ik werk hard omdat er veel van afhangt. Ik krijg zes uur per dag intensief les van hem, en dan zit ik elke avond ook nog drie uur te blokken. Allicht dat ik vooruitga.'

'Je werkt erg hard,' beaamde Luigi. Hij bleef plotseling staan en keek naar wat op het eerste gezicht een snackbar was. 'Hier is het, Marco.'

Marco keek afkeurend. De etalage was niet meer dan vijf meter breed. Drie tafels stonden dicht bij elkaar achter het raam en zo te zien was de zaak stampvol. 'Weet je het zeker?' vroeg Marco.

'Ja, het eten is hier erg goed. Lichtere gerechten, sandwiches en zo. Je eet in je eentje. Ik ga niet naar binnen.'

Marco keek hem aan en wilde iets zeggen, maar toen hield hij zich in en glimlachte alsof hij de uitdaging graag wilde aangaan.

'Het menu staat op een schoolbord boven de kassa. Geen Engels. Je bestelt eerst, betaalt en haalt je eten helemaal aan het eind van het buffet op, en dat is ook geen slechte plaats om te gaan zitten, als je een kruk kunt bemachtigen. Het is inclusief fooi.'

'Wat is de specialiteit van het huis?' vroeg Marco.

'De pizza met ham en artisjokken is erg lekker. Dat geldt ook voor de *panini*. Ik zie je over een uur hier bij de fontein.'

Marco zette zijn tanden op elkaar en ging de cafetaria binnen. Hij voelde zich erg alleen. Terwijl hij achter twee jonge vrouwen stond te wachten, zocht hij wanhopig op het schoolbord naar iets wat hij kon uitspreken. De smaak deed er niet toe. Het ging erom dat hij kon bestellen en betalen. Gelukkig zat er achter de kassa een vrouw van middelbare leeftijd die veel glimlachte. Marco zei vriendelijk 'Buona sera' tegen haar, en voordat ze iets terug kon zeggen, bestelde hij een 'panino prosciutto e formaggio – een broodje ham en kaas – en een coca-cola.

Die goeie ouwe coca-cola. Hetzelfde in elke taal.

De kassa rinkelde en ze sprak een heleboel woorden achter elkaar die hij niet verstond. Maar hij bleef glimlachen en zei 'Sì', waarna hij haar een briefje van twintig euro gaf, zeker genoeg voor wat hij had besteld. Het werkte. Tegelijk met het wisselgeld kreeg hij een bonnetje. 'Numero sessantasette,' zei ze. Nummer 67.

Hij liep langzaam met het bonnetje langs het buffet in de richting van de keuken. Er staarde niemand naar hem; niemand scheen iets bijzonders aan hem op te merken. Kon hij echt voor een Italiaan doorgaan, iemand uit deze stad? Of zag hij er zo duidelijk als een buitenlander uit dat de mensen niet eens meer naar hem keken? Hij had zich snel aangeleerd om te kijken hoe andere mannen zich kleedden, en hij vond dat hij niet voor hen onderdeed. Zoals Luigi hem had verteld, hechtten de mannen in Noord-Italië veel meer waarde aan stijl en uiterlijk dan Amerikanen. Er waren meer jasjes en broeken van goede snit, meer truien en stropdassen. Veel minder spijkerbroeken en bijna geen sweatshirts of andere tekenen van onverschilligheid ten aanzien van het uiterlijk.

Luigi, of degene die zijn garderobe had samengesteld, ongetwijfeld op kosten van de Amerikaanse belastingbetaler, had goed werk geleverd. Voor iemand die zes jaar lang dezelfde gevangeniskleding had gedragen, nam Marco de Italiaanse gewoonten snel over.

Hij keek naar de borden met voedsel die een voor een bij de grill op het buffet werden gezet. Na ongeveer tien minuten stond er opeens een dik broodje. Een personeelslid pakte het bord, keek naar het bonnetje en riep: '*Numero sessantasette.*' Marco kwam zonder een woord te zeggen naar voren en liet zijn bonnetje zien. De cola kwam erachteraan. Hij bemachtigde een plaats aan een hoektafeltje en genoot er intens van om daar in zijn eentje te zitten eten. De snackbar was druk en luidruchtig, een buurttent waar veel klanten elkaar kenden. Als ze elkaar begroetten, ging dat gepaard met omhelzingen en kussen en veel woorden, en het afscheid duurde nog langer. Het leverde geen problemen op dat ze in de rij moesten staan om te bestellen, al hadden de Italianen blijkbaar wel moeite met netjes achter elkaar staan. In Amerika zouden er vinnige opmerkingen door de klanten zijn gemaakt en zou de kassajuffrouw waarschijnlijk hebben gevloekt.

In een land waar een driehonderd jaar oud huis als nieuw wordt beschouwd, heeft de tijd een andere betekenis. Eten is genieten, zelfs in een kleine snackbar met weinig tafels. De klanten die dicht bij Joel zaten, schenen het geen probleem te vinden om uren over hun pizza en broodjes te doen. Er was gewoon te veel te bespreken! Het hersendode tempo van het gevangenisleven had hem afgestompt. Hij had zijn geest op peil gehouden door acht boeken per week te lezen, maar zelfs dat had hij alleen maar gedaan om aan de werkelijkheid te ontsnappen en niet om iets te leren. Na twee dagen van intensief leren, vervoegen, uitspreken en luisteren zoals hij nooit eerder had geluisterd, was hij geestelijk uitgeput.

Daarom nam hij al die Italiaanse stemmen in zich op zonder er iets van te willen begrijpen. Hij genoot van het ritme, de intonatie en de lach in die stemmen. Nu en dan ving hij een woord op, vooral wanneer mensen elkaar begroetten of afscheid namen, en hij beschouwde dat als vooruitgang. Toen hij naar die families en vrienden keek, voelde hij zich eenzaam, al wilde hij daar niet bij stilstaan. Eenzaamheid was 23 uur per dag in een kleine cel zitten met weinig post en alleen maar een goedkope pocket als gezelschap. Hij had eenzaamheid gekend; dit was een dagje naar het strand.

Hij deed zijn best om lang over zijn broodje ham en kaas te doen, maar daar waren grenzen aan. Hij nam zich voor om de volgende keer frites te bestellen, want met frites kon je spelen tot ze allang koud waren en daardoor kon je de maaltijd langer laten duren dan wat in Amerika normaal zou zijn gevonden. Met tegenzin gaf hij zijn tafeltje op. Bijna een uur nadat hij de cafetaria was binnengegaan, liet hij de warmte daarvan achter en liep hij naar de fontein, waarvan het water was uitgezet omdat het anders zou bevriezen. Luigi kwam een paar minuten later aanslenteren, alsof hij ergens in de schaduw had staan wachten. Hij had het lef om een *gelato*, een ijsje, voor te stellen, maar Marco rilde al. Ze liepen naar het hotel en wensten elkaar goedenavond.

Luigi's supervisor had officieel een diplomatieke functie op het Amerikaanse consulaat in Milaan. Hij heette Whitaker en Backman had bij hem niet de hoogste prioriteit. Backman was niet betrokken bij spionage of contraspionage, en daar had Whitaker zijn handen vol aan zonder dat hij zich ook nog druk maakte om een ex-toplobbyist uit Washington die in Italië werd weggestopt. Toch stelde hij plichtsgetrouw zijn dagelijkse rapporten op en stuurde ze naar het CIA-hoofdkantoor in Langley. Daar werden ze ontvangen en bekeken door Julia Javier, de oude rot in het vak met toegang tot directeur Teddy Maynard zelf. Het was dat mevrouw Javier zo waakzaam was, anders zou Whitaker nooit zo zorgvuldig te werk gaan in Milaan en zou hij niet elke dag verslag uitbrengen. Teddy wilde een briefing.

Mevrouw Javier werd op zijn kantoor op de zevende verdieping ontboden, de 'Teddy-afdeling', zoals ze in Langley zeiden. Ze betrad zijn 'post', zoals hij liever zei, en trof hem zoals gewoonlijk helemaal aan het hoofd van een lange brede vergadertafel aan. Teddy zat hoog in zijn opgekrikte rolstoel, met dekens over zijn benen, en droeg zijn gebruikelijke zwarte pak. Hij keek over stapels rapporten heen en Hoby zat klaar om weer een kop van die vreselijke groene thee te halen waar Teddy bij zwoor.

Hij was amper in leven, maar dat dacht Julia Javier al jaren.

Omdat ze geen koffie dronk en die thee niet wilde aanraken, werd haar niets aangeboden. Ze ging op haar gebruikelijke stoel rechts van hem zitten, een soort getuigenstoel die voor alle bezoekers bestemd was – zijn rechteroor was beter dan zijn linker – en hij slaagde erin een erg vermoeid 'Hallo, Julia' uit te brengen.

Zoals altijd zat Hoby tegenover haar om aantekeningen te maken. Elk geluid in deze kamer werd vastgelegd door de meest verfijnde opnameapparatuur die de moderne technologie had voortgebracht, maar toch ging Hoby zitten schrijven om het allemaal vast te leggen.

'Vertel me over Backman,' zei Teddy. Van zo'n mondeling verslag verwachtte hij dat het kort en terzake was, zonder ook maar één overbodig woord.

Julia keek in haar aantekeningen, schraapte haar keel en sprak voor de verborgen recorders. 'Hij is in Treviso, een leuk stadje in het noorden van Italië. Hij is daar al drie hele dagen en schijnt zich vrij goed te kunnen aanpassen. Onze agent heeft volledig contact met hem, en de talenleraar is iemand daarvandaan die goed werk levert. Backman heeft geen geld en geen paspoort, en tot nu toe is hij bereid om dicht in de buurt van de agent te blijven. Hij heeft de telefoon in zijn hotelkamer niet gebruikt en hij heeft ook niet geprobeerd zijn mobiele telefoon voor iets anders te gebruiken dan om onze agent te bellen. Blijkbaar heeft hij er geen behoefte aan om op verkenning te gaan of rond te wandelen. Het schijnt dat gewoonten die je in de gevangenis aanleert hardnekkig zijn. Hij blijft dicht bij zijn hotel. Als hij geen les heeft of eet, zit hij in zijn kamer Italiaans te leren.'

'Hoe goed leert hij?'

'Niet slecht. Hij is 52, dus gaat het niet erg vlug.'

'Ik heb Arabisch geleerd toen ik zestig was,' zei Teddy trots, alsof zestig een eeuw geleden was.

'Ja, dat weet ik,' zei ze. Iedereen in Langley wist dat. 'Hij studeert erg hard en gaat vooruit, maar hij is nog maar drie dagen bezig. De leraar is onder de indruk.'

'Waar praat hij over?'

'Niet over vroeger, niet over oude vrienden en oude vijanden. Niets wat ons zou interesseren. Hij heeft dat afgesloten, in elk geval voorlopig. Hij praat vooral over zijn nieuwe land, de cultuur en de taal.'

'Hoe voelt hij zich?'

'Hij is veertien jaar eerder de gevangenis uitgelopen dan hij had verwacht en hij krijgt uitgebreide maaltijden en goede wijn. Hij is heel tevreden. Heeft blijkbaar geen heimwee, maar hij hoort ook niet echt ergens thuis. Praat nooit over zijn familie.'

'En zijn gezondheid?'

'Goed. Zijn hoest is weg. Blijkbaar slaapt hij goed. Geen klachten.'

'Hoeveel drinkt hij?'

'Hij is voorzichtig. Drinkt wijn bij de lunch en het diner en een biertje in het café, maar niets buitensporigs.'

'Zullen we proberen hem meer te laten drinken? Misschien praat hij dan meer.'

'Dat is ons plan.'

'Hoe veilig is hij?'

'Alles wordt afgeluisterd: telefoons, kamer, taallessen, lunches, diners. Zelfs in zijn schoenen zitten microfoons. In beide paren. En in de voering van zijn jas zit een Peak 30. We kunnen hem bijna overal volgen.'

'Dus jullie kunnen hem niet kwijtraken?'

'Hij is advocaat, geen spion. Voorlopig geniet hij van zijn vrijheid en doet hij wat hem wordt gezegd.'

'Maar hij is niet dom. Denk daar wel aan, Julia. Backman weet dat er een paar gevaarlijke mensen zijn die hem heel graag willen vinden.'

'Zeker, maar op dit moment is hij net een peuter die zich aan zijn moeder vastklampt.'

'Dus hij voelt zich veilig?'

'Ja, naar omstandigheden.'

'Dan gaan we hem bang maken.'

'Nu?'

'Ja.' Teddy wreef over zijn ogen en nam een slokje thee. 'En zijn zoon?'

'Surveillanceniveau 3. Er gebeurt niet veel in Culpeper, Virginia. Als Backman contact met iemand probeert op te nemen, is het Neal Backman. Maar we weten het in Italië voordat we het in Culpeper weten.'

'Zijn zoon is de enige die hij vertrouwt,' zei Teddy. Daarmee zei hij hetzelfde wat Julia vaak had gezegd.

'Zeker.'

Na een lange stilte zei hij: 'Verder nog iets, Julia?'

'Hij schrijft een brief aan zijn moeder in Oakland.'

Teddy glimlachte meteen. 'Wat mooi. Hebben we die brief?'

'Ja, onze agent heeft er gisteren een foto van gemaakt. Die hebben we net gekregen. Backman verstopt hem tussen de bladzijden van een toeristengidsje in zijn hotelkamer.'

'Hoe lang is die brief?'

'Twee flinke alinea's. Duidelijk nog werk in uitvoering.'

'Lees hem eens voor,' zei Teddy. Hij liet zijn hoofd tegen de rugleuning van zijn rolstoel rusten en deed zijn ogen dicht.

Julia zocht tussen haar papieren en schoof haar leesbril omhoog. 'Geen datum, met de hand geschreven, en dat is een heel werk want Backman is niet handig met een pen. "Lieve moeder, ik weet niet of en wanneer je deze brief zult ontvangen. Ik weet niet of ik hem ooit op de post zal doen, en dat alleen al bepaalt of je hem krijgt of niet. Hoe dan ook, ik zit niet meer in de gevangenis en het gaat beter met me. In mijn vorige brief heb ik gezegd dat het goed met me ging in het vlakke Oklahoma. Ik wist toen nog niet dat de president me gratie zou verlenen. Dat ging zo vlug dat ik het nog steeds bijna niet kan geloven." Tweede alinea. "Ik ben aan de andere kant van de wereld, ik kan niet zeggen waar, want daar zouden sommige mensen grote problemen mee hebben. Ik zou liever in de Verenigde Staten zijn, maar dat is niet mogelijk. Ik had er zelf niets over te zeggen. Het is geen geweldig leven, maar het is zeker beter dan het leven dat ik een week geleden leidde. In de gevangenis ging ik langzaam dood, ondanks de dingen die ik in mijn brieven schreef. Ik wilde niet dat je je zorgen maakte. Hier ben ik vrij, en dat is het belangrijkste in de wereld. Ik kan over straat lopen, ergens iets gaan eten, komen en gaan zoals ik wil, zo ongeveer alles doen wat ik wil. Vrijheid, moeder, daar heb ik jaren van gedroomd en ik dacht dat het onmogelijk was."'

Ze legde het papier neer en zei: 'Zo ver is hij gekomen.'

Teddy deed zijn ogen open en zei: 'Denk je dat hij dom genoeg is om een brief aan zijn moeder op de post te doen?'

'Nee. Maar hij schrijft haar al erg lang elke week een brief. Het is een gewoonte, en waarschijnlijk is het therapeutisch. Hij moet zijn ei kwijt.'

'Letten we nog op haar post?'

'Ja, het beetje dat ze krijgt.'

'Goed. Maak hem bang en meld je dan weer.'

'Doe ik.' Julia pakte haar papieren bij elkaar en verliet het kantoor.

Teddy pakte een rapport op en schoof zijn leesbril recht. Hoby ging naar het keukentje dicht bij de vergaderkamer.

De telefoon van Backmans moeder in het verpleegtehuis in Oakland werd afgeluisterd, maar dat had tot nu toe niets opgeleverd. Op de dag waarop de gratieverlening bekend werd gemaakt, waren twee oude vriendinnen met veel vragen en voorzichtige gelukwensen naar haar toe gekomen, maar mevrouw Backman was zo verbijsterd geweest dat ze uiteindelijk een slaapmiddel had gekregen en urenlang had geslapen. Geen van haar kleinkinderen – de drie kinderen van Joel en zijn achtereenvolgende vrouwen – had haar de afgelopen zes maanden gebeld.

Lydia Backman had twee beroerten overleefd en zat in een rolstoel. In de glorietijd van haar zoon leefde ze in relatieve luxe in een royaal appartement met een fulltime verpleegster. Na zijn veroordeling had ze dat mooie leventje moeten opgeven en nu zat ze met honderd anderen in een verpleegtehuis.

Backman zou heus geen contact met haar opnemen.

10

Nadat hij een paar dagen van het geld had gedroomd, gaf Critz het in gedachten al uit. Met al dat geld zou hij niet voor die louche defensieleverancier hoeven te werken en zou hij ook geen publiek hoeven te paaien in het lezingencircuit. (Het was voor hem nog maar de vraag of dat publiek er wel was, al beweerde de agent die zijn lezingen zou verzorgen van wel.)

Critz dacht aan zijn pensionering! Ergens ver bij Washington en van alle vijanden die hij daar had gemaakt vandaan, ergens op een strand met een zeilboot in de buurt. Of misschien ging hij naar Zwitserland en bleef hij dicht bij zijn nieuwe fortuin, dat op zijn nieuwe bank begraven lag, heerlijk belastingvrij en gestaag aangroeiend.

Hij voerde een telefoongesprek om te regelen dat hij nog een paar dagen langer over het appartement in Londen kon beschikken. Hij moedigde zijn vrouw aan om nog meer te gaan winkelen. Ook zij had genoeg van Washington en verdiende een aangenamer leven.

Deels vanwege zijn gretig enthousiasme en deels vanwege zijn aangeboren onhandigheid, en ook omdat hij zo weinig van inlichtingenzaken wist, beging Critz van het begin af aan de ene na de andere blunder. Voor zo'n veteraan in de wereld van Washington waren zijn fouten onvergeeflijk.

Ten eerste gebruikte hij de telefoon in het appartement, waardoor gemakkelijk was na te gaan vanwaar hij had gebeld. Hij belde Jeb Priddy, de man die de afgelopen vier jaar de verbindingsofficier van de CIA in het Witte Huis was geweest. Priddy zat nog op zijn post, maar verwachtte binnenkort naar Langley teruggeroepen te worden. De nieuwe president was zich aan het installeren, het was daar een chaos, aldus Priddy, die het blijkbaar helemaal niet zo leuk vond om gebeld te worden. Hij en Critz hadden niet zo'n nauwe band, en Priddy wist meteen dat hij aan het vissen was. Critz zei ten slotte dat hij op zoek was naar een oude vriend, een hogere CIA-analist met wie hij ooit veel had gegolfd. De man heette Daly, Addison Daly, en hij was indertijd uit Washington vertrokken omdat hij in Azië werd gestationeerd. Wist Priddy misschien waar hij was?

Addison Daly zat gewoon in Langley en Priddy wist dat heel goed. 'Ik ken die naam,' zei Priddy. 'Misschien kan ik hem vinden. Waar kan ik je bereiken?'

Critz gaf hem het nummer van het appartement. Priddy belde Addison Daly en zei dat hij het niet vertrouwde. Daly zette zijn recorder aan en belde via een veilige lijn naar Londen. Critz nam de telefoon op en juichte bijna van blijdschap toen hij de stem van zijn oude vriend hoorde. Hij praatte aan een stuk door. Hij vertelde hoe geweldig het leven was nu hij uit het Witte Huis was, na al die jaren waarin hij het politieke spel had gespeeld, en hoe goed het hem deed om weer een gewoon burger te zijn. Hij wilde erg graag oude vriendschappen hernieuwen en aan zijn golfspel gaan werken.

Daly speelde het goed mee. Hij zei dat hij er ook over zat te denken om met pensioen te gaan – na bijna dertig jaar bij de CIA – en dat hij zichzelf ook vaak op fantasieën over een comfortabeler leven betrapte.

Hoe ging het tegenwoordig met Teddy? wilde Critz weten. En met de nieuwe president? Wat was de stemming in Washington nu er een nieuwe regering was?

Er veranderde niet veel, zei Daly, het was gewoon een ander stel idioten. O ja, hoe ging het met ex-president Morgan?

Critz wist het niet. Hij had hem niet gesproken en zou misschien in geen weken contact met hem hebben. Toen het gesprek wat vastliep, zei Critz met een stuntelig lachje: 'Niemand heeft zeker Joel Backman gezien?'

Daly kon ook lachen, het was allemaal een grote grap. 'Nee,' zei hij. 'Ik denk dat hij goed verstopt zit.'

'Met reden.'

Critz beloofde te bellen zodra hij in Washington terug was. Ze zouden achttien holes spelen op een van de clubs en iets met elkaar drinken, net als in de goeie ouwe tijd.

Welke goeie ouwe tijd, vroeg Daly zich af toen hij had opgehangen. Een uur later kreeg Teddy Maynard de bandopname van het telefoongesprek te horen.

Omdat de eerste twee telefoontjes enigszins bemoedigend waren verlopen, ging Critz door. Hij was altijd al iemand geweest die aan een stuk door telefoneerde. Hij hing de mitrailleurtheorie aan: je vuurde het ene na het andere telefoontje af en dan gebeurde er altijd wel iets. Er vormde zich een globaal plan in zijn hoofd. Een andere oude vriend was ooit naaste medewerker van de voorzitter van de senaatscommissie voor de inlichtingendiensten geweest, en hoewel hij inmiddels een succesvolle lobbyist was, scheen hij nauwe banden met de CIA te onderhouden.

Ze praatten over politiek en golf en ten slotte vroeg de man tot Critz' grote blijdschap wat president Morgan zich precies in zijn hoofd had gehaald toen hij gratie verleende aan hertog Mongo, de grootste belastingontduiker uit de geschiedenis van Amerika. Critz zei dat hij zich tegen die gratieverlening had verzet en zag kans het gesprek op die andere controversiële gratie te brengen. 'Wat wordt er over Backman verteld?' vroeg hij.

'Jij was erbij,' antwoordde zijn oude vriend.

'Ja, maar waar heeft Maynard hem opgeborgen? Dat is de grote vraag.'

'Het was dus een CIA-project?' vroeg zijn vriend.

'Natuurlijk,' zei Critz met een gezaghebbende stem. Wie anders had hem midden in de nacht het land uit kunnen smokkelen?

'Dat is interessant,' zei zijn vriend, die vervolgens erg stil werd. Critz drong aan op een lunch in de week daarop, en daarmee beëindigden ze het gesprek.

Terwijl Critz koortsachtig zat te telefoneren, stond hij weer versteld van zijn eindeloze lijst van relaties. Macht had zijn voordelen.

Joel, of Marco, deed om halfzes 's middags Ermanno's deur achter zich dicht na een sessie van drie uur waarin ze bijna non-stop hadden doorgewerkt. Ze waren allebei doodmoe.

Toen hij door de smalle straten van Treviso liep, werd hij door de kille lucht weer wat helderder. Net als de vorige dag ging hij naar een cafeetje en nam een glas bier. Hij zat voor het raam en zag de Italianen haastig voorbijlopen. Sommigen gingen van werk naar huis, anderen deden gauw nog wat boodschappen voor het avondeten. In het café was het warm en rokerig, en Marco's gedachten dwaalden weer af naar de gevangenis. Hij kon er niets aan doen, de verandering was te drastisch geweest, de vrijheid te plotseling. Hij was nog steeds bang dat hij opeens in zijn cel wakker zou worden, met in de verte een onzichtbare grappenmaker die hem hysterisch uitlachte.

Na het bier nam hij een espresso, en daarna liep hij de duisternis weer in en stak zijn beide handen diep in zijn zakken. Toen hij de hoek omging en zijn hotel zag, zag hij Luigi, die nerveus een sigaret rookte en over het trottoir heen en weer liep. Zodra Marco de straat overstak, kwam Luigi achter hem aan. 'We gaan meteen weg,' zei hij.

'Waarom?' vroeg Marco. Hij keek om zich heen of hij schurken zag.

'Dat leg ik je later wel uit. Er staat een tas op je bed. Pak je spullen zo snel mogelijk in. Ik wacht hier.'

'En als ik niet weg wil?' vroeg Marco.

Luigi pakte zijn linkerpols vast, dacht even na en keek hem toen met een erg strak glimlachje aan. 'Dan leef je misschien nog geen 24 uur,' zei hij zo onheilspellend mogelijk. 'Geloof me.'

Marco rende de trap op en de gang door, en hij was al bijna bij zijn kamer toen hij besefte dat de scherpe pijn in zijn borst niet van inspanning kwam maar van angst.

Wat was er gebeurd? Wat had Luigi gezien of gehoord? Wat was hem verteld? Wie was Luigi eigenlijk en van wie kreeg hij zijn bevelen? Terwijl Marco zijn kleren uit de kleine kast trok en op het bed gooide, vroeg hij zichzelf dat en nog veel meer af. Toen alles was ingepakt, bleef hij even zitten om zijn gedachten op een rijtje te zetten. Hij haalde diep adem, liet de lucht langzaam ontsnappen en zei tegen zichzelf dat wat er ook gebeurde het gewoon bij het spel hoorde.

Zou hij altijd op de vlucht blijven? Altijd inderhaast zijn spullen inpakken, een kamer ontvluchten om naar een andere kamer te gaan? Het was nog steeds veel beter dan de gevangenis, maar het zou wel zijn tol van hem eisen.

En hoe kon iemand hem ooit zo gauw hebben opgespoord? Hij was nog maar vier dagen in Treviso.

Toen hij zich weer enigszins in de hand had, liep hij langzaam door de gang, de trap af, door de hal, waar hij de verbaasde receptionist toeknikte maar niets zei, en de voordeur uit. Luigi nam vlug zijn tas over en gooide hem in de kofferbak van een kleine Fiat. Ze waren Treviso al bijna uit voordat er een woord werd gezegd.

'Nou, Luigi, wat is er aan de hand?' vroeg Marco.

'Verandering van omgeving.'

'Dat had ik al begrepen. Waarom?'

'Om erg goede redenen.'

'O, nou, dat verklaart alles.'

Luigi reed met zijn linkerhand en schakelde druk met zijn rechter. Hij hield het gaspedaal helemaal ingedrukt en deed alsof hij geen rem had. Marco begreep niet hoe een volk dat tweeënhalf uur over de lunch kon doen en dan opeens in een auto kon springen om met halsbrekende snelheid tien minuten dwars door de stad te rijden.

Ze reden een uur min of meer in zuidelijke richting over kleinere wegen. 'Zit er iemand achter ons aan?' vroeg Marco meer dan eens als ze op twee wielen door een bocht vlogen.

Luigi schudde alleen maar zijn hoofd. Zijn ogen waren half dichtgeknepen, zijn wenkbrauwen dicht naar elkaar toe getrokken, en hij nam zijn opeengeklemde kaken alleen van elkaar om een trek van zijn sigaret te nemen. Op de een of andere manier zag hij kans om als een gek te rijden en intussen kalm te roken en geen moment achterom te kijken. Hij wilde duidelijk niets zeggen, en daardoor wilde Marco juist een gesprek voeren.

'Je wilt me alleen maar bang maken, hè, Luigi? We spelen het spionnenspel: jij bent de agent, ik ben de arme sukkel met de geheimen. Je maakt me doodsbang en zorgt dat ik afhankelijk en trouw blijf. Ik weet wat je doet.'

'Wie heeft Jacy Hubbard vermoord?' vroeg Luigi, bijna zonder zijn lippen te bewegen.

Backman had plotseling geen zin meer om te praten. Alleen al het horen van Hubbards naam was een schok. Die naam riep altijd dezelfde flashback bij hem op: een politiefoto van Jacy die tegen de grafsteen van zijn broer gezakt zat, de linkerkant van zijn hoofd weggeschoten, overal bloed: op de grafsteen, op zijn witte overhemd. Overal.

'Je hebt het dossier,' zei Backman. 'Het was zelfmoord.'

'O, ja. En als jij dat geloofde, waarom heb je je dan schuldig verklaard en om beschermende hechtenis gesmeekt?'

'Ik was bang. Zelfmoorden kunnen aanstekelijk zijn.'

'Zeker.'

'Dus je wilt zeggen dat de jongens die de Hubbard-zelfmoord hebben uitgevoerd nu achter mij aan zitten?'

Luigi bevestigde dat met een schouderophalen.

'En op de een of andere manier zijn ze erachter gekomen dat ik me in Treviso schuilhield?'

'We kunnen beter geen risico's nemen.'

Hij zou de bijzonderheden niet te horen krijgen, als die er al waren. Hij vroeg er ook niet naar, maar hij keek wel automatisch achterom en zag de donkere weg achter hen. Luigi keek in het spiegeltje en produceerde een voldane glimlach, alsof hij wilde zeggen: ze zijn daar ergens.

Joel zakte een paar centimeter onderuit op zijn stoel en deed zijn ogen dicht. Als eersten waren twee van zijn cliënten gestorven. Safi Mirza was doodgestoken bij een nachtclub in Georgetown, drie maanden nadat hij Backman in de arm had genomen en het enige exemplaar van JAM had overhandigd. De steekwonden waren al ernstig genoeg geweest, maar er was ook een gif geïnjecteerd, waarschijnlijk met het mes. Geen getuigen. Geen sporen. Een erg onopgeloste moord, maar een van de vele in Washington. Een maand later was Fazal Sharif in Karachi verdwenen. Aangenomen werd dat hij dood was.

Ja zeker, JAM was een miljard dollar waard, maar niemand zou ooit van het geld genieten.

In 1998 was Jacy Hubbard voor een miljoen dollar per jaar bij Backman, Pratt & Bolling in dienst gekomen. Zijn eerste grote taak was het op de markt brengen van JAM. Om te bewijzen wat hij waard was verschafte Hubbard zich met intimidatie en smeergeld toegang tot het Pentagon, een stuntelige en noodlottige poging om het bestaan van het Neptune-satellietsysteem bevestigd te krijgen. Documenten – waaraan geknoeid was maar die toch nog geheim waren – werden naar buiten gesmokkeld door een informant van Hubbard, en die informant rapporteerde alles aan zijn superieuren. De uiterst geheime papieren pretendeerden het bestaan aan te tonen van Gamma Net, een fictief Star Wars-achtig surveillancesysteem met ongehoorde mogelijkheden. Zodra Hubbard 'bevestigd' had gekregen dat de drie jonge Pakistanen het inderdaad bij het

97

rechte eind hadden – hun Neptune was een Amerikaans project – meldde hij zijn bevindingen vol trots aan Joel Backman en konden ze zakendoen.

Als Gamma Net de creatie van de Amerikaanse strijdkrachten was, zou JAM nog meer waard zijn. In werkelijkheid wist noch het Pentagon noch de CIA iets van Neptune af.

Het Pentagon liet zijn eigen verzinsel uitlekken; een geënsceneerd lek, het werk van een zogenaamde mol van ex-senator Jacy Hubbard en zijn machtige nieuwe baas, de manipulator zelf. Het kwam tot een schandaal. De FBI deed midden in de nacht een inval in het kantoor van Backman, Pratt & Bolling, vond de Pentagon-documenten waarvan iedereen aannam dat ze authentiek waren, en binnen achtenveertig uur had een buitengewoon gemotiveerd team van federale aanklagers tenlasteleggingen tegen alle vennoten van de firma uitgevaardigd.

De moorden volgden kort daarop, zonder dat duidelijk werd wie erachter zat. Het Pentagon maakte Hubbard en Backman op een briljante manier onschadelijk, en dat zonder te laten weten of het dat satellietsysteem nu echt bezat of niet. Gamma Net of Neptune, of wat dan ook, werd effectief afgeschermd door het ondoordringbare web van 'militaire geheimen'.

Backman de advocaat wilde een proces, vooral omdat de Pentagon-documenten dubieus waren, maar Backman de verdachte wilde een soortgelijk lot als dat van Hubbard ontlopen.

Als Luigi's wilde vlucht uit Treviso tot doel had hem bang te maken, was dat wel enigszins gelukt. Voor het eerst sinds zijn gratieverlening miste Joel de veiligheid van zijn cel.

De stad Padua lag voor hen. Het werd met de kilometer lichter en het werd steeds drukker op de weg. 'Hoeveel inwoners heeft Padua?' vroeg Marco, zijn eerste woorden in een halfuur.

'Tweehonderdduizend. Waarom willen Amerikanen altijd het aantal inwoners van een dorp of stad weten?'

'Waarom niet?'

'Heb je honger?'

Het lege gevoel in zijn maag had meer met angst dan met honger te maken, maar hij zei toch 'Ja'. Ze aten een pizza in een buurtrestaurant even voorbij de buitenste ring van Padua, en algauw zaten ze weer in de auto en reden verder naar het zuiden.

Ze sliepen die nacht in een kleine dorpsherberg – acht kamers ter grootte van een kast – die al sinds Romeinse tijden in dezelfde familie was. Er was geen enkel bord dat reclame voor die herberg maakte; het was een van Luigi's halteplaatsen. De dichtstbijzijnde weg was smal, verwaarloosd en er reed bijna geen enkel voertuig dat na 1970 gefabriceerd was. Bologna was niet ver weg.

Luigi had de kamer naast hem, achter een dikke natuurstenen muur die al eeuwen bestond. Toen Joel Backman/Marco Lazzeri onder de dekens kroop en het eindelijk warm kreeg, zag hij nergens meer een sprankje licht. Totale duisternis. En totale stilte. Het was zo stil dat hij een hele tijd zijn ogen niet dicht kon doen.

11

Na de vijfde melding dat Critz mensen had gebeld om vragen te stellen over Joel Backman, kreeg Teddy Maynard een van zijn zeldzame driftbuien. Die idioot zat in Londen te telefoneren en om de een of andere reden was hij bezig iemand te vinden die hem informatie over Backman zou kunnen geven.

'Iemand heeft Critz geld aangeboden,' blafte Teddy tegen Wigline, een van de adjunct-directeuren.

'Maar Critz kan er nooit achter komen waar Backman is,' zei Wigline.

'Hij zou het niet moeten proberen. Hij vormt een extra complicatie. Hij moet worden uitgeschakeld.'

Wigline keek naar Hoby, die plotseling was opgehouden met het maken van aantekeningen. 'Wat zeg je, Teddy?'

'Hem uitschakelen.'

'Hij is Amerikaans staatsburger.'

'Dat weet ik! Hij brengt ook een operatie in gevaar. Er zijn precedenten. We hebben het eerder gedaan.' Hij vertelde hun niet wat die precedenten waren, maar ze wisten dat Teddy vaak zijn eigen precedenten schiep en dat het dus geen zin had om hem tegen te spreken.

Hoby knikte alsof hij wilde zeggen: ja, we hebben het al eerder gedaan.

Wigline klemde zijn kaken even op elkaar en zei toen: 'Ik neem aan dat je het onmiddellijk wilt laten gebeuren.'

'Zo gauw mogelijk,' zei Teddy. 'Ik wil over twee uur een plan zien.'

Ze observeerden Critz toen hij het appartement verliet en aan zijn lange middagwandeling begon, die meestal eindigde met een paar glazen bier. Na een halfuur in een bedaard tempo te hebben gelopen, kwam hij bij Leicester Square en ging hij de Dog and Duck binnen, hetzelfde café als de vorige dag.

Hij stond helemaal aan het eind van de tapkast en was aan zijn tweede glas bezig, toen de kruk naast hem vrijkwam en een agent, Greenlaw, zich daarop hees en om een glas bier riep.

'Bezwaar als ik rook?' vroeg Greenlaw aan Critz, die zijn schouders ophaalde en zei: 'We zijn niet in Amerika.'

'Yankee, hè?' zei Greenlaw.

'Ja.'

'Hier komen wonen?'

'Nee, alleen op bezoek.' Critz concentreerde zich op de flessen aan de wand achter de tapkast. Hij vermeed oogcontact, had geen enkele behoefte aan een gesprek. Hij wilde van de eenzaamheid van een druk café genieten. Hij mocht graag zitten drinken en naar het snelle gepraat van de Engelsen luisteren in de wetenschap dat niemand ook maar enigszins besefte wie hij was. Aan de andere kant dacht hij nog steeds aan dat kleine mannetje dat Ben heette. Als ze hem in de gaten hielden, wisten ze zich goed te camoufleren.

Greenlaw probeerde zijn bier in hetzelfde tempo te drinken als Critz. Het was van cruciaal belang dat ze de volgende twee glazen tegelijk bestelden. Hij nam een trek van zijn sigaret en voegde zijn rook toe aan de wolk die boven hen hing. 'Ik ben hier een jaar,' zei hij.

Critz knikte zonder te kijken. Rot op.

'Ik zit niet met dat linksrijdende verkeer, of met dat ellendige weer, maar waar ik hier de pest aan heb, is de sport. Ooit een cricketwedstrijd gezien? Duurt vier dagen.'

Critz zag kans om te kreunen en zwakjes 'Zo'n stomme sport' te zeggen.

'Het is hier voetbal of cricket, en ze zijn er helemaal gek van. Ik kon hier maar net de winter doorkomen zonder de NFL. Het was pure ellende.'

Critz was een trouwe seizoenkaarthouder van de Redskins en er waren maar weinig dingen die hem zo enthousiast konden maken als zijn geliefde team. Greenlaw was een oppervlakkige supporter, maar hij had die dag gegevens in zijn hoofd gestampt in een huis van de CIA ten noorden van Londen. Als het met sport niet lukte, dan misschien met politiek. Als dat ook niet lukte, stond er buiten een aantrekkelijke dame te wachten, al had Critz niet de reputatie van schuinsmarcheerder.

Critz had plotseling heimwee. Nu hij daar in dat café zat, ver van huis, ver van de opwinding van de Super Bowl – twee dagen weg en vrijwel genegeerd door de Britse pers – kon hij het publiek horen juichen en de opwinding voelen. Als de Redskins de play-offs hadden overleefd, zou hij nu niet in Londen zijn. Dan zou hij bij de Super Bowl zijn, op de tribune bij de 50-yard-lijn, op een zitplaats die hij had gekregen van een van de vele ondernemingen waarop hij een beroep kon doen.

Hij keek Greenlaw aan en zei: 'Patriots of Packers?'

'Mijn team heeft het niet gehaald, maar ik ben altijd gek op de NFC.'

'Ik ook. Wat is je team?'

En dat was misschien wel de fataalste vraag die Robert Critz ooit zou stellen. Toen Greenlaw 'Redskins' antwoordde, glimlachte Critz zelfs en wilde hij graag praten. Ze gingen een paar minuten elkaars voorgeschiedenis na: hoe lang ieder van hen al Redskins-supporter was, de geweldige wedstrijden die ze hadden gezien, de geweldige spelers, de Super Bowl-kampioenschappen. Greenlaw bestelde weer een rondje en het leek erop dat ze nog uren over oude wedstrijden zouden praten. Critz had in Londen met zo weinig Amerikanen gepraat, en deze man was beslist erg prettig in de omgang.

Greenlaw verontschuldigde zich en ging naar het toilet. Dat was boven. Het was zo groot als een bezemkast, een eenpersoonstoilet zoals de meeste in Londen. Hij deed de deur op de grendel om een beetje privacy te krijgen en haalde toen vlug zijn mobiele telefoon tevoorschijn om verslag uit te brengen. Het plan kon doorgang vinden. Het team stond op straat te wachten. Drie mannen en de aantrekkelijke dame.

Halverwege zijn vierde glas, en terwijl ze beleefde onenigheid hadden over de verhouding touchdowns/onderscheppingen bij Sonny Jurgensen, moest Critz eindelijk pissen. Hij vroeg de weg en liep weg. Greenlaw liet behendig een wit tabletje rohypnol – een sterk, smaakloos, geurloos verdovend middel – in Critz' glas vallen. Toen de Redskins-supporter terugkwam, was hij verfrist en had hij trek in zijn bier. Ze praatten over John Riggins en Joel Gibbs en amuseerden zich erg goed, totdat die arme Critz opeens zijn hoofd liet zakken.

'Wow,' zei hij, zijn tong al dik. 'Ik moet weg. Moeder de vrouw wacht.'

'Ja, ik ook,' zei Greenlaw en hij hief zijn glas. 'Drink maar op.'

Ze dronken hun glas leeg en stonden op om weg te gaan, Critz voorop, Greenlaw achter hem aan om hem te kunnen opvangen. Ze baanden zich een weg door de drukte bij de voordeur en het trottoir op, waar een koude wind Critz nieuwe energie gaf, al duurde dat maar even. Hij vergat zijn nieuwe vriend, en binnen twintig stappen wankelde hij op zijn benen en greep hij zich aan een lantaarnpaal vast. Greenlaw ving hem op toen hij viel, en ten behoeve van een jong stel dat voorbijkwam, zei hij met luide stem: 'Verdomme, Fred, je bent weer dronken.'

Fred was veel meer dan dronken. Een auto dook op uit het niets en ging dicht langs het trottoir rijden. Het achterportier zwaaide open en Greenlaw duwde de halfdode Critz op de achterbank. Ze reden eerst naar een pakhuis op acht straten afstand. Daar werd Critz, inmiddels volkomen bewusteloos, naar een busje met een dubbele achterdeur overgebracht. Toen Critz op de vloer van het busje lag, nam een agent een naald om een zware dosis erg zuivere heroïne bij hem te injecteren. Als er heroïne werd aangetroffen, werden de sectieresultaten nooit openbaar gemaakt, natuurlijk op aandrang van de familie.

Terwijl Critz nauwelijks nog ademhaalde, verliet het busje het pakhuis en reed het naar Whitcomb Street, niet ver van zijn appartement. Voor de moord waren drie auto's nodig: het busje, daarachter een grote en zware Mercedes, en een volgwagen met achter het stuur een echte Engelsman, die zou achterblijven om met de politie te praten. De volgwagen had vooral tot doel het verkeer zo ver mogelijk achter de Mercedes te houden.

Alle drie de bestuurders stonden met elkaar in contact, en ook met twee agenten, inclusief de aantrekkelijke dame, die zich op het trottoir schuilhielden en ook luisterden. Bij de derde poging werden de achterdeuren van het busje opengeduwd. Critz viel op straat, de

Mercedes mikte op zijn hoofd en raakte het met een misselijk-makende dreun, en toen was iedereen verdwenen, behalve de Engelsman in de volgwagen. Hij trapte op de rem, sprong uit zijn auto en rende naar de arme dronken kerel die de straat op gestrompeld en overreden was. Intussen keek hij vlug om zich heen of er nog meer getuigen waren.

Die waren er niet, maar er kwam wel een taxi van de andere kant. Hij hield hem aan, en vlak daarna kwam het hele verkeer tot stilstand. Algauw verzamelde zich een menigte en kwam de politie. De Engelsman in de volgwagen mocht dan als eerste ter plaatse zijn geweest, hij had erg weinig gezien. Hij had gezien dat de man tussen die twee geparkeerde auto's door strompelde, de straat op, en geraakt werd door een grote zwarte auto. Of misschien was die auto donkergroen geweest. Hij was niet zeker van het merk of het model. Had er niet aan gedacht om op het nummerbord te letten. En hij had de automobilist die was doorgereden ook niet goed kunnen zien. Daarvoor was hij te veel geschrokken van de dronken man die plotseling de straat opliep.

Tegen de tijd dat Bob Critz in een ambulance werd geladen voor de rit naar het lijkenhuis, zaten Greenlaw, de aantrekkelijke dame en twee andere leden van het team in een trein van Londen naar Parijs. Ze zouden zich een paar weken verspreiden en dan terugkeren naar Londen, hun thuisbasis.

Marco wilde het ontbijt vooral omdat hij het kon ruiken – ham en worstjes op een bakplaat ergens in het huis – maar Luigi had haast om verder te gaan. 'Er zijn hier meer gasten en iedereen eet aan dezelfde tafel,' legde hij uit toen ze vlug hun bagage in zijn auto gooiden. 'Vergeet niet, je laat een spoor achter, en de *signora* vergeet niets.'

Ze reden met grote snelheid over de landweg, op zoek naar bredere wegen.

'Waar gaan we heen?' vroeg Marco.

'We zullen zien.'

'Hou op met die stomme spelletjes!' gromde hij, en Luigi kromp zelfs een beetje ineen. 'Ik ben vrij man. Ik zou elk moment uit deze auto kunnen stappen!'

'Ja, maar...'

'Bedreig me niet steeds! Als ik je iets vraag, kom je met het vage dreigement dat ik me geen 24 uur in leven zou kunnen houden. Ik wil weten wat er aan de hand is. Waar gaan we heen? Hoe lang blijven we daar? Hoe lang blijf jij bij mij? Geef me wat antwoorden, Luigi, of ik ben weg.'

Luigi reed een vierbaansweg op. Een bord gaf aan dat het nog dertig kilometer naar Bologna was. Hij wachtte tot de spanning een beetje was afgenomen en zei toen: 'We gaan een paar dagen naar Bologna. Daar wacht Ermanno op ons. Je gaat verder met je lessen. Je gaat voor een paar maanden naar een geheim huis. En dan verdwijn ik en ben je op jezelf aangewezen.'

'Dank je. Was dat nou zo moeilijk?'

'Het plan is veranderd.'

'Ik wist dat Ermanno geen student was.'

'Hij is student. Hij maakt ook deel uit van het plan.'

'Besef je wel hoe belachelijk het plan is? Denk eens na, Luigi. Iemand besteedt al zijn tijd en geld om mij een andere taal en een andere cultuur te laten leren. Waarom zetten jullie me niet gewoon weer in een vrachtvliegtuig naar bijvoorbeeld Nieuw-Zeeland?'

'Dat is een erg goed idee, Marco, maar ik neem die beslissingen niet.'

'Rot op met dat Marco. Elke keer dat ik in de spiegel kijk en Marco zeg, moet ik lachen.'

'Dit is niet grappig. Ken je Robert Critz?'

Marco dacht even na. 'Ik heb hem in de loop van de jaren een paar keer ontmoet. Ik moest nooit veel van hem hebben. Ook een politieke zwoeger, net als ik.'

'Goede vriend van president Morgan, stafchef in het Witte Huis, campagneleider.'

'Nou en?'

'Hij is gisteravond in Londen om het leven gekomen. Nu zijn er vanwege jou dus al vijf mensen dood: Jacy Hubbard, de drie Pakistanen en Critz. Aan het moorden is geen eind gekomen, Marco, en dat zal ook niet gebeuren. Je moet een beetje begrip voor me hebben. Ik wil je alleen maar beschermen.'

Marco liet zich tegen de hoofdsteun zakken en deed zijn ogen dicht. Hij snapte er niets van.

Ze stopten even om benzine te tanken. Luigi kwam naar de auto terug met twee bekertjes sterke koffie. 'Koffie voor onderweg,' zei Marco vriendelijk. 'Je zou denken dat zoiets in Italië verboden was.'

'Het fastfood sluipt binnen. Het is erg jammer.'
'Geef de schuld maar aan de Amerikanen. Dat doet iedereen.'
Even later kropen ze door het spitsverkeer aan de rand van Bologna.
Luigi zei: 'Onze beste auto's worden hier in de buurt gemaakt, weet
je. Ferrari's, Lamborghini's, Maserati's, sportwagens van topklasse.'
'Mag ik er een?'
'Sorry, dat laat het budget niet toe.'
'Wat zit er precies in het budget?'
'Een erg rustig, eenvoudig leven.'
'Dat dacht ik al.'
'Veel beter dan je vorige leven.'
Marco nam een slokje van zijn koffie en keek naar het verkeer. 'Had
jij hier niet gestudeerd?'
'Ja. De universiteit is duizend jaar oud. Een van de beste van de
wereld. Ik zal je hem wel een keer laten zien.'
Ze gingen van de grote weg af en reden door een buitenwijk met
veel zandsteen. De straten werden korter en smaller en Luigi wist
hier blijkbaar goed de weg. Ze volgden de borden die naar het centrum van de stad en de universiteit wezen. Luigi zwenkte plotseling
opzij, reed met twee wielen het trottoir op en zette de Fiat op een
plek die amper breed genoeg was voor een motor. 'We gaan eerst
wat eten,' zei hij, en nadat ze zich uit de auto hadden gehesen,
waren ze op het trottoir en liepen ze vlug door de koele lucht.

Marco's nieuwe schuilplaats was een groezelig hotel, een paar straten van de buitenrand van de oude stad vandaan. 'Nu al budgetver-
lagingen,' mompelde hij, toen hij achter Luigi aan door de kleine
hal naar de trap liep.
'Het is maar voor een paar dagen,' zei Luigi.
'En wat dan?' Marco worstelde op de smalle trap met zijn tassen.
Luigi droeg niets. Gelukkig was de kamer al op de eerste verdieping, een nogal kleine ruimte met een erg klein bed en gordijnen
die in geen dagen open waren geweest.
'Ik vond het in Treviso beter,' zei Marco, terwijl hij naar de muren
keek.
Luigi rukte de gordijnen open. Het zonlicht maakte het maar een
beetje beter. 'Niet slecht,' zei hij zonder overtuiging.
'Mijn gevangeniscel was mooier.'
'Je klaagt wel veel.'

'Met reden.'

'Pak je spullen uit. Ik zie je over tien minuten beneden. Ermanno wacht.'

Ermanno was blijkbaar net zo van de plotselinge verhuizing geschrokken als Marco. Hij was onrustig, alsof hij hen de hele avond vanuit Treviso had achtervolgd. Ze liepen een paar straten met hem mee naar een vervallen appartementengebouw. Er waren geen liften te bekennen, en ze klommen vier trappen op en kwamen in een kleine tweekamerflat met nog minder meubilair dan het appartement in Treviso. Ermanno had zijn spullen blijkbaar haastig ingepakt en nog sneller uitgepakt.

Marco keek om zich heen. 'Dit is een nog ergere gribus dan wat ik heb.'

Op een smal tafeltje lagen de studiematerialen klaar die ze de vorige dag hadden gebruikt.

'Ik kom terug voor de lunch,' zei Luigi en hij ging vlug weg.

'*Andiamo a studiare*,' zei Ermanno. We gaan studeren.

'Ik ben bijna alles al vergeten.'

'Maar we hebben gisteren een goede sessie gehad.'

'Kunnen we niet gewoon naar een bar gaan en drinken? Ik ben hier eigenlijk niet voor in de stemming.' Maar Ermanno was al aan de tafel gaan zitten en bladerde in zijn handboek. Marco ging met een zucht tegenover hem zitten.

De lunch en het diner waren niet veel zaaks. In beide gevallen aten ze een snelle hap in namaak-*trattoria*'s, de Italiaanse versie van fastfood. Luigi was in een slecht humeur en eiste, soms op harde toon, dat ze alleen Italiaans spraken. Luigi sprak langzaam en duidelijk en moest alles vier keer herhalen voordat Marco het begreep en ging dan over op de volgende zin. Onder zo'n grote druk was het onmogelijk om van het eten te genieten.

Om middernacht lag Marco in zijn bed, in zijn koude kamer met de dunne deken strak om zich heen. Hij dronk het sinaasappelsap dat hij zelf had besteld en leerde de ene na de andere lijst van werkwoorden en bijvoeglijke naamwoorden uit zijn hoofd.

Wat kon Robert Critz toch hebben gedaan dat hij gedood was door mensen die misschien ook op zoek waren naar Joel Backman? Het was al bizar om die vraag te stellen, laat staan dat hij wist waarom. Hij veronderstelde dat Critz erbij was geweest toen de gratie werd verleend; ex-president Morgan had zo'n beslissing niet zelfstandig kunnen nemen. Maar afgezien daarvan kon hij zich niet voorstellen dat Critz op een hoog niveau opereerde. Critz had tientallen jaren bewezen dat hij alleen maar iemand was die je het vuile werk kon laten opknappen. Bijna niemand vertrouwde hem.

Maar als er nog steeds mensen doodgingen, was het van groot belang dat hij de werkwoorden en bijvoeglijke naamwoorden leerde die op zijn bed verspreid lagen. Als hij de taal kende, kon hij in leven blijven en door het land reizen. Luigi en Ermanno zouden binnenkort verdwijnen en dan zou Marco Lazzeri op zichzelf aangewezen zijn.

12

Marco ontsnapte aan zijn claustrofobische kamer, of 'appartement', zoals het heette, en ging bij het krieken van de dag een heel eind wandelen. De trottoirs waren bijna net zo vochtig als de ijskoude lucht. Met een plattegrond die Luigi hem had gegeven, alles natuurlijk in het Italiaans, vond hij zijn weg naar de oude stad, en toen hij de ruïnes van de oude muren bij de Porta San Donato voorbij was, liep hij in westelijke richting door de Via Irnerio langs de noordelijke rand van het universiteitscomplex. De trottoirs waren eeuwenoud, met boogpoorten en zuilengalerijen waar geen eind aan leek te komen.

Blijkbaar begon het straatleven in de universiteitswijk van Bologna nogal laat. Nu en dan kwam er een auto voorbij, of een fiets of twee, maar de voetgangers sliepen nog. Luigi had hem verteld dat Bologna een geschiedenis van linkse, communistische doctrines had. Het was een rijke geschiedenis en Luigi had toegezegd die met hem te verkennen.

Voor zich uit zag Marco een groen neonbordje dat nogal onverschillig bekendmaakte dat daar de Bar Fontana was, en toen hij daarheen liep, pikte hij de geur van sterke koffie op. Het café zat ingeklemd in een hoek tussen oude gebouwen; maar ja, alle gebouwen waren hier eeuwenoud. De deur ging moeizaam open, en eenmaal binnen glimlachte Marco bijna om de geuren: koffie, sigaretten, gebak, ontbijt op een bakplaat achterin. Toen sloeg de angst toe, het bekende probleem dat hij moest proberen iets in een onbekende taal te bestellen.

Bar Fontana was geen gelegenheid voor studenten of vrouwen. De bezoekers waren van zijn leeftijd, vijftig-plus, en ze waren ook een beetje vreemd gekleed, met genoeg pijpen en baarden om duidelijk te maken dat dit een café voor universitair personeel was. Een of twee keken in zijn richting, maar in een universiteitsstad met honderdduizend studenten trok iemand niet gauw de aandacht.

Marco kreeg het laatste tafeltje bij de achterkant, en toen hij zich eindelijk met zijn rug tegen de muur had geïnstalleerd, zat hij praktisch schouder aan schouder met zijn buren, die allebei in hun ochtendkrant verdiept waren en hem niet schenen op te merken. Luigi had in een van zijn lezingen over de Italiaanse cultuur uitgelegd dat in Europa heel anders over ruimte werd gedacht dan in de Verenigde Staten. In Europa was de ruimte voor iedereen, werd hij niet angstvallig afgeschermd. Tafels waren voor iedereen, en de lucht blijkbaar ook, want niemand had bezwaar tegen roken. Auto's, huizen, bussen, appartementen, cafés, veel belangrijke aspecten van het leven waren kleiner, zodat de mensen dichter op elkaar zaten. Als je een gesprek met een kennis voerde, kon je gerust heel dicht tegenover hem gaan staan, want hij zou niet het gevoel hebben dat je in zijn persoonlijke leefruimte binnendrong. Je sprak met je handen, je omhelsde, zoende soms zelfs mensen.

De Amerikanen waren een vriendelijk volk, maar ze hadden moeite met zo'n familiare houding.

En Marco was nog niet bereid te veel ruimte aan anderen te gunnen. Hij pakte het verkreukelde menu van de tafel en koos vlug voor het eerste wat hij herkende. Zodra de ober bleef staan en hem aankeek, zei hij met al het gemak dat hij maar enigszins kon uitstralen: *'Espresso, e un panino al formaggio.'* Een broodje kaas.

De ober knikte. Marco's uitspraak had niemands aandacht getrokken. Niemand liet zijn krant zakken om te kijken wat dat voor iemand was. Het kon niemand iets schelen. Ze hoorden hier wel vaker vreemde accenten. Toen hij het menu weer op de tafel legde, dacht Marco Lazzeri dat Bologna hem waarschijnlijk wel zou bevallen, al bleek het een nest van communisten te zijn. Omdat er zoveel studenten waren en de universiteit ook docenten aantrok uit de hele wereld, hoorden buitenlanders gewoon bij de cultuur. Misschien verwierf je hier juist respect als je een accent had en je anders kleedde. Misschien kon je hier openlijk Italiaans leren zonder dat het opviel.

Het was kenmerkend voor buitenlanders dat ze op alles letten, dat ze in alle richtingen keken, alsof ze indringers in een nieuwe cultuur waren en daar vooral niet op betrapt wilden worden. Daarom keek Marco expres niet in de Bar Fontana om zich heen. Hij pakte een boekje met woordenlijsten en deed zijn uiterste best om geen aandacht te schenken aan de mensen en taferelen die hem juist zo interesseerden. Werkwoorden, werkwoorden, werkwoorden. Ermanno zei altijd dat je het Italiaans, of elke andere Romaanse taal, pas onder de knie kon krijgen als je de werkwoorden kende. In dat boekje stonden duizend elementaire werkwoorden en Ermanno zei dat het een goed begin zou zijn.

Misschien was het vervelend om dingen domweg uit het hoofd te leren, maar Marco beleefde er toch een vreemd genoegen aan. Hij vond het heel bevredigend om vier bladzijden door te nemen – honderd werkwoorden, of zelfstandige naamwoorden, of wat dan ook – en alles goed te hebben. Als hij een woord fout had, of de uitspraak niet goed had, strafte hij zichzelf door weer helemaal opnieuw te beginnen. Toen zijn koffie en het broodje werden gebracht, had hij al driehonderd woorden gedaan. Hij nam een slokje, ging weer aan het werk alsof het eten veel minder belangrijk was dan de woorden, en had er al meer dan vierhonderd gedaan toen Rudolph kwam.

De stoel aan de andere kant van Marco's kleine ronde tafeltje was leeg, en dat trok de aandacht van een kleine dikke man, helemaal in het vaalzwart gekleed, met een bos grijs gekroesd haar dat alle kanten op stak en nauwelijks bedekt werd door een zwarte baret die op de een of andere manier kans zag aan boord te blijven. 'Buon giorno. è libera?' vroeg hij beleefd, wijzend naar de stoel. Marco wist niet goed wat hij zei, maar het was duidelijk wat de man wilde. Toen drong het woord 'libera' tot hem door en nam hij aan dat het 'vrij' betekende.

'Sì,' kon Marco zonder accent zeggen, en de man trok een lange zwarte cape uit, hing hem over de stoel en manoeuvreerde zich aan de tafel. Toen hij zat, was hun onderlinge afstand nog geen meter. Ruimte was hier anders, zei Marco steeds weer tegen zichzelf. De man legde een L'Unità op de tafel, waardoor die even wiebelde.

111

Even maakte Marco zich zorgen om zijn espresso. Om niet te hoeven praten verdiepte hij zich nog meer in Ermanno's werkwoorden. 'Amerikaan?' zei zijn nieuwe vriend in het Engels zonder buitenlands accent.

Marco liet het boekje zakken en keek in de intense ogen die zo dicht bij hem waren. 'Bijna. Canadees. Hoe wist u dat?'

De man knikte naar het boekje en zei: 'Een woordenlijst Engels-Italiaans. U ziet er niet Brits uit, en dus dacht ik dat u een Amerikaan was.' Aan zijn accent te horen kwam hij waarschijnlijk niet uit het Midwesten. Niet uit New York of New Jersey; niet uit Texas of het Zuiden, of Appalachia, of New Orleans. Nu hij grote delen van het land had geëlimineerd, dacht Marco aan Californië. En hij voelde zich helemaal niet op zijn gemak. Straks zou hij moeten liegen, en hij had nog niet genoeg geoefend.

'En waar komt u vandaan?' vroeg hij.

'Ik was het laatst in Austin, Texas. Dat was dertig jaar geleden. Ik heet Rudolph.'

'Goedemorgen, Rudolph, het is me een genoegen. Ik ben Marco.' Ze zaten op de kleuterschool, waar je alleen je voornaam gebruikte. 'Je klinkt niet Texaans.'

'Gelukkig niet,' zei de man met een vriendelijk lachje, waarbij je zijn mond nauwelijks kon zien. 'Ik kom oorspronkelijk uit San Francisco.'

De ober boog zich naar de tafel toe en Rudolph bestelde zwarte koffie en zei daarna iets in snel Italiaans. De ober zei iets terug, en Rudolph zei ook weer iets, en Marco verstond er niets van.

'Wat voert jou naar Bologna?' vroeg Rudolph. Hij wilde blijkbaar graag praten. Waarschijnlijk kwam het niet vaak voor dat hij een mede-Noord-Amerikaan in zijn favoriete café ontmoette.

Marco liet zijn boekje zakken en zei: 'Ik reis een jaar door Italië. Ik ga naar de bezienswaardigheden en wil iets van de taal oppikken.'

De helft van Rudolphs gezicht was bedekt met een onverzorgde grijze baard die vrij hoog op zijn jukbeenderen begon en zich in alle richtingen verspreidde. Het grootste deel van zijn neus was wel te zien, evenals een deel van zijn mond. Om de een of andere duistere reden die niemand ooit zou kennen omdat niemand ooit zo'n belachelijke vraag zou durven stellen, had hij de gewoonte ontwikkeld om een rond plekje onder zijn onderlip te scheren, zodat de bovenste helft van zijn kin grotendeels vrij van baardharen was. Afgezien van dat heilige terrein hadden de wild krullende baard- en snorharen vrij spel en werden ze blijkbaar ook niet gewassen. Met de bovenkant van zijn hoofd was het ongeveer hetzelfde gesteld, overal om zijn baret heen woekerden hectaren van onberoerd lichtgrijs struikgewas.

Omdat zo'n groot deel van zijn gezicht was afgedekt, kregen zijn ogen alle aandacht. Ze waren donkergroen en leken stralen uit te zenden die, vanonder die zware wenkbrauwen van hem, alles in zich opnamen.

'Hoe lang ben je al in Bologna?' vroeg Rudolph.

'Ik ben gisteren aangekomen. Ik heb geen vast plan. En jij, wat voert jou hierheen?' Marco wilde het gesprek graag van zichzelf vandaan manoeuvreren.

De ogen dansten en knipperden geen moment. 'Ik ben hier al dertig jaar. Ik ben hoogleraar aan de universiteit.'

Marco nam eindelijk een hap van zijn broodje kaas, omdat hij honger had maar vooral om ervoor te zorgen dat Rudolph bleef praten.

'Waar woon je?' vroeg Rudolph.

Zoals het scenario voorschreef, zei Marco: 'In Toronto. Mijn grootouders zijn daar vanuit Milaan naartoe geëmigreerd. Ik heb Italiaans bloed, maar ik heb de taal nooit geleerd.'

'De taal is niet moeilijk,' zei Rudolph, terwijl zijn koffie werd gebracht. Hij pakte het kleine kopje en stak het diep in de baard. Blijkbaar kwam het bij zijn mond aan. Hij smakte met zijn lippen en boog zich een beetje naar voren om het gesprek voort te zetten. 'Je klinkt niet Canadees,' zei hij, en het was of die ogen hem uitlachten.

Marco had de grootste moeite gehad om te praten, te handelen en eruit te zien als een Italiaan. Hij had geen tijd gehad om zich zelfs maar af te vragen hoe hij zich als een Canadees moest voordoen. Hoe praatte een Canadees precies? Hij nam weer een hap, een grote, en zei al kauwend: 'Kan ik niets aan doen. Hoe ben je hier uit Austin naartoe gekomen?'

'Dat is een lang verhaal.'

Marco haalde zijn schouders op. Tijd genoeg.

'Ik was ooit een jonge docent op de juridische faculteit van de universiteit van Texas. Toen ze erachter kwamen dat ik communist was, probeerden ze me weg te krijgen. Ik verzette me daartegen. Ze bleven het proberen. Ik werd luidruchtiger, vooral in de collegezaal. In het begin van de jaren zeventig hadden communisten het moeilijk in Texas, en dat zal nog wel zo zijn. Ze ontsloegen me, joegen me de stad uit, en zo kwam ik hier in Bologna terecht, het hart van het Italiaanse communisme.'

'Wat doceer je hier?'

'Jurisprudentie. Recht. Links-radicale juridische theorieën.'

Er werd een bepoederd soort brioche gebracht en Rudolph at met één hap de helft daarvan op. Er vielen een paar kruimels uit de diepten van zijn baard.

'Nog steeds communist?' vroeg Marco.

'Natuurlijk. Altijd. Waarom zou ik veranderen?'

'Het schijnt zijn tijd te hebben gehad, vind je niet? Misschien was het toch niet zo'n goed idee. Ik bedoel, kijk maar wat een puinhoop Rusland is geworden door Stalin en wat die heeft nagelaten. En Noord-Korea, daar komen ze om van de honger terwijl de dictator kernkoppen bouwt. Cuba loopt vijftig jaar achter bij de rest van de wereld. De sandinisten zijn weggestemd in Nicaragua. China gaat over tot vrijemarktkapitalisme omdat het oude systeem is bezweken. Het werkt niet echt, hè?'

De brioche had zijn aantrekkingskracht verloren; de groene ogen waren bijna dichtgeknepen. Marco verwachtte een tirade, waarschijnlijk vol obsceniteiten in het Engels en Italiaans. Hij keek vlug om zich heen. De kans was groot dat hij hier in de Bar Fontana als niet-communist in de minderheid was.

En wat had het kapitalisme voor hem gedaan?

Het strekte Rudolph tot eer dat hij glimlachte, zijn schouders ophaalde en met een vleugje nostalgie opmerkte: 'Misschien niet, maar het was dertig jaar geleden hartstikke leuk om communist te zijn, vooral in Texas. Dat was nog eens een tijd.'

Marco knikte naar de krant en zei: 'Lees je ooit kranten van thuis?'

'Ik ben hier thuis, mijn vriend. Ik ben Italiaans staatsburger geworden en ik ben in geen twintig jaar meer in de Verenigde Staten geweest.'

Backman was opgelucht. Hij had sinds zijn vrijlating geen Amerikaanse kranten gezien, maar hij nam aan dat die erover hadden geschreven. Waarschijnlijk waren er ook oude foto's afgedrukt. Bij Rudolph was zijn verleden blijkbaar veilig.

Marco vroeg zich af of dat zijn toekomst was: het Italiaanse staatsburgerschap. Als hij al een nationaliteit zou hebben. Zou hij over twintig jaar nog steeds door Italië zwerven? Waarschijnlijk zou hij niet meer steeds achteromkijken, maar zou hij er dan nog steeds aan denken?

'Je zei "thuis",' onderbrak Rudolph hem. 'Bedoel je de Verenigde Staten of Canada?'

Marco glimlachte en knikte vaag. 'Daar aan de overkant.' Een klein foutje, maar hij had het niet moeten maken. Om snel van onderwerp te veranderen, zei hij: 'Dit is de eerste keer dat ik in Bologna ben. Ik wist niet dat dit het middelpunt van het Italiaanse communisme was.'

Rudolph liet zijn kopje zakken en maakte een smakkend geluid met zijn bijna onzichtbare lippen. Toen streek hij met beide handen zijn baard naar achteren, ongeveer als een oude kat die zijn snorharen gladstrijkt. 'Bologna is veel meer dan dat, mijn vriend,' zei hij, alsof hij aan een lang betoog begon. 'Het is altijd het middelpunt van de vrije gedachte en van intellectuele activiteit in Italië geweest, vandaar ook zijn eerste bijnaam, *la dotta*, dat betekent 'de geleerde'. Daarna werd deze stad de thuisbasis van politiek links en kreeg hij de bijnaam *la rossa*, de rode. En de Bolognesi hebben hun voedsel altijd erg serieus genomen. Ze geloven, waarschijnlijk terecht, dat dit de maag van Italië is. Daarom is de derde bijnaam *la grassa*, de vette, een liefdevolle term, want je zult hier niet veel mensen zien die te dik zijn. Zelf was ik dik toen ik hier aankwam.' Hij klopte trots met zijn ene hand op zijn buik, terwijl hij met zijn andere hand de rest van de brioche naar zijn mond bracht.

Plotseling kwam er een angstaanjagende vraag bij Marco op: was het mogelijk dat Rudolph ook in het spel zat? Was hij een teamgenoot van Luigi en Ermanno en Stennett en wie er verder ook maar in de schaduw werkten om Joel Backman in leven te houden? Nee toch? Hij was heus wel degene die hij zei dat hij was, een hoogleraar. Een rare snuiter, een onaangepast type, een oude communist die ergens anders een beter leven had gekregen.

Die gedachte ging voorbij, maar bleef toch in zijn achterhoofd hangen. Marco at zijn broodje op en vond dat ze lang genoeg hadden gepraat. Hij moest plotseling een trein halen voor weer een dag van toeristische bezienswaardigheden. Hij slaagde erin om achter de tafel vandaan te komen.

Rudolph nam enthousiast afscheid. 'Ik ben hier elke morgen,' zei hij. 'Kom terug als je langer kunt blijven.'

'*Grazie*,' zei Marco. '*Arrivederci*.'

Buiten het café kwam de Via Irnerio tot leven. Bestelwagens reden hun route. Twee chauffeurs schreeuwden naar elkaar, waarschijnlijk vriendelijk bedoelde obsceniteiten die Marco nooit zou kunnen verstaan. Hij ging vlug van het café vandaan, voor het geval Rudolph hem nog iets wilde vragen en achter hem aan kwam. Hij sloeg een zijstraat in, de Via Capo di Lucca – hij had gemerkt dat de straten goed aangegeven en ook gemakkelijk op de kaart terug te vinden waren – en volgde een zigzagroute naar het centrum terug. Hij liep een ander gezellig cafeetje voorbij, maakte rechtsomkeert en ging naar binnen voor een cappuccino.

Er waren hier geen communisten die hem lastigvielen. Niemand scheen hem zelfs maar op te merken. Joel Backman/Marco genoot van deze ogenblikken, de verrukkelijke sterke koffie, de warme lucht, het zachte lachen van de pratende bezoekers. Op dat moment wist niemand op de wereld precies waar hij was, en dat was een heerlijk gevoel.

Op aandrang van Marco begonnen de ochtendsessies om acht uur, dus niet een halfuur later. Ermanno, de student, had nog behoefte aan veel uren van diepe slaap, maar hij moest zich neerleggen bij de intensiteit van zijn leerling. Elke les weer bleek dat Marco zijn woordenlijsten grondig in zijn hoofd had gestampt, zijn dialogen perfect beheerste en er vurig naar verlangde de taal in zich op te nemen. Op een gegeven moment stelde hij voor dat ze om zeven uur zouden beginnen.

Op de ochtend dat hij Rudolph ontmoette, zat Marco twee uren achtereen hard te studeren, maar toen zei hij opeens: '*Vorrei vedere l'università.*' Ik wil de universiteit bekijken.

'*Quando?*' vroeg Ermanno. Wanneer?

'*Adesso. Andiamo a fare una passeggiata.*' Nu. Laten we een eindje gaan wandelen.

'*Penso che dobbiamo studiare.*' Ik denk dat we moeten studeren.

'*Sì. Possiamo studiare a camminando.*' We kunnen onder het lopen studeren.

Marco was al opgestaan en pakte zijn jas. Ze verlieten het deprimerende gebouw en liepen in de richting van de universiteit.

'*Questa via, come si chiama?*' vroeg Ermanno. Hoe heet deze straat?

'*È Via Donati,*' antwoordde Marco zonder naar een straatnaambordje te kijken.

Ze bleven voor een kleine, drukke winkel staan en Ermanno vroeg: *'Che tipo di negozio è questo?'* Wat voor winkel is dit?

'Una tabaccheria.' Een sigarenwinkel.

'Che cosa puoi comprare in questo negozio?' Wat kun je hier kopen?

'Posso comprare molte cose. Giornali, riviste, francobolli, sigarette.' Ik kan veel dingen kopen. Kranten, tijdschriften, postzegels, sigaretten.

De sessie werd een spel waarin de namen van dingen genoemd moesten worden. Ermanno wees bijvoorbeeld iets aan en zei: *'Cosa è quello?'* Wat is dat? Een fiets, een politieman, een blauwe auto, een stadsbus, een bankje, een vuilnisvat, een student, een telefooncel, een hondje, een cafetaria, een banketbakkerij. Afgezien van een lantaarnpaal wist Marco meteen het Italiaanse woord voor al die dingen. En de zo belangrijke werkwoorden – lopen, praten, zien, studeren, kopen, denken, ademhalen, eten, drinken, zich haasten, rijden – de lijst was eindeloos lang en Marco had de juiste vertalingen paraat.

Even na tien uur kwam de universiteit eindelijk tot leven. Ermanno legde uit dat er geen centrale campus was, geen rechthoek in Amerikaanse stijl met bomen en dergelijke. De Università degli Studi was gevestigd in tientallen fraaie oude gebouwen, sommige vijfhonderd jaar oud, de meeste naast elkaar aan de Via Zamboni, al was de universiteit in de loop van de eeuwen sterk gegroeid en nam hij nu een complete wijk van Bologna in beslag.

Van de Italiaanse les kon een blok of twee niets komen, want ze werden meegevoerd door een stroom van studenten die zich van en naar hun colleges spoedden. Marco betrapte zich erop dat hij uitkeek naar een oude man met lichtgrijs haar, zijn favoriete communist, de eerste echte kennis die hij had opgedaan sinds hij uit de gevangenis was. Hij wilde graag opnieuw met Rudolph praten.

Op Via Zamboni 22 bleef Marco staan en keek naar een bord tussen de deur en een raam: FACOLTÀ DI GIURISPRUDENZA.

'Is dit de rechtenfaculteit?'

'Sì.'

Rudolph was ergens binnen. Waarschijnlijk stookte hij op dat moment linkse onrust onder zijn gemakkelijk beïnvloedbare studenten.

Ze wandelden in een rustig tempo door, bleven dingen bij de naam noemen en genoten van de levendige straat.

13

De *lezione-a-piedi* – les te voet – ging de volgende dag door. Na een uur van saaie grammatica uit het leerboek was Marco in opstand gekomen en wilde hij gaan wandelen.

'*Ma, deve imparare la grammatica,*' hield Ermanno vol. Je moet grammatica leren.

Marco trok zijn jas al aan. 'Daar vergis je je in, Ermanno. Ik heb behoefte aan echte conversatie, niet aan zinsstructuur.'

'*Sono io l'insegnante.*' Ik ben de leraar.

'Laten we gaan. *Andiamo*. Bologna wacht. De straten krioelen van de blije jonge mensen, de lucht trilt van de geluiden van jouw taal, en dat alles wacht tot het door mij kan worden opgenomen.' Toen Ermanno aarzelde, glimlachte Marco naar hem en zei: 'Toe, mijn vriend. Ik heb zes jaar opgesloten gezeten in een kleine cel, ongeveer zo groot als deze kamer. Je kunt niet van me verwachten dat ik hier blijf. Er is daarbuiten een opwindende stad. Kom mee op verkenning.'

Buiten was de lucht helder en fris, nergens een wolk te bekennen, een schitterende winterdag die alle warmbloedige Bolognezen naar buiten lokte, waar ze boodschappen deden en langdurige gesprekken met oude vrienden voerden. De slaperige studenten die elkaar begroetten, vormden pratende groepjes, en huisvrouwen stonden bij elkaar om nieuwtjes uit te wisselen. Oudere heren, met jas en das, gaven elkaar een hand en praatten dan allemaal tegelijk. Marktkooplieden prezen hun nieuwste koopjes aan.

Maar voor Ermanno was het niet zomaar een wandelingetje. Als zijn leerling conversatie wilde, zou hij daar wat voor moeten doen. Hij wees naar een politieman en zei tegen Marco, natuurlijk in het Italiaans: 'Ga naar die politieman en vraag hem de weg naar de Piazza Maggiore. Herhaal zijn instructies daarna voor mij.'

Marco liep erg langzaam. Hij fluisterde wat woorden, probeerde zich andere te herinneren. Altijd beginnen met een glimlach en de juiste begroeting. '*Buon giorno*,' zei hij en hij hield bijna zijn adem in.

'*Buon giorno*,' antwoordde de politieman.

'*Mi può aiutare?*' Kunt u me helpen?

'*Certamente.*' Zeker.

'*Sono Canadese. Non parlo molto bene.*' Ik ben Canadees. Ik spreek niet goed Italiaans.

'*Allora.*' Goed. De politieman glimlachte nog steeds. Hij wilde nu erg graag helpen.

'*Dov'è la Piazza Maggiore?*'

De politieman draaide zich om en keek in de verte, naar het centrum van Bologna. Hij schraapte zijn keel en Marco verwachtte een stroom van instructies. Ermanno stond dichtbij en luisterde naar elk woord.

Met een prachtige langzame intonatie zei hij in het Italiaans, en hij wees daarbij zoals ze allemaal deden: 'Het is niet ver. Neem deze straat, dan de eerste straat rechts, dat is de Via Zamboni, en die volgt u tot u de twee torens ziet. Sla de Via Rizzoli in en loop drie straten.'

Marco luisterde zo aandachtig mogelijk en probeerde elke frase toen te herhalen. De politieman luisterde geduldig. Marco bedankte hem, herhaalde zoveel als hij kon voor zichzelf en gaf de instructies toen aan Ermanno door.

'*Non c'è male*,' zei hij. Niet slecht. De pret was nog maar net begonnen. Terwijl Marco nog van zijn kleine overwinning genoot, was Ermanno al op zoek naar de volgende nietsvermoedende leraar. Hij vond hem in de persoon van een oude man die met een stok en een dikke krant onder zijn arm over het trottoir schuifelde. 'Vraag hem waar hij die krant heeft gekocht,' zei hij tegen zijn leerling.

Marco nam de tijd. Hij volgde de oude man een paar stappen, en toen hij dacht dat hij de woorden in zijn hoofd had, zei hij: '*Buon giorno, scusi.*' De oude man bleef staan en keek hem aan, en een ogenblik zag het ernaar uit dat hij zijn stok omhoog zou brengen om Marco op zijn hoofd te meppen. Hij zei niet het gebruikelijke '*Buon giorno*'.

'*Dov'è ha comprato questo giornale?*' Waar hebt u die krant gekocht? De oude man keek naar de krant alsof hij die had gestolen, en keek toen Marco aan alsof die hem had uitgescholden. Hij knikte naar links en zei iets in de trant van 'Daar'. En daarmee was zijn kant van het gesprek voorbij. Toen hij wegschuifelde, kwam Ermanno naast Marco lopen en zei in het Engels: 'Geen echte prater, hè?'

'Nee.'

Ze gingen een cafetaria binnen, waar Marco een eenvoudige espresso voor zichzelf bestelde. Ermanno was nooit tevreden met eenvoudige dingen; in plaats daarvan wilde hij gewone koffie met suiker maar zonder melk, en een klein kersengebakje, en hij liet Marco alles bestellen. Aan hun tafel legde Ermanno een aantal eurobiljetten van verschillende waarde neer, samen met munten van vijftig cent en een euro, en ze oefenden met getallen. Vervolgens wilde hij nog een gewone koffie, ditmaal zonder suiker maar met een klein beetje melk. Marco pakte twee euro en kwam met de koffie terug. Hij telde het wisselgeld uit.

Na deze korte onderbreking waren ze weer op straat. Ze liepen over de Via San Vitale, een van de belangrijkste straten van de universiteit, met zuilengangen op de trottoirs aan weerskanten en duizenden studenten die zich naar hun ochtendlessen haastten. Op straat wemelde het van de fietsen, het favoriete vervoermiddel. Ermanno had drie jaar in Bologna gestudeerd, zei hij, al geloofde Marco weinig van wat zijn leraar en zijn begeleider hem vertelden.

'Dit is de Piazza Verdi,' zei Ermanno en hij knikte naar een pleintje waarop een soort demonstratie aarzelend op gang kwam. Een langharig relikwie uit de jaren zeventig stelde een microfoon bij, ongetwijfeld om straks tekeer te gaan tegen Amerikaanse misdaden ergens op de wereld. Zijn mededemonstranten waren bezig een groot, slecht beschilderd spandoek uit te rollen met een slogan die Ermanno niet begreep. Maar ze waren te vroeg. De studenten sliepen nog half en waren vooral bang dat ze te laat op de universiteit zouden komen.

'Waar zitten zij mee?' vroeg Marco toen ze voorbijliepen.

'Dat weet ik niet precies. Het heeft iets met de Wereldbank te maken. Er is hier altijd wel een demonstratie.'
Ze liepen door, met de stroom van jonge mensen mee. Ze zochten zich een weg door het voetgangersverkeer, ongeveer in de richting van *il centro*.
Luigi zou met hen lunchen in een restaurant dat Testerino heette, dicht bij de universiteit. Omdat de Amerikaanse belastingbetalers toch voor de rekening opdraaiden, bestelde hij veel en zonder op de prijs te letten. Ermanno, de straatarme student, had blijkbaar moeite met al die overdaad, maar Italiaan als hij was, kon hij uiteindelijk wel warmlopen voor het idee van een lange lunch. Ze aten twee uur en er werd geen woord Engels gesproken. Het Italiaans was langzaam, systematisch en werd vaak herhaald, maar ging nooit over in Engels. Het kostte Marco moeite om van een goede maaltijd te genieten terwijl zijn hersenen op volle toeren draaiden om elke frase die hem werd toegeworpen te horen, te begrijpen, te verwerken en te beantwoorden. Vaak had hij van een frase maar een woord of twee verstaan en volgde daar meteen weer een andere frase op. En zijn twee vrienden zaten niet zomaar voor hun plezier te kletsen. Als ze ook maar enigszins merkten dat Marco het niet kon volgen, dat hij alleen maar knikte opdat zij bleven praten en hij kon eten, hielden ze op en zeiden ze: '*Che cosa ho detto?* Wat zei ik?
Marco kauwde dan even door om tijd te winnen en iets te bedenken wat hij kon zeggen – in het Italiaans, verdomme! – om uit de problemen te komen. Maar hij leerde te luisteren en op de sleutelwoorden te letten. Zijn twee vrienden hadden vaak gezegd dat hij altijd meer zou kunnen verstaan dan dat hij zelf kon zeggen.
Het eten redde hem. Het onderscheid tussen *tortellini* (kleine pasta gevuld met varkensvlees) en *tortelloni* (grotere pasta gevuld met ricotta) was van groot belang. Zodra de kok hoorde dat Marco een Canadees was die zich erg voor de Bolognese keuken interesseerde, stond hij erop dat Marco beide gerechten zou proeven. Zoals altijd legde Luigi uit dat deze twee gerechten de exclusieve creaties van de grote koks van Bologna waren.
Marco genoot van het eten en deed zijn best om de heerlijke gerechten tot zich te nemen zonder Italiaans te spreken.
Na twee uur vroeg Marco om een pauze. Hij dronk zijn tweede espresso op en nam afscheid. Hij liet hen voor het restaurant achter en liep alleen weg. Al die Italiaanse woorden galmden nog door zijn hoofd.

Hij verliet de Via Rizzoli en liep een blokje om. Toen deed hij dat nog een keer om er zeker van te zijn dat hij niet werd gevolgd. Op die lange trottoirs met hun zuilengangen kon je je gemakkelijk verstoppen. Toen daar weer overal studenten waren, stak hij de Piazza Verdi over, waar het protest tegen de Wereldbank was overgegaan in een toespraak zo fel dat Marco een ogenblik blij was dat hij geen Italiaans verstond. Hij ging naar Via Zamboni 22 en keek weer naar de zware houten deur van de rechtenfaculteit. Hij ging naar binnen en deed zijn best om eruit te zien alsof hij daar thuishoorde. Er was geen informatiebord te zien, maar er was wel een studentenprikbord waarop het een en ander werd aangeboden: kamers, boeken, gezelschap, bijna alles, leek het wel, zelfs een zomerstudie aan de Wake Forest Law School in Amerika.

Hij liep de gang door en kwam op een binnenplaats waar studenten rondliepen, in mobiele telefoons praatten, rookten en wachtten tot hun lessen begonnen.

Hij zag een trap aan zijn linkerkant. Hij ging naar de tweede verdieping, waar hij een soort informatiebord zag hangen. Hij begreep het woord '*uffici*' en volgde een gang langs twee collegezalen tot hij bij de faculteitskantoren was aangekomen. De meeste hadden namen, een paar niet. Het laatste kantoor was van Rudolph Viscovitch, tot nu toe de enige niet-Italiaanse naam in het gebouw. Marco klopte aan en kreeg geen reactie. Hij draaide aan de knop, maar de deur zat op slot. Toen haalde hij vlug een stukje papier uit zijn zak dat hij uit de Albergo Campeol in Treviso had meegenomen en schreef daarop:

> *Beste Rudolph,*
> *Ik liep over de campus, stuitte op je gebouw en wilde je gedag zeggen. Misschien zie ik je weer in de Bar Fontana. Ik heb gisteren van ons gesprek genoten. Het is prettig om eens Engels te horen.*
> *Je Canadese vriend, Marco Lazzeri*

Hij schoof het briefje onder de deur door en liep achter een groep studenten aan de trap af. Toen hij op de Via Zamboni terug was, liep hij door zonder dat hem een bepaald doel voor ogen stond. Hij kocht ergens een *gelato* en ging toen langzaam naar zijn hotel terug. Zijn donkere kamertje was te koud om er een dutje te doen. Hij nam zich weer voor om bij Luigi te klagen. De lunch had meer gekost dan zijn kamer in drie dagen kostte. Luigi en zijn superieuren konden toch wel een betere kamer voor hem betalen?

Hij sjokte weer naar Ermanno's piepkleine appartement voor de middagsessie.

Op Bologna Centrale wachtte Luigi geduldig op de non-stop Eurostar uit Milaan. Het was relatief stil op het station, de stilte voor het spitsuur van vijf uur. Om vijf over halfvier, precies op tijd, kwam de gestroomlijnde sneltrein binnenrijden voor een korte tussenstop en stapte Whitaker uit.

Omdat Whitaker nooit glimlachte, zeiden ze elkaar amper gedag. Na een korte handdruk liepen ze naar Luigi's Fiat. 'Hoe gaat het met onze jongen?' vroeg Whitaker zodra hij het portier achter zich dicht had getrokken.

'Goed.' Luigi startte de motor en reed weg. 'Hij studeert hard. Verder heeft hij niet veel te doen.'

'En hij blijft in de buurt?'

'Ja. Hij mag graag door de stad lopen, maar hij waagt zich niet te ver van ons vandaan. Bovendien heeft hij geen geld.'

'Zorg dat hij dat niet krijgt. Hoe staat het met zijn Italiaans?'

'Hij leert snel.' Ze waren op de Via dell' Indipendenza, een brede avenue die recht naar het zuiden leidde, naar het centrum van de stad. 'Hij is erg gemotiveerd.'

'Is hij bang?'

'Ik geloof van wel.'

'Hij is intelligent, en hij is een manipulator, Luigi, vergeet dat niet. En omdat hij intelligent is, is hij ook erg bang. Hij kent het gevaar.'

'Ik heb hem over Critz verteld.'

'En?'

'Hij was geschokt.'

'Was hij bang?'

'Ja, volgens mij wel. Wie heeft Critz vermoord?'

'Ik geloof dat wij dat waren, maar je weet het nooit. Is het geheime huis klaar?'

'Ja.'

'Goed. Dan gaan we Marco's appartement bekijken.'

De Via Fondazza lag in een rustige woonwijk in het zuidoostelijke deel van de stad, een paar straten ten zuiden van de universiteitswijk. Zoals in de rest van Bologna bestonden de trottoirs aan weerskanten van de straat uit zuilengangen. Deuren van de huizen en appartementen kwamen rechtstreeks op de trottoirs uit. De meeste hadden naamlijsten op koperen platen naast de intercom, maar het huis op Via Fondazza 112 had dat niet. Het was naamloos en was dat al sinds het drie jaar geleden was gehuurd door een mysterieuze zakenman uit Milaan, die de huur betaalde maar er bijna nooit gebruik van maakte. Whitaker had het al langer dan een jaar niet gezien. Niet dat het zo'n bezienswaardigheid was. Het was een eenvoudig appartement van ongeveer zeventig vierkante meter, vier vertrekken met een elementaire inrichting. Het kostte 1.200 euro per maand. Het was een geheim huis, niets meer of minder, een van de drie huizen waarover hij momenteel in het noorden van Italië beschikte.

Er waren twee slaapkamers, een klein keukentje en een huiskamer met een bank, een bureau, twee leren stoelen, geen televisie. Luigi wees naar de telefoon en ze praatten in bijna gecodeerde taal over het afluisterapparaat dat was geïnstalleerd en dat nooit kon worden gevonden. Er waren twee verborgen microfoons in elke kamer, krachtige kleine apparaatjes die elk menselijk geluid oppikten. Er waren ook twee microscopische camera's, een in een barst in een oude tegel hoog boven in de huiskamer, met zicht op de voordeur. De andere zat in een goedkope wandlamp in de keuken, met een goed zicht op de achterdeur.

Ze zouden zijn slaapkamer niet in de gaten houden, en Luigi was daar blij om. Als Marco een vrouw op bezoek zou krijgen, konden ze haar met de camera in de huiskamer zien komen en gaan, en dat vond Luigi genoeg. Als hij zich erg verveelde, kon hij altijd een schakelaar overhalen en meeluisteren.

Het geheime huis grensde in het zuiden aan een ander appartement, met een dikke natuurstenen muur tussen de twee. Daar verbleef Luigi. Die hield zich verborgen in een flat van vijf vertrekken die maar een beetje groter was dan die van Marco. De achterdeur kwam uit op een kleine tuin die vanuit het huis niet te zien was, zodat Marco hem niet zag komen en gaan. Zijn keuken was verbouwd tot een hightechsnuffelkamer, waar hij een camera kon aanzetten wanneer hij maar wilde en dan kon zien wat er naast hem gebeurde.

'Gaan ze hier studeren?' vroeg Whitaker.

'Ja. Het lijkt me veilig genoeg. Ik kan alles volgen.'

Whitaker liep nog eens door alle kamers. Toen hij genoeg had gezien, zei hij: 'Is hiernaast alles klaar?'

'Ja. Ik heb daar de afgelopen twee nachten geslapen. We zijn klaar.'

'Hoe gauw kun je hem verhuizen?'

'Vanmiddag.'

'Goed. Laten we naar de jongen toe gaan.'

Ze liepen in noordelijke richting door de Via Fondazza tot daar een eind aan kwam en liepen toen naar het noordwesten door een bredere straat, de Strada Maggiore. Het ontmoetingspunt was een klein café dat Lestre's heette. Luigi pakte een achtergelaten krant en ging alleen aan een tafel zitten. Whitaker pakte een andere achtergelaten krant en ging in de buurt zitten. Beide mannen negeerden elkaar. Om precies halfvijf kwamen Ermanno en zijn student binnen om een espresso met Luigi te drinken.

Toen ze elkaar hadden begroet en hun jas hadden uitgetrokken, vroeg Luigi: 'Heb je genoeg van het Italiaans, Marco?'

'Ik ben het zat,' zei Marco.

'Goed. Dan praten we Engels.'

'God zegene je,' zei Marco.

Whitaker zat op anderhalve meter afstand. Hij ging half schuil en rookte een sigaret alsof hij geen enkele belangstelling had voor iemand uit zijn omgeving. Hij wist natuurlijk van Ermanno af, maar hij had hem nooit gezien. Marco was een ander verhaal.

Een jaar of tien geleden was Whitaker een tijdje in Washington geweest om op het CIA-hoofdkantoor in Langley te werken. In die tijd kende iedereen de manipulator. Hij herinnerde zich Joel Backman als een politieke factor die bijna net zoveel tijd aan het cultiveren van zijn overdreven imago besteedde als aan het vertegenwoordigen van zijn belangrijke cliënten. Hij was het summum van geld en macht geweest, de typische patser die mensen kon paaien en intimideren en met genoeg geld kon smijten om zijn zin te krijgen.

Het was verbijsterend wat zes jaren in de gevangenis konden aanrichten. Hij was nu erg mager en zag er met zijn Armani-zonnebril erg Europees uit. Hij kreeg een peper-en-zoutkleurig sikje. Whitaker was er zeker van dat iemand van thuis die op dat moment Lestre's kwam binnenlopen Joel Backman nooit zou herkennen.

Marco zag de man die op anderhalve meter zat een keer te vaak in hun richting kijken, maar stond daar verder niet bij stil. Ze praatten in het Engels, en misschien waren er weinig mensen die dat deden, in elk geval in Lestre's. Dichter bij de universiteit kon je in elk cafetaria allerlei talen horen.

Na één espresso excuseerde Ermanno zich. Een paar minuten later ging Whitaker ook weg. Hij liep een paar straten verder een internetcafé binnen dat hij al vaker had gebruikt. Hij sloot zijn laptop aan, ging on line en typte een boodschap voor Julia Javier in Langley:

> *Appartement Via Fondazza klaar voor gebruik. Verhuizen kan vanavond. Onze man gezien terwijl hij koffiedronk met onze vrienden. Zou hem anders niet hebben herkend. Past zich goed aan zijn nieuwe leven aan. Alles is hier in orde; geen enkel probleem.*

Die avond stopte de Fiat midden op de Via Fondazza en werd de inhoud vlug uitgeladen. Marco had weinig bagage, want hij bezat bijna niets. Twee tassen met kleren en wat leerboeken Italiaans, en hij kon vertrekken. Toen hij zijn nieuwe appartement binnenstapte, viel hem allereerst op dat het goed verwarmd was. 'Dit lijkt er meer op,' zei hij tegen Luigi.

'Ik ga de auto parkeren. Kijk wat rond.'

Marco keek rond, telde vier vertrekken met goed meubilair, niets extravagants maar veel beter dan zijn vorige onderkomen. Zijn leven ging erop vooruit, tien dagen geleden had hij in de gevangenis gezeten.

Luigi kwam gauw terug. 'Wat vind je ervan?'

'Ik neem het. Dank je.'

'Niets te danken.'

'En bedank de mensen in Washington ook.'

'Heb je de keuken gezien?' vroeg Luigi, terwijl hij op een lichtknopje drukte.

'Ja, die is perfect. Hoe lang blijf ik hier, Luigi?'

'Daar ga ik niet over. Dat weet je.'

'Ik weet het.'

Ze waren weer in de huiskamer. 'Een paar dingen,' zei Luigi. 'Ten eerste: Ermanno komt hier elke dag lesgeven. Van acht tot elf, en dan van twee tot vijf of wanneer je maar wilt ophouden.'

'Geweldig. Kun je die jongen ook aan een nieuwe woning helpen?

126

Die gribus waar hij zat, is een schande voor de Amerikaanse belastingbetaler.'

'Ten tweede: dit is een erg rustige straat met vooral appartementen. Kom en ga snel, praat niet met je buren, maak geen vrienden. Denk eraan dat je een spoor achterlaat, Marco. Als je dat spoor groot genoeg maakt, vindt iemand je.'

'Dat had ik de eerste tien keer al begrepen.'

'Nog een keer kan geen kwaad.'

'Maak je niet druk, Luigi. Mijn buren zullen me nooit zien, dat beloof ik je. Het bevalt me hier. Het is veel beter dan mijn gevangeniscel.'

14

De uitvaartdienst voor Robert Critz werd gehouden in een country-club-achtig mausoleum in een dure voorstad van Philadelphia, de stad waar hij was geboren maar waar hij de afgelopen dertig jaar zo min mogelijk was geweest. Hij stierf zonder testament en zonder ooit over zijn uitvaart te hebben nagedacht, zodat die arme mevrouw Critz zich niet alleen voor de opgave gesteld zag hem uit Londen naar huis te krijgen maar ook nog beslissingen over een gepaste uitvaart moest nemen. Een van hun zoons drong aan op crematie en bijzetting van de urn in een marmeren kluis, afgeschermd tegen het weer. Inmiddels zou mevrouw Critz met bijna elk plan akkoord zijn gegaan. Na een vlucht van zeven uur over de Atlantische Oceaan (economy class), met het stoffelijk overschot van haar man ergens onder haar, in een nogal muffe luchttransport-box die speciaal voor doden was gemaakt, was ze aan het eind van haar Latijn. En dan was er nog de chaos op het vliegveld geweest, waar niemand had klaargestaan om haar af te halen en de leiding over te nemen. Wat een puinhoop!

De dienst was alleen toegankelijk voor genodigden, een voorwaarde die was gesteld door ex-president Arthur Morgan, die er na nog maar twee weken op Barbados weinig voor voelde om terug te komen en door iedereen te worden gezien. Het was niet aan hem te zien of de dood van zijn oude vriend hem echt verdriet deed. Hij had met de familie Critz over de bijzonderheden van de dienst onderhandeld tot ze hem bijna hadden verzocht weg te blijven. De datum was verzet vanwege Morgan. De dienst zelf stond hem niet aan. Hij was met tegenzin bereid een rede te houden, maar alleen als die erg kort mocht zijn. Hij had mevrouw Critz namelijk nooit graag gemogen, en zij hem ook niet.

De kleine kring van vrienden en familieleden vond het ongeloofwaardig dat Robert Critz in een Londens café zo dronken was geworden dat hij een drukke straat op was gewaggeld en was gevallen. Toen bij de sectie een grote hoeveelheid heroïne in zijn lichaam werd aangetroffen, schrok mevrouw Critz daar zo van dat ze het sectierapport uit de openbaarheid wilde houden. Ze had zelfs haar kinderen niet over de heroïne verteld. Ze was er volkomen van overtuigd dat haar man nooit drugs had gebruikt – hij dronk te veel, maar bijna niemand wist dat – maar toch was ze van plan zijn goede naam te beschermen.

De Londense politie was bereid geweest het sectierapport geheim te houden en de zaak te sluiten. Ze hadden natuurlijk wel hun bedenkingen, maar ze hadden veel andere zaken om zich mee bezig te houden, en ze zaten ook met een weduwe die zo gauw mogelijk naar huis wilde om het allemaal achter zich te laten.

De dienst begon op donderdagmiddag om twee uur. Dat tijdstip was ook gedicteerd door Morgan – dan kon zijn privé-jet non-stop van Barbados naar Philadelphia International vliegen – en duurde een uur. Er waren 82 mensen uitgenodigd en er kwamen er 51, de meesten niet zozeer om afscheid te nemen van die goeie ouwe Critz als wel om president Morgan te zien. Een semi-protestantse predikant van een of ander kerkgenootschap leidde de dienst. Critz was in geen veertig jaar in een kerk geweest, huwelijken en begrafenissen daargelaten. De dominee stond voor de moeilijke taak dat hij herinneringen moest oproepen aan een man die hij nooit had ontmoet, en hoewel hij braaf zijn best deed, mislukte het volkomen. Hij las uit het boek der Psalmen. Hij sprak een algemeen gebed dat net zo goed van toepassing kon zijn op een diaken als op een seriemoordenaar. Hij sprak de familieleden troostend toe, maar ook die waren volslagen vreemden voor hem.

In plaats van een hartverwarmend afscheid was de dienst zo koud als de grijze marmeren muren van de kapel. Morgan, met een gebronsde huid die belachelijk was voor februari, probeerde de kleine menigte te paaien met anekdotes over zijn oude vriend, maar hij kwam over als iemand die alleen maar zijn plicht deed en zo gauw mogelijk weer in zijn vliegtuig wilde stappen.

In de Caribische zon was Morgan ervan overtuigd geraakt dat zijn rampzalige herverkiezingscampagne de schuld was van Robert Critz. Hij had niemand daar iets over verteld. Er was ook niemand die hij in vertrouwen kon nemen, want behalve hijzelf en het personeel was er niemand in het strandhuis. Maar hij begon al een wrok te koesteren en de vriendschap in twijfel te trekken.

Toen de moeizaam verlopen dienst was afgelopen, bleef hij niet. Hij omhelsde mevrouw Critz en haar kinderen, zoals hij geacht werd te doen, sprak even met wat oude vrienden, beloofde hen in de komende weken op te zoeken en ging er toen haastig met zijn escorte van de Secret Service vandoor. Er stonden televisiecamera's langs een hek buiten het terrein, maar die vingen geen glimp van de vroegere president op. Hij was achter in een van twee zwarte busjes gedoken. Vijf uur later zat hij bij het zwembad en keek hij naar de Caribische zonsondergang, zoals hij elke avond deed.

Hoewel er maar weinig mensen bij de uitvaartdienst aanwezig waren geweest, hadden anderen er toch grote belangstelling voor. Terwijl de dienst nog aan de gang was, had Teddy Maynard een lijst van alle 51 aanwezigen. Er zaten geen verdachte personen bij. Geen enkele naam wekte argwaan.

Het was een geslaagde eliminatie geweest. Het sectierapport was weggeborgen, voor een deel dankzij mevrouw Critz en voor een deel ook omdat er op een niveau ver boven de Londense politie aan touwtjes was getrokken. Het lichaam was nu tot as vergaan en de wereld zou Robert Critz snel vergeten. Er was een eind aan zijn idiote onderzoek naar de verdwijning van Backman gekomen zonder dat het plan in gevaar kwam.

De FBI had vergeefs geprobeerd een verborgen camera in de kapel te krijgen. De eigenaar had zich verzet en had zelfs voet bij stuk gehouden toen hij onder grote druk werd gezet. Hij stond wel toe dat er buiten verborgen camera's werden aangebracht, en alle rouwenden werden bij aankomst en vertrek van nabij gefilmd. De beelden werden bewerkt, de lijst van 51 personen werd in korte tijd samengesteld, en een uur nadat de dienst was geëindigd, werd de directeur op de hoogte gesteld.

Op de dag voor de dood van Robert Critz kreeg de FBI schokkende informatie. Die kwam volkomen onverwachts en werd verstrekt door een wanhopige witteboordencrimineel die tegen veertig jaar gevangenisstraf aankeek. Hij was als beheerder van een groot beleggingsfonds op oplichting betrapt, een van de vele Wall Streetschandalen waarmee maar een paar miljard dollar gemoeid was. Maar zijn beleggingsfonds was eigendom van een internationaal bankconsortium, en in de loop van de jaren had de crimineel de weg naar de binnenste kern van de organisatie gevonden. Het fonds was, vooral door zijn oplichterstalenten, zo succesvol dat de winsten niet meer genegeerd konden worden. Hij werd in de raad van bestuur benoemd en kreeg een luxeappartement in Bermuda, waar het hoofdkantoor van zijn erg discrete onderneming was gevestigd. Omdat hij tot elke prijs wilde voorkomen dat hij de rest van zijn leven in de gevangenis zou zitten, was hij bereid geheimen te vertellen. Geheimen uit de bankwereld. Geheimen over transacties in het buitenland. Hij beweerde te kunnen bewijzen dat de vroegere president Morgan in de laatste dagen van zijn ambtstermijn minstens één gratieverlening had verkocht voor drie miljoen dollar. Het geld was van een bank op Grand Cayman telegrafisch overgemaakt naar een bank in Singapore, en beide banken waren in het geheim eigendom van het consortium waarvoor hij tot voor kort had gewerkt. Het geld was nog in Singapore verborgen, op een rekening die was geopend door een lege vennootschap die in feite eigendom was van een oude vriend van Morgan. Volgens de verklikker was het geld voor Morgan bestemd.

Toen de FBI bevestigde dat die rekeningen bestonden en dat het geld inderdaad was overgemaakt, werd de man een deal aangeboden. Zijn straf zou beperkt blijven tot maar twee jaar licht huisarrest. Een president die iemand gratie verleende voor geld, was zo'n sensationeel misdrijf dat het bij de FBI de hoogste prioriteit kreeg.

De informant kon niet vertellen wiens geld er vanuit Grand Cayman was overgemaakt, maar het leek de FBI wel duidelijk dat maar twee van de mensen die gratie van Morgan hadden gekregen zo'n omkoopsom konden betalen. De eerste en waarschijnlijkste kandidaat was hertog Mongo, de half demente miljardair die meer belasting had ontdoken dan wie ook in de geschiedenis, tenminste wat individuele personen betrof, de categorie bedrijven stond nog ter discussie. Aan de andere kant had de informant het gevoel dat

Mongo er niet bij betrokken was, want die had in het verleden vaak hevig overhoop gelegen met de banken in kwestie. Hij gaf de voorkeur aan Zwitserse banken, zei de informant, en dat werd door de FBI bevestigd.

De tweede kandidaat was natuurlijk Joel Backman. Het zou net iets voor Backman zijn om de president om te kopen. En hoewel de FBI jarenlang had geloofd dat hij nergens een fortuin verborgen had liggen, was daar altijd aan getwijfeld. Toen hij nog aan het politieke spel deelnam, had hij met banken in zowel Zwitserland als de Caraïben gewerkt. Hij had een netwerk van schimmige vrienden, contactpersonen op belangrijke plaatsen. Smeergeld, steekpenningen, campagnebijdragen, lobbyhonoraria, het was allemaal bekend terrein voor de manipulator.

Anthony Price, de directeur van de FBI, was een geplaagd man. Hij was drie jaar geleden benoemd door president Morgan, die hem zes maanden daarna wilde ontslaan. Price verzocht om meer tijd en kreeg die ook, maar ze hadden voortdurend ruzie. Om een of andere reden die hij zich niet goed meer herinnerde, had Price zijn mannelijkheid ook willen bewijzen door de degens te kruisen met Teddy Maynard. Teddy had in de geheime oorlog van de CIA tegen de FBI niet veel slagen verloren, en hij was dan ook helemaal niet bang voor Anthony Price, de laatste in een lange rij vleugellamme FBI-directeuren.

Maar Teddy wist niets van de gratieverlening voor geld, het schandaal dat de directeur van de FBI nu helemaal in beslag nam. De nieuwe president had zich voorgenomen Anthony Price te ontslaan en de FBI nieuw leven in te blazen. Hij had zich ook voorgenomen Maynard eindelijk met pensioen te sturen, maar zulke dreigementen waren in Washington al vaker uitgesproken.

Price zag plotseling een buitenkans om zijn baan veilig te stellen en misschien tegelijk Maynard uit te schakelen. Hij ging naar het Witte Huis en vertelde de nationale veiligheidsadviseur, die de dag ervoor benoemd was, over de verdachte rekening in Singapore. Hij zei dat president Morgan een van de voornaamste betrokkenen was en pleitte ervoor dat Joel Backman voor ondervraging en eventuele gerechtelijke vervolging naar de Verenigde Staten werd teruggehaald. Als het schandaal waar zou blijken te zijn, zou het wereldschokkend zijn, uniek en van historische betekenis.

De nationale veiligheidsadviseur luisterde aandachtig. Na het gesprek ging hij regelrecht naar het kantoor van de vice-president. Hij stuurde de personeelsleden weg, deed de deur op slot en vertelde alles wat hij zojuist had gehoord. Samen vertelden ze het aan de president.

Zoals gewoonlijk waren de nieuwe president en zijn voorganger niet zulke goede vrienden. Hun verkiezingscampagnes waren gekenmerkt door het venijn en de vuile trucjes die in de Amerikaanse politiek de norm waren geworden. Ondanks zijn verpletterende, weergaloze overwinning en het sensationele gevoel dat hij nu in het Witte Huis zat, was de nieuwe president niet bereid om met de hand over het hart te strijken. Hij vond het een prachtig idee dat hij Arthur Morgan nog een keer kon vernederen. Hij zag al voor zich hoe hijzelf, na een sensationeel proces en een veroordeling, op het laatste moment gratie aan Morgan zou verlenen om het imago van het presidentschap te beschermen.

Wat een moment!

De volgende morgen om zes uur werd de vice-president met zijn gebruikelijke veiligheidsescorte naar het CIA-hoofdkantoor in Langley gereden. Directeur Maynard was op het Witte Huis ontboden, maar omdat hij een list vermoedde, had hij afgezegd met de bewering dat hij aan duizelingen leed en van zijn artsen in zijn kantoor moest blijven. Hij sliep en at daar ook vaak, vooral wanneer hij veel last van duizelingen had. Dat was een van zijn vele handige kwalen.

De bespreking duurde niet lang. Teddy zat in zijn rolstoel aan het hoofd van zijn lange vergadertafel, dekens om zich heen, Hoby aan zijn zijde. De vice-president kwam met maar één naaste medewerker binnen, en na wat moeizame conversatie over de nieuwe regering en dergelijke zei hij: 'Meneer Maynard, ik kom namens de president.'

'Uiteraard,' zei Teddy met een strak glimlachje. Hij verwachtte ontslagen te worden. Na achttien jaar en talloze dreigementen was het nu blijkbaar eindelijk zover. Eindelijk was er een president met het lef om Teddy Maynard te vervangen. Hij had Hoby op dit moment voorbereid. Terwijl ze op de vice-president wachtten, had Teddy hem verteld waar hij bang voor was.

Zoals altijd maakte Hoby notities op zijn schrijfblok. Hij verwachtte de woorden te moeten schrijven waarvoor hij jarenlang bang was geweest: meneer Maynard, de president verzoekt om uw ontslagneming.

In plaats daarvan zei de vice-president iets volkomen onverwachts. 'Meneer Maynard, de president wil meer over Joel Backman weten.' Teddy Maynard vertrok geen spier. 'Wat dan?' zei hij zonder enige aarzeling.

'Hij wil weten waar hij is en hoe lang het zou duren om hem naar huis te brengen.'

'Waarom?'

'Dat kan ik niet zeggen.'

'Dan kan ik ook niets zeggen.'

'Het is erg belangrijk voor de president.'

'Dat begrijp ik. Maar Backman is op dit moment erg belangrijk voor onze operaties.'

De vice-president was de eerste die met zijn ogen knipperde. Hij keek zijn medewerker aan, die zelf ook druk notities maakte en hem niet kon helpen. Ze zouden de CIA onder geen enkel beding over de telegrafische overboekingen en gekochte gratieverleningen vertellen. Als Teddy daarvan wist, zou hij een manier vinden om die informatie in zijn eigen voordeel te gebruiken. Hij zou met hun informatie aan de haal gaan en zijn positie weer een tijdje veiligstellen. Nee, Teddy moest doen wat ze zeiden, of hij werd eindelijk ontslagen.

De vice-president schoof op zijn ellebogen naar voren en zei: 'De president is niet bereid tot een compromis, meneer Maynard. Hij krijgt deze informatie, en gauw ook. Zo niet, dan zal hij om uw ontslagneming verzoeken.'

'Die krijgt hij niet.'

'Moet ik u eraan herinneren dat het hem vrijstaat u te ontslaan?'

'Dat hoeft u niet.'

'Goed. De situatie is duidelijk. U komt met het Backman-dossier naar het Witte Huis en bespreekt dat uitvoerig met ons, of de CIA heeft binnenkort een nieuwe directeur.'

'Met alle respect, meneer, zo'n botte houding komt niet vaak voor bij mensen van uw slag.'

'Ik vat dat op als een compliment.'

Het gesprek was voorbij.

Het Hoover Building, het hoofdkantoor van de FBI, lekte als een mandje en sproeide het nieuws als het ware op de straten van Washington. En een van velen die het oppikten, was Dan Sandberg van de *Washington Post*. Maar zijn bronnen waren veel beter dan die van de gemiddelde journalist, en algauw pikte hij de geur op van een ander schandaal. Hij benaderde een oude informant in het nieuwe Witte Huis en kreeg een gedeeltelijke bevestiging. Het verhaal begon contouren te krijgen, maar Sandberg wist dat het bijna onmogelijk zou zijn om de harde feiten te achterhalen. Het was uitgesloten dat hij de gegevens van de telegrafische overboekingen te zien zou krijgen.

Maar als het waar was – als een zittende president gratieverleningen had verkocht om zijn pensioen aan te vullen – was dat het sensationeelste verhaal dat Sandberg zich kon voorstellen. Een voormalige president die werd aangeklaagd, terecht moest staan, misschien zelfs werd veroordeeld en gevangengezet. Het was ondenkbaar.

Hij zat achter zijn overvolle bureau toen het telefoontje uit Londen kwam. Het was een oude vriend, een andere ijverige verslaggever die voor de *Guardian* werkte. Ze praatten enkele minuten over de nieuwe Amerikaanse regering, die officieel het grote nieuws in Washington was. Per slot van rekening was het begin februari. Er lag een dik pak sneeuw en het Congres verzandde in het jaarlijkse commissiewerk. Er gebeurde niet veel en er was weinig anders om over te praten.

'Nog iets over de dood van Bob Critz?' vroeg zijn vriend.

'Nee, alleen dat gisteren de uitvaart was,' antwoordde Sandberg. 'Hoezo?'

'Een paar vragen over de manier waarop die arme kerel aan zijn eind is gekomen, weet je. En we kunnen het sectierapport niet in handen krijgen.'

'Wat voor vragen? Ik dacht dat de zaak was gesloten.'

'Zou kunnen, maar hij is wel erg snel gesloten. Ik heb niets concreets. Ik vis maar wat om te kijken of er daar iets aan de hand is.'

'Ik zal wat mensen bellen,' zei Sandberg, die al erg argwanend was.

'Doe dat. We praten over een dag of zo wel weer.'

Sandberg hing op en keek naar zijn lege computermonitor. Toen Morgan op zijn laatste dag gratie aan mensen verleende, was Critz daar waarschijnlijk bij aanwezig geweest. Gezien hun paranoia, was de kans groot dat Critz bij Morgan in het Oval Office was toen de beslissingen werden genomen en de papieren werden getekend. Misschien wist Critz te veel.

Drie uur later zat Sandberg in het vliegtuig naar Londen.

15

Heel vroeg in de ochtend werd Marco wakker in een vreemd bed op een vreemde plaats, en hij had veel tijd nodig om zijn gedachten te ordenen, zijn verplaatsingen te overdenken, zijn bizarre situatie te analyseren, plannen te maken voor de komende dag, zijn verleden te vergeten en intussen te voorspellen wat er in de komende twaalf uur zou kunnen gebeuren. Van slapen kwam niet veel. Hij had een paar uur gedommeld; het zou vier of vijf uur kunnen zijn, maar hij wist het niet zeker, want in zijn nogal warme kleine kamer was het volslagen donker. Hij zette de koptelefoon af; zoals gewoonlijk was hij na middernacht in slaap gevallen met blijmoedige Italiaanse stemmen in zijn oren.

Hij was blij met de warmte. Ze hadden hem in Rudley laten vernikkelen van de kou en in zijn laatste hotelkamer was het niet veel beter geweest. Het nieuwe appartement had dikke muren en ruiten en een verwarmingsinstallatie die op volle toeren draaide. Toen hij klaar was met zijn plannen voor de komende dag, zette hij voorzichtig zijn voeten op de erg warme tegelvloer en dankte hij Luigi weer voor zijn nieuwe behuizing.

Het was onzeker hoe lang hij hier zou blijven, zoals zijn hele toekomst onzeker was. Hij deed het licht aan en keek op zijn horloge: bijna vijf uur. In de badkamer deed hij weer een licht aan en bekeek zichzelf in de spiegel. De beharing rond zijn mond die hij aan het kweken was, bleek veel grijzer te zijn dan hij had gehoopt. Hij had zich nu een week niet geschoren en het was al duidelijk dat zijn sikje voor minstens negentig procent grijs zou worden, met alleen nog een paar vlekjes donkerbruin. Maar wat gaf het? Hij was 52. Het hoorde bij zijn vermomming en het gaf hem een gedistingeerd uiterlijk. Met dat smalle gezicht, die holle wangen, dat korte haar en die grappige kleine rechthoekige designerbrillen kon hij in de straten van Bologna gemakkelijk voor Marco Lazzeri doorgaan. Of in Milaan of Florence of alle andere plaatsen die hij wilde bezoeken. Een uur later ging hij naar buiten. Hij kwam in de koele, geluiddempende zuilengalerijen, die gebouwd waren door arbeiders die al driehonderd jaar dood waren. Er stond een scherpe, venijnige wind, en hij herinnerde zichzelf eraan dat hij bij zijn begeleider moest klagen over de weinige echte winterkleding die hij had. Marco las geen kranten en keek geen televisie en had dus geen idee van weervoorspellingen. Maar het werd beslist kouder.

Hij slenterde door de lange zuilengangen van de Via Fondazza, richting universiteit. Er was verder niemand te bekennen. Hij wilde de stadsplattegrond niet gebruiken die hij in zijn zak had. Als hij verdwaalde, zou hij hem misschien tevoorschijn halen en zijn nederlaag erkennen, maar hij wilde de stad leren kennen door rond te lopen en goed uit zijn ogen te kijken. Een halfuur later, toen de zon eindelijk tekenen van leven vertoonde, was hij op de Via Irnerio aan de noordkant van de universiteitswijk. Twee straten ten oosten daarvan zag hij het lichtgroene bord van Bar Fontana. Door de voorruit zag hij een bos grijs haar. Rudolph was er al.

Uit gewoonte wachtte Marco even. Hij draaide zich om naar de Via Irnerio, waar hij zojuist doorheen was gelopen, en keek of iemand als een geluidloze bloedhond uit de schaduw kwam geslopen. Toen hij niemand zag, ging hij naar binnen.

'Mijn vriend Marco,' zei Rudolph glimlachend toen ze elkaar begroetten. 'Ga zitten.'

Het café was halfvol. Er zaten weer dezelfde academische types, verdiept in hun ochtendblad, opgaand in hun eigen wereld. Marco bestelde een cappuccino, terwijl Rudolph zijn meerschuimen pijp stopte. Een aangename geur verspreidde zich in hun hoekje van het etablissement.

'Ik heb laatst je briefje ontvangen,' zei Rudolph, terwijl hij een wolk pijprook over de tafel joeg. 'Sorry dat je me bent misgelopen. Nou, waar ben je geweest?'

Marco was nergens geweest, maar als relaxte Canadese toerist van Italiaanse afkomst had hij een reisverslag verzonnen. 'Een paar dagen in Florence,' zei hij.

'Ah, wat een mooie stad.'

Ze hadden het een tijdje over Florence, waarbij Marco over de bezienswaardigheden en kunst en geschiedenis praatte van een plaats die hij alleen uit een goedkoop toeristengidsje kende dat Ermanno hem had geleend. Het was natuurlijk in het Italiaans, en dat betekende dat hij urenlang met een woordenboek in de weer was geweest om kennis op te doen waarmee hij bij Rudolph de indruk kon wekken dat hij de stad uitgebreid had bekeken.

Het werd druk aan de tafels en de laatkomers verdrongen zich voor de bar. Luigi had hem al in het begin uitgelegd dat als je in Europa een tafel had je daar net zolang mocht blijven zitten als je wilde. Niemand werd de deur uitgejaagd opdat een ander kon zitten. Een kop koffie, een krant, iets te roken, en het maakte niet uit hoe lang je een tafel bezet hield terwijl anderen kwamen en gingen.

Ze bestelden weer iets en Rudolph stopte zijn pijp nog eens. Voor het eerst zag Marco tabaksvlekken op de wilde snorharen het dichtst bij zijn mond. Op de tafel lagen drie ochtendbladen, alle drie Italiaans.

'Kun je hier in Bologna een goede Engels krant kopen?' vroeg Marco.

'Hoezo?'

'Nou, soms zou ik graag willen weten wat er aan de overkant van de oceaan gebeurt.'

'Ik koop soms de *Herald Tribune*. Dan ben ik blij dat ik hier woon, ver van alle misdaad en verkeersdrukte en vervuiling en politici en schandalen. De Amerikaanse samenleving is door en door verrot. En de regering is het summum van hypocrisie, de beste democratie ter wereld! Ha! De rijken hebben het Congres in hun zak.'

Toen hij keek alsof hij wilde spugen, trok Rudolph plotseling aan zijn pijp en beet hij op de steel. Marco hield zijn adem in. Hij verwachtte weer een verwoede aanval op de Verenigde Staten. Er gingen enkele ogenblikken voorbij. Ze namen allebei een slok koffie.

'Ik heb de pest aan de Amerikaanse regering,' gromde Rudolph verbitterd.

Zo mag ik het horen, dacht Marco. 'En de Canadese?' vroeg hij.

'Ik geef jullie hogere cijfers. Iets hoger.'

Marco deed alsof hij daar blij mee was en veranderde van onderwerp. Hij zei dat hij erover dacht om naar Venetië te gaan. Natuurlijk was Rudolph daar al vaak geweest en had hij veel goede raad voor Marco. Marco maakte zelfs aantekeningen, alsof hij zat te popelen om de trein te nemen. En dan was er Milaan, al was Rudolph daar niet zo gek op vanwege alle 'rechtse fascisten' die daar rondhingen. 'Het was Mussolini's machtscentrum, weet je,' zei hij en hij boog zich over de tafel alsof de andere communisten in Bar Fontana tot gewelddaden zouden overgaan zodra ze de naam van de kleine dictator hoorden.

Toen duidelijk werd dat Rudolph bereid was het grootste deel van de ochtend te blijven praten, maakte Marco aanstalten om weg te gaan. Ze spraken af elkaar de volgende maandag om dezelfde tijd op dezelfde plaats te ontmoeten.

Het sneeuwde een beetje, genoeg om de bestelwagens op de Via Irnerio sporen te laten maken. Toen Marco het warme café verliet, stond hij weer versteld van de vooruitziende blik van degenen die eeuwen geleden de stad Bologna hadden opgebouwd en in de oude stad zo'n dertig kilometer overdekt trottoir hadden aangelegd. Hij liep een paar straten verder naar het oosten en nam toen de Via dell' Indipendenza naar het zuiden, een brede stijlvolle avenue die in het jaar 1870 was aangelegd, opdat de hogere standen die in het stadscentrum woonden gemakkelijk naar het station ten noorden van de stad konden lopen. Toen hij de Via Marsala overstak, trapte hij in een berg opzijgeschoven sneeuw. De ijskoude drab doorweekte zijn rechtersok, en hij rilde ervan.

Hij vervloekte Luigi om zijn ontoereikende garderobe, als het ging sneeuwen, had je stevige schoenen nodig. Dat leidde tot een lange inwendige tirade over het weinige geld dat Marco kreeg van wie het ook was die de leiding van deze operatie had. Ze hadden hem in Bologna, Italië, gedumpt en gaven blijkbaar vrij veel geld uit aan taallessen en huizen en personeel en zeker aan voedsel om hem in leven te houden. Volgens hem verspilden ze kostbare tijd en geld. Het zou beter zijn geweest om hem naar Londen of Sydney te sturen, waar veel Amerikanen waren en iedereen Engels sprak. Daar kon hij gemakkelijker in de samenleving opgaan.

De man zelf liep opeens naast hem. 'Buon giorno,' zei Luigi.

Marco bleef staan, glimlachte, gaf hem een hand en zei: 'Nou, buon giorno, Luigi. Volg je me weer?'

'Nee. Ik was een eindje gaan wandelen en zag je aan de overkant. Ik hou van sneeuw, Marco. Jij ook?'

Ze liepen in een rustig tempo verder. Marco wilde zijn vriend graag geloven, maar hij betwijfelde of hun ontmoeting toeval was. 'Gaat wel. De sneeuw is hier in Bologna veel mooier dan in Washington in het spitsuur. Wat doe jij precies de hele dag, Luigi? Mag ik dat vragen?'

'Ja zeker. Je mag vragen wat je wilt.'

'Dat dacht ik al. Zeg, ik heb twee klachten. Eigenlijk drie.'

'Dat is geen verrassing. Heb je al koffie op?'

'Ja, maar ik lust nog wel wat.'

Luigi knikte naar een klein café een eindje verderop. Ze gingen naar binnen, en omdat alle tafels bezet waren, gingen ze aan de drukke bar staan en dronken espresso. 'Wat is de eerste klacht?' vroeg Luigi op gedempte toon.

Marco kwam dichter naar hem toe. Ze stonden nu bijna neus aan neus. 'De eerste twee klachten hangen nauw samen. Ten eerste is er het geld. Ik wil niet veel, maar ik zou wel graag een soort zakgeld willen hebben. Niemand vindt het leuk om blut te zijn, Luigi. Ik zou me beter voelen als ik een beetje geld had om uit te geven.'

'Hoeveel?'

'O, dat weet ik niet. Ik heb in een hele tijd niet over zakgeld onderhandeld. Als we nu eens begonnen met honderd euro per week? Dan kan ik kranten, boeken, tijdschriften, voedsel kopen; je weet wel, alleen de eerste levensbehoeften. De Amerikaanse staat betaalt mijn huur en daar ben ik erg dankbaar voor. Nu ik erover nadenk: die betaalt al zes jaar de huur voor mij.'

'Je zou nog in de gevangenis kunnen zitten, weet je.'

'O, dank je, Luigi. Daar had ik niet aan gedacht.'

'Sorry, dat was onaardig van m...'

'Hoor eens, Luigi, ik ben blij dat ik hier ben, echt waar. Maar tegelijk heb ik volledig gratie gekregen en ben ik staatsburger van een land, al weet ik niet goed welk land. Ik heb er recht op om met een beetje waardigheid te worden behandeld. Ik vind het niet leuk om blut te zijn, en ik vind het niet leuk dat ik om geld moet smeken. Ik wil dat je me honderd euro per week belooft.'

'Ik zal zien wat ik kan doen.'

'Dank je.'

'De tweede klacht?'

'Ik zou graag wat geld willen hebben om kleren te kopen. Ik heb ijskoude voeten omdat het buiten sneeuwt en ik geen goede schoenen heb. Ik wil ook graag een dikkere jas en misschien een paar truien.'
'Ik zal ze kopen.'
'Nee, ik wil ze zelf kopen, Luigi. Geef me het geld en ik ga zelf winkelen. Het is niet te veel gevraagd.'
'Ik zal mijn best doen.'
Ze gingen een paar centimeter verder van elkaar vandaan en namen ieder een slok. 'De derde klacht?' zei Luigi.
'Ermanno. Hij heeft geen zin meer. We zijn zes uur per dag bij elkaar en hij vindt er niets meer aan.'
Luigi sloeg zijn ogen ten hemel. 'Ik kan niet zomaar een andere taalleraar voor je vinden, Marco.'
'Geef jij me dan les. Ik mag jou wel, Luigi, we kunnen het goed met elkaar vinden. Je weet dat Ermanno saai is. Hij is jong en hij wil studeren. Maar jij zou een geweldige leraar zijn.'
'Ik ben geen leraar.'
'Dan maar iemand anders. Ermanno wil het niet doen. Ik ga zo niet erg vooruit.'
Luigi wendde zijn ogen af en zag twee oude mannen binnenkomen en voorbijschuifelen. 'Ik denk dat hij toch al weggaat,' zei hij. 'Zoals je zei: hij wil erg graag weer studeren.'
'Hoe lang heb ik nog les?'
Luigi schudde zijn hoofd. Hij had geen idee. 'Daar ga ik niet over.'
'Ik heb een vierde klacht.'
'Vijf, zes, zeven. Laat ze allemaal maar horen, dan krijgen we hierna misschien een week zonder klachten.'
'Je hebt hem al eerder gehoord, Luigi. Het is een doorlopend bezwaar.'
'Is dat iets van advocaten?'
'Jij hebt te veel Amerikaanse televisieseries gezien. Ik wil echt naar Londen worden overgeplaatst. Er zijn daar tien miljoen mensen die allemaal Engels spreken. Ik hoef daar niet tien uur per dag te verspillen om een taal te leren. Begrijp me niet verkeerd, Luigi, ik hou van Italiaans. Hoe meer ik de taal bestudeer, des te mooier wordt hij voor me. Maar kom nou, als jullie me willen verbergen, breng me dan ergens heen waar ik me in leven kan houden.'
'Ik heb dat al doorgegeven, Marco. Ik neem die beslissingen niet.'
'Dat weet ik, dat weet ik. Maar wil je blijven aandringen?'

'Kom, we gaan.'

Toen ze het café verlieten, sneeuwde het harder. Ze vervolgden hun weg over het overdekte trottoir. Elegant geklede zakenlieden liepen hen voorbij op weg naar hun werk. Er waren ook al mensen op straat die boodschappen deden, vooral huisvrouwen die naar de markt gingen. Op de straat zelf was het druk; kleine auto's en scooters zigzagden om de stadsbussen heen en probeerden de opeengehoopte sneeuwbrij te vermijden.

'Hoe vaak sneeuwt het hier?' vroeg Marco.

'Elke winter een paar keer. Niet veel, en we hebben die mooie zuilengalerijen om droog te blijven.'

'Een goede vondst.'

'Sommige zijn duizend jaar oud. We hebben er meer dan elke andere stad ter wereld, wist je dat?'

'Nee. Ik heb erg weinig te lezen, Luigi. Als ik wat geld had, kon ik boeken kopen, en dan kon ik lezen en zulke dingen leren.'

'Je krijgt het geld als we gaan lunchen.'

'En waar gaan we lunchen?'

'Ristorante Cesarina, Via San Stefano, om één uur?'

'Ik kan moeilijk nee zeggen.'

Toen Marco vijf minuten te vroeg het restaurant binnenkwam, zat Luigi met een vrouw aan een tafel in het voorste gedeelte. Hij onderbrak een serieus gesprek. De vrouw stond met tegenzin op, gaf hem een slap handje en trok een nors gezicht toen Luigi haar voorstelde als signora Francesca Ferro. Ze was aantrekkelijk, midden veertig, misschien een beetje te oud voor Luigi, die altijd naar studentes keek. Ze straalde een verfijnde ergernis uit. Marco zou willen zeggen: neemt u me niet kwalijk, maar ik was hier uitgenodigd voor de lunch.

Toen ze gingen zitten, zag Marco twee sigarettenpeuken in de asbak liggen. Luigi's waterglas was bijna helemaal leeg. De twee hadden daar minstens twintig minuten gezeten. In erg nadrukkelijk Italiaans zei Luigi tegen Marco: 'Signora Ferro is taallerares en stadsgids.' Hij zweeg, en Marco zei zwakjes '*Sì*'.

Hij keek de signora met een glimlach aan, waarop ze van haar kant een geforceerd glimlachje produceerde. Blijkbaar had ze nu al genoeg van hem.

Luigi ging in het Italiaans verder. 'Ze is je nieuwe lerares Italiaans.

Ermanno zal je 's morgens lesgeven, en signora Ferro 's middags.'
Marco verstond het allemaal. Hij glimlachte vaag in haar richting
en zei: '*Va bene.*' Dat is goed.
'Ermanno wil volgende week verdergaan met zijn studie aan de universiteit,' zei Luigi.
'Dat dacht ik al,' zei Marco in het Engels.
Francesca stak weer een sigaret op en klemde haar volle rode lippen
eromheen. Ze blies een grote rookwolk uit en zei: 'Nou, hoe goed is
uw Italiaans?' Het was een diepe, bijna hese stem, ongetwijfeld verrijkt door jaren van roken. Haar Engels was langzaam, erg goed en
accentloos.
'Beroerd,' zei Marco.
'Hij doet het goed,' zei Luigi. De ober bracht een fles mineraalwater en drie menu's. De *signora* verdween achter het hare. Marco
deed dat ook. Er volgde een lange stilte, waarin ze over de gerechten
nadachten en elkaar negeerden.
Toen de menu's eindelijk omlaaggingen, zei ze tegen Marco: 'Ik wil
u in het Italiaans horen bestellen.'
'Goed,' zei hij. Hij had een paar dingen gevonden die hij kon uitspreken zonder op de lachspieren te werken. De ober kwam met
zijn pen naar hen toe en Marco zei: '*Sì, allora, vorrei un'insalata di
pomodori, e una mezza porzione di lasagna.*' Ja, nou, ik wil graag een
salade met tomaten en een halve portie lasagne. Opnieuw was hij
erg blij met transatlantische lekkernijen als spaghetti, lasagne,
ravioli en pizza.
'*Non c'è male,*' zei ze. Niet slecht.
Zij en Luigi drukten hun sigaret uit toen de salades werden geserveerd. Nu ze aten, konden ze hun moeizame gesprek onderbreken.
Er werd geen wijn besteld, al was daar wel behoefte aan.
Zijn verleden, haar heden en Luigi's schimmige werkzaamheden
waren allemaal verboden terrein, en dus praatten ze maar wat over
het weer, gelukkig steeds in het Engels.
Toen ze de espresso's op hadden, betaalde Luigi de rekening en liepen ze vlug het restaurant uit. Terwijl ze dat deden, stopte hij Marco zonder dat Francesca het zag een envelop toe en fluisterde: 'Hier
heb je wat euro's.'
'*Grazie.*'
De sneeuw was weg en de zon scheen. Luigi liet hen op de Piazza
Maggiore achter en verdween zoals alleen hij dat kon. Ze liepen een

tijdje in stilte en toen zei ze: '*Che cosa vorebbe vedere?*' Wat zou u willen zien?'

Marco was nog niet in de grote kathedraal geweest, de Basilica di San Petronio. Ze liepen naar het gigantische voorportaal en bleven staan. 'Hij is tegelijk mooi en somber,' zei ze in het Engels, en voor het eerst bespeurde hij een Brits accent. 'Hij was door het gemeentebestuur bedoeld als een burgertempel, niet als een kathedraal, al dacht de paus in Rome daar heel anders over. Volgens het oorspronkelijke ontwerp zou hij nog groter worden dan de Sint Pieter, maar dat is er niet van gekomen. Rome verzette zich en besteedde het geld liever aan andere dingen. Een deel van het geld ging naar de oprichting van de universiteit.'

'Wanneer is hij gebouwd?' vroeg Marco.

'Zegt u dat in het Italiaans,' beval ze.

'Dat kan ik niet.'

'Luister dan: "*Quando è stata costruita?*" Zegt u dat eens.'

Marco zei het vier keer voordat ze tevreden was.

'Ik geloof niet in boeken of bandjes of dat soort dingen,' zei ze terwijl ze omhoogkeek naar de immense kathedraal. 'Ik geloof in conversatie, en nog meer conversatie. Iemand die een taal wil leren, moet hem spreken, keer op keer op keer, net als wanneer hij een kind zou zijn.'

'Waar hebt u Engels geleerd?' vroeg hij.

'Daar kan ik geen antwoord op geven. Ik heb opdracht gekregen het niet over mijn verleden te hebben. En ook niet over het uwe.'

Gedurende een fractie van een seconde scheelde het niet veel of Marco had zich omgedraaid en was weggelopen. Hij had genoeg van mensen die niet met hem konden praten, die zijn vragen uit de weg gingen, die zich gedroegen alsof de hele wereld vol zat met spionnen. Hij had genoeg van al die spelletjes.

Hij was vrij, zei hij steeds weer tegen zichzelf. Hij kon gaan en staan waar hij wilde en hij kon al zijn beslissingen zelf nemen. Als hij genoeg kreeg van Luigi en Ermanno en nu van signora Ferro, kon hij in het Italiaans tegen het hele stel zeggen dat ze voor zijn part mochten stikken in een panino.

'In 1390 is met de bouw begonnen, en honderd jaar lang ging het vlot,' zei ze. Het onderste deel van de façade was van fraai roze marmer, alles daarboven was van een lelijke bruine baksteen zonder lagen marmer daartussen. 'Toen braken er moeilijke tijden aan. Zoals u ziet, is de buitenkant nooit afgemaakt.'

'Hij is niet bepaald mooi.'

'Nee, maar hij is wel erg interessant. Wilt u de binnenkant zien?'

Wat konden ze in de komende uren anders doen? '*Certamente*,' zei hij.

Ze liepen de trap op en bleven bij de voordeur staan. Ze keek naar een bord en zei: '*Mi dica*.' Vertel me. 'Hoe laat gaat de kerk dicht?'

Marco fronste zijn wenkbrauwen, repeteerde wat woorden en zei: '*La chiesa chiude alle sei*.' De kerk sluit om zes uur.

'*Ripeta*.'

Hij zei het drie keer voordat ze tevreden was, en ze gingen naar binnen. 'Hij is genoemd naar Petronio, de beschermheilige van Bologna,' zei ze zachtjes. De centrale ruimte van de kathedraal was groot genoeg voor een hockeywedstrijd met een groot publiek aan weerskanten. 'Het is kolossaal,' zei Marco vol ontzag.

'Ja, en dit is nog maar een vierde van het oorspronkelijke ontwerp. Nogmaals, de paus maakte zich zorgen en oefende druk uit. Er moest ontzaglijk veel geld voor de kathedraal worden opgebracht, en uiteindelijk kregen de mensen genoeg van het bouwen.'

'Toch is hij erg indrukwekkend.' Marco besefte dat ze Engels spraken, en dat vond hij prima.

'Wilt u de lange of de korte rondleiding?' vroeg ze. Hoewel het binnen bijna net zo koud was als buiten, leek signora Ferro een klein beetje te ontdooien.

'U bent de leraar,' zei hij.

Ze liepen naar links en wachtten tot een groepje Japanse toeristen klaar was met het bekijken van een grote marmeren crypte. Afgezien van de Japanners was er niemand in de kathedraal. Het was een vrijdag in februari, niet bepaald het drukste toeristenseizoen. In de loop van de middag zou hij horen dat Francesca's toeristenwerk erg seizoensgebonden was en dat ze 's winters niet veel te doen had. Die bekentenis was het enige wat ze over zichzelf vertelde.

Omdat ze toch niet veel te doen had, vond ze het niet nodig om hun bezoek aan de Basilica di San Petronio snel af te werken. Ze bekeken alle 22 zijkapellen en de meeste schilderijen, beeldhouwwerken, glas-in-loodramen en fresco's. De kapellen waren in de loop van de eeuwen gebouwd door rijke Bolognese families die veel geld voor deze monumenten van kunst over hadden gehad. De bouw van die kapellen maakte deel uit van de geschiedenis van de stad, en Francesca kende alle bijzonderheden. Ze liet hem de goed geconserveerde schedel van de heilige Petronio zelf zien, die trots op een altaar lag, en een in 1655 door twee geleerden gebouwde klok die rechtstreeks gebaseerd was op Galileo's onderzoek aan de universiteit.

Hoewel al die bijzonderheden van schilderijen en beeldhouwwerken hem soms verveelden, en al die namen en jaartallen hem soms ook te veel werden, hield Marco dapper vol en liet hij zich langzaam meevoeren door het gigantische bouwwerk. Haar stem boeide hem, haar langzame manier van spreken, haar volmaakte Engels.

Lang nadat de Japanners de kathedraal hadden verlaten, kwamen ze bij de voordeur terug. 'Genoeg gezien?' zei ze.

'Ja.'

Ze gingen naar buiten en ze stak meteen een sigaret op.

'Trek in koffie?' zei hij.

'Ik weet precies waar we heen moeten.'

Hij liep met haar mee naar de Via Clavature; na een paar stappen waren ze in de Rosa Rose. 'Hier hebben ze de beste cappuccino in de buurt van het plein,' verzekerde ze hem, terwijl ze er twee bestelde. Hij wilde haar naar het Italiaanse verbod op het drinken van cappuccino na halfelf 's morgens vragen, maar deed dat niet. Terwijl ze wachtten, ontdeed ze zich zorgvuldig van haar leren handschoenen, sjaal en jas. Misschien zouden ze vrij lang over die koffie doen.

Ze namen een tafel bij het raam. Ze roerde twee klontjes suiker door de koffie tot die helemaal perfect was. Ze had de afgelopen drie uur niet geglimlacht, en Marco verwachtte dat nu ook niet.

'Ik heb kopieën van de materialen die u met de andere leraar gebruikt,' zei ze, terwijl ze haar sigaretten pakte.

'Ermanno.'

'Wie dan ook. Ik ken hem niet. Ik stel voor dat we elke middag een gesprek voeren dat gebaseerd is op wat u die ochtend hebt geleerd.'

Hij verkeerde niet in een positie dat hij haar zou kunnen tegenspreken. 'Goed,' zei hij met een schouderophalen.

Ze stak een sigaret op en nam een slokje koffie.

'Wat heeft Luigi u over mij verteld?' vroeg Marco.

'Niet veel. U bent een Canadees. U bent een hele tijd op vakantie in Italië en u wilt de taal leren. Is dat waar?'

'Stelt u me persoonlijke vragen?'

'Nee, ik vroeg alleen of dat waar was.'

'Het is waar.'

'Ik ga me niet druk zitten maken om zulke dingen.'

'Ik heb u niet gevraagd u druk te maken.'

Hij zag haar als de stoïcijnse getuige die arrogant tegenover de jury zat en er volkomen van overtuigd was dat ze niet zou buigen of barsten, hoe scherp het kruisverhoor ook zou worden. Ze had het nonchalante pruilmondje dat zo populair was onder Europese vrouwen. Ze hield de sigaret dicht bij haar gezicht en haar ogen bestudeerden alles op het trottoir maar zagen niets.

Zinloos gebabbel was niet een van haar specialiteiten.

'Bent u getrouwd?' vroeg hij, de eerste voorloper van een kruisverhoor.

Een gemaakt glimlachje. 'Ik heb mijn bevelen, meneer Lazzeri.'

'Noemt u me toch Marco. En hoe moet ik u noemen?'

'Houdt u het voorlopig maar op signora Ferro.'

'Maar u bent tien jaar jonger dan ik.'

'Het gaat er hier formeler aan toe, meneer Lazzeri.'

'Dat blijkt.'

Ze drukte de sigaret uit, nam weer een slokje koffie en kwam terzake. 'Vandaag hebt u een vrije dag, meneer Lazzeri. We hebben voor het laatst Engels gesproken. De volgende les spreken we alleen Italiaans.'

'Goed, maar dan moet u wel één ding bedenken. U bewijst me geen diensten, ja? U wordt betaald. Dit is uw werk. Ik ben een Canadese toerist met veel tijd, en als we niet met elkaar kunnen opschieten, zal ik iemand anders zoeken die me les kan geven.'

'Heb ik u beledigd?'

'U zou wat meer kunnen glimlachen.'

Ze knikte vaag en haar ogen werden meteen vochtig. Ze wendde haar ogen af, keek naar buiten en zei: 'Ik heb weinig reden om te glimlachen.'

16

De winkels aan de Via Rizzoli gingen zaterdagmorgen om tien uur open en omdat hij toch moest wachten, keek hij naar de artikelen in de etalages. Hij had vijfhonderd euro op zak en hij slikte en zei tegen zichzelf dat er niets anders voor hem op zat dan naar binnen te gaan en voor het eerst in het Italiaans te gaan winkelen. Hij had woorden en frases uit zijn hoofd geleerd tot hij in slaap viel, maar toen de deur achter hem dichtging, hoopte hij op een aardige jonge verkoopster die vloeiend Engels sprak.

Geen woord Engels. Het was een oudere man met een hartelijke glimlach. Marco was nog geen kwartier binnen. Hij wees dingen aan, stamelde soms, maar kwam soms ook vrij goed uit zijn woorden als hij naar maten en prijzen vroeg. Hij kwam buiten met een paar niet al te dure, jeugdig uitziende wandelschoenen, zoals hij bij de universiteit had zien dragen toen het kouder werd, en een zwarte waterdichte anorak met een capuchon die je in de kraag kon oprollen. En hij had nog bijna driehonderd euro in zijn zak. Hij vond het belangrijk om geld op te sparen.

Hij ging vlug naar zijn appartement terug, trok de schoenen en de anorak aan en ging weer weg. Eigenlijk was het een halfuur lopen naar het station Bologna Centrale, maar hij volgde zo'n omslachtige route dat hij er bijna een uur over deed. Hij keek nooit achterom, maar dook soms een café in en lette dan op het voetgangersverkeer, of hij bleef plotseling in de etalage van een banketbakker staan kijken en keek dan naar de weerspiegelingen in de ruit. Als ze hem volgden, mochten ze niet weten dat hij argwaan koesterde. En het was ook belangrijk dat hij zulke dingen oefende. Luigi had hem meer dan eens verteld dat hij binnenkort weg zou gaan en dat Marco Lazzeri dan op zichzelf zou zijn aangewezen.

De vraag was: in hoeverre kon hij Luigi vertrouwen? Marco Lazzeri/Joel Backman vertrouwde niemand.

Er volgden enkele spannende ogenblikken in het station. Hij ging naar binnen, zag de menigte, keek naar het grote bord met aankomst- en vertrektijden en zocht koortsachtig naar de loketten. Uit gewoonte zocht hij ook naar iets in het Engels. Maar hij leerde zijn angst te overwinnen en door te zetten. Hij ging in de rij staan, en toen hij aan de beurt was, liep hij vlug naar het loket, glimlachte naar de kleine vrouw aan de andere kant van de ruit, en zei vriendelijk: '*Buon giorno. Vado a Milano.*' Ik ga naar Milaan.

Ze knikte al.

'*Alle tredici e venti,*' zei hij. Om tien voor halftwee.

'*Sì, cinquanta euro,*' zei ze. Vijftig euro.

Hij gaf haar een biljet van honderd euro omdat hij het wisselgeld wilde, liep toen met zijn kaartje weg en gaf zichzelf een denkbeeldig schouderklopje. Omdat hij nog een uur de tijd had, verliet hij het station en liep hij twee straten door de Via Boldrini tot hij bij een cafetaria kwam. Hij nam een panino en een biertje en genoot daarvan terwijl hij naar het trottoir keek. Hij verwachtte niemand van belang te zien.

De Eurostar arriveerde precies op tijd en Marco ging met de stroom andere reizigers mee aan boord. Het was zijn eerste treinrit in Europa en hij kende de gang van zaken niet. Hij had onder de lunch naar zijn kaartje gekeken en niets gezien waaruit bleek op welke plaats hij moest gaan zitten. Blijkbaar mocht je zelf een plaats uitkiezen. Hij nam de eerste de beste plaats aan het raam die hij zag. Toen de trein zich om precies tien voor halftwee in beweging zette, was zijn treinstel nog niet half vol.

Ze waren Bologna algauw uit en het landschap vloog voorbij. De spoorlijn volgde de M4, de snelweg van Milaan naar Parma, Bologna, Ancona en de hele oostkust van Italië. Na een halfuur begon het landschap Marco te vervelen. Het was moeilijk om van je omgeving te genieten als je voorbijvloog met een snelheid van 160 kilometer per uur; het was allemaal nogal wazig en een mooi stukje landschap was in een ommezien voorbij. En er stonden ook te veel fabrieken langs het spoor, dicht bij de transportroutes.

Hij besefte algauw dat hij de enige in zijn treinstel was die ook maar enigszins geïnteresseerd was in dingen buiten de trein. De passagiers van boven de dertig waren verdiept in kranten en tijdschriften en maakten een volkomen ontspannen, zelfs verveelde indruk. De jongeren waren in diepe slaap verzonken. Na een tijdje viel Marco ook in slaap.

De conducteur maakte hem wakker en zei iets volslagen onbegrijpelijks in het Italiaans. Hij ving bij de tweede of derde poging het woord '*biglietto*' op en gaf vlug zijn kaartje. De conducteur keek er kwaad naar alsof hij die arme Marco misschien van de volgende brug zou gooien, ponste er toen een gaatje in en gaf het met een brede grijns terug.

Een uur later kwam er een hele woordenstroom uit de luidspreker. Het had iets te maken met Milaan, en het landschap veranderde totaal. Algauw waren ze opgeslokt door de grote stad. De trein ging langzamer rijden, stopte en kwam weer in beweging. Hij reed langs het ene na het andere blok met naoorlogse flats die steeds dichter bij elkaar stonden, met brede straten ertussen. Volgens Ermanno's toeristengidsje telde Milaan vier miljoen inwoners. Het was de officieuze hoofdstad van Noord-Italië, de belangrijkste Italiaanse stad wat financiën, mode, uitgeverijen en industrie betrof. Een hardwerkende industriestad met natuurlijk een prachtig centrum en een kathedraal die op zichzelf al een bezoek aan de stad waard was.

Toen ze op het onmetelijk grote rangeerterrein van Milano Centrale kwamen, vermenigvuldigden de sporen zich en waaierden wijd uit. De trein kwam tot stilstand onder de enorme koepel van het station, en toen Marco op het perron stapte, schrok hij van de gigantische grootte van het gebouw. Hij liep over het perron en telde minstens twaalf andere sporen, de meeste met treinen die geduldig op hun passagiers wachtten. Hij bleef aan het eind staan, in de drukte van duizenden mensen die kwamen en gingen, en keek naar de bestemmingen: Stuttgart, Rome, Florence, Madrid, Parijs, Berlijn, Genève.

Heel Europa lag binnen zijn bereik, op maar enkele uren afstand.

Hij volgde de borden naar de uitgang en kwam uit bij de taxistandplaats, waar hij even in de rij stond voordat hij op de achterbank van een kleine witte Renault kon plaatsnemen. '*Aeroporto Malpensa*,' zei hij tegen de chauffeur. Ze reden langzaam door het drukke verkeer van Milaan, totdat ze aan de rand van de stad kwamen. Twintig minuten later verlieten ze de *autostrada* om naar het vliegveld te gaan. '*Quale compagnia aerea?*' vroeg de chauffeur achterom. Welke luchtvaartmaatschappij?

'Lufthansa,' zei Marco. Bij Terminal 2 vond de taxi een lege plek langs het trottoir, en Marco gaf weer veertig euro uit. De automatische deuren gingen open voor een massa mensen, en hij was blij dat hij geen vliegtuig hoefde te halen. Hij keek op het bord met vertrektijden en vond wat hij zocht: een rechtstreekse vlucht naar Washington. Hij liep door de terminal tot hij bij de incheckbalie van Lufthansa kwam. Daar stond een lange rij voor, maar met typisch Duitse efficiency werd iedereen snel geholpen.

De eerste kandidaat was een aantrekkelijke roodharige vrouw van ongeveer 25 die kennelijk alleen reisde; dat laatste vond hij gunstig. Iemand met een reisgenoot zou in de verleiding kunnen komen om over de vreemde man op het vliegveld te praten, die man met dat vreemde verzoek. Ze stond als tweede in de rij voor de business class-balie. Toen hij naar haar keek, zag hij ook kandidaat nummer twee: een in spijkergoed geklede student met lang slordig haar, een ongeschoren gezicht, een versleten rugzak en een sweatshirt van de universiteit van Toledo, het ideale type. Hij stond nogal achter in de rij en luisterde naar muziek die uit zijn knalgele koptelefoon kwam.

Marco volgde de roodharige toen ze met haar instapkaart en handbagage bij de balie vandaan liep. Haar vliegtuig zou pas over twee uur vertrekken en ze liep door de menigte naar de taxfreeshop, waar ze het nieuwste op het gebied van Zwitserse horloges bekeek. Ze zag niets leuks en liep de hoek om naar een kiosk, waar ze twee modebladen kocht. Toen ze naar de gate en de eerste veiligheidscontrole liep, trok Marco zijn buik in en kwam in actie. 'Pardon, mevrouw.' Ze draaide zich onwillekeurig naar hem om, maar ze was te achterdochtig om iets te zeggen.

'Gaat u toevallig naar Washington?' vroeg hij met een brede glimlach. Hij deed alsof hij buiten adem was, alsof hij hard had gelopen om haar te kunnen aanspreken.

'Ja,' snauwde ze. Geen glimlach. Een Amerikaanse.

'Ik ook, maar mijn paspoort is zojuist gestolen. Ik weet niet wanneer ik thuiskom.' Hij haalde een envelop uit zijn zak. 'Dit is een verjaardagskaart voor mijn vader. Wilt u die in de brievenbus doen als u in Washington bent? Hij is dinsdag jarig, en ik ben bang dat ik dat niet haal. Alstublieft.'

Ze keek argwanend naar hem en de envelop. Het was maar een verjaardagskaart, geen bom of pistool.

Hij haalde nog iets anders uit zijn zak. 'Sorry, er zit geen postzegel op. Hier hebt u een euro. Alstublieft. Als u dat zou willen doen.'

Het gezicht kwam eindelijk tot leven, en ze glimlachte bijna. 'Goed,' zei ze. Ze pakte de envelop en de euro aan en stopte ze in haar tasje.

'Heel erg bedankt,' zei Marco, alsof hij elk moment in tranen kon uitbarsten. 'Hij wordt negentig. Dank u.'

'Graag gedaan,' zei ze.

De jongen met de gele koptelefoon vormde een groter probleem. Hij was ook Amerikaans, en hij trapte ook in het verhaal van het verdwenen paspoort. Maar toen Marco hem de envelop probeerde te geven, keek hij behoedzaam om zich heen, alsof ze de wet zouden overtreden.

'Nou nee,' zei hij en hij ging een stap terug. 'Dat doe ik niet.'

Marco wist dat hij beter niet kon aandringen. Hij deinsde terug en zei zo sarcastisch mogelijk: 'Ik wens u een prettige reis.'

Mevrouw Ruby Ausberry uit York, Pennsylvania, was een van de laatste passagiers bij de incheckbalie. Ze was veertig jaar geschiedenislerares geweest en had het nu helemaal naar haar zin, want ze besteedde haar pensioen om naar plaatsen te reizen waarover ze alleen in boeken had gelezen. Dit was de laatste etappe van een drie weken durend avontuur dat haar door het grootste deel van Turkije had gevoerd. Ze was alleen in Milaan om over te stappen op het vliegtuig naar Washington. De sympathieke man benaderde haar met een wanhopig glimlachje en legde uit dat zijn paspoort zojuist was gestolen. Hij zou de negentigste verjaardag van zijn vader mislopen. Ze nam de kaart meteen aan en deed hem in haar tasje. Ze kwam door de beveiliging en liep een halve kilometer naar de gate, waar ze zich op een lege stoel installeerde.

Achter haar, op nog geen vijf meter afstand, nam de roodharige vrouw een besluit. Het zou toch een van die bombrieven kunnen zijn. Hij leek niet dik genoeg om explosieven te kunnen bevatten, maar wat wist zij van die dingen? Er was een afvalbak bij het raam –

een smalle chromen bak met een chromen deksel (per slot van rekening waren ze in Milaan) – en ze liep daar nonchalant naartoe en liet de brief erin vallen.

Als hij nu eens daar ontplofte, vroeg ze zich af toen ze weer ging zitten. Het was te laat. Ze ging niet terug om hem eruit te vissen. En als ze dat deed, wat dan? Iemand met een uniform zoeken en proberen in het Engels uit te leggen dat ze misschien een bombrief bij zich had? Kom nou, zei ze tegen zichzelf. Ze pakte haar handbagage en liep naar de andere kant van de gate, zo ver mogelijk bij de afvalbak vandaan. En ze moest er steeds naar kijken.

Ze maakte zich grote zorgen en was dan ook de eerste die aan boord van de 747 ging. Pas toen ze een glas champagne dronk, kon ze zich ontspannen. Zodra ze thuis in Baltimore was, zou ze naar CNN kijken. Ze was ervan overtuigd dat er een bloedbad zou worden aangericht op het vliegveld Milano Malpensa.

Marco's terugrit naar Milano Centrale kostte 45 euro, maar hij protesteerde niet bij de chauffeur. Waarom zou hij dat doen? Het treinkaartje kostte hetzelfde als op de heenweg, vijftig euro. Na een dag van winkelen en reizen had hij zo'n honderd euro over. Zijn geldvoorraad slonk zienderogen.

Het was bijna donker toen de trein het station van Bologna binnenreed. Marco was een van de vele vermoeide reizigers die uitstapten, maar inwendig juichte hij om wat hij die dag had gepresteerd. Hij had kleding en treinkaartjes gekocht, de waanzin van zowel het treinstation als het vliegveld van Milaan overleefd, twee taxi's genomen en zijn post afgeleverd, een nogal drukbezette dag zonder dat iemand wist wie of waar hij was.

En er was hem nooit om een paspoort of ander identiteitsbewijs gevraagd.

Luigi had een andere trein genomen, de exprestrein van kwart voor twaalf naar Milaan. Maar hij stapte in Parma uit en ging op in de menigte. Hij nam een taxi en maakte een korte rit naar de ontmoetingsplaats, een favoriet café. Hij wachtte bijna een uur op Whitaker, die in Milaan zijn trein had gemist en de volgende had genomen. Zoals gewoonlijk was Whitaker in een slecht humeur, vooral omdat hij hier op een zaterdag naartoe had moeten komen. Ze bestelden vlug en zodra de kelner weg was, zei Whitaker: 'Die vrouw staat me niet aan.'

'Francesca?'

'Ja, die gids. We hebben haar toch nooit eerder gebruikt?'

'Nee. Rustig maar. Ze heeft geen flauw idee.'

'Hoe ziet ze eruit?'

'Redelijk aantrekkelijk.'

'Dat kan van alles betekenen, Luigi. Hoe oud is ze?'

'Dat heb ik haar niet gevraagd. Zo'n 45, schat ik.'

'Is ze getrouwd?'

'Ja, zonder kinderen. Ze is getrouwd met een oudere man die erg ziek is. Hij is stervende.'

Zoals altijd maakte Whitaker aantekeningen en dacht hij na over de volgende vraag. 'Stervende? Waaraan?'

'Ik denk dat het kanker is. Ik heb niet te veel vragen gesteld.'

'Misschien zou je meer vragen moeten stellen.'

'Misschien wil ze liever niet over bepaalde dingen praten, over haar leeftijd en haar stervende man.'

'Hoe ben je aan haar gekomen?'

'Dat viel niet mee. Taalleraren staan niet bepaald in een rij als taxichauffeurs. Ze is me aanbevolen door een kennis. Ik heb hier en daar geïnformeerd. Ze heeft een goede reputatie in de stad. En ze is beschikbaar. Het is bijna onmogelijk om een leraar te krijgen die bereid is elke dag drie uur met een leerling door te brengen.'

'Elke dag?'

'De meeste doordeweekse dagen. Ze is bereid de komende maand elke middag te werken. Het is een rustige tijd voor gidsen. Misschien heeft ze een of twee keer per week iets te doen, maar ze zal proberen op afroep beschikbaar te zijn. Maak je geen zorgen. Ze is goed.'

'Wat is haar honorarium?'

'Tweehonderd euro per week, tot aan het voorjaar, als de toeristen weer komen.'

Whitaker sloeg zijn ogen ten hemel, alsof het geld rechtstreeks van zijn salaris werd afgetrokken. 'Marco kost te veel,' zei hij, bijna in zichzelf.

'Marco heeft een erg goed idee. Hij wil naar Australië of Nieuw-Zeeland of een ander land waar de taal geen punt is.'

'Hij wil worden overgeplaatst?'

'Ja, en ik vind dat ook een goed idee. Laten we hem op iemand anders afschuiven.'

'Daar hebben wij niets over te zeggen, Luigi.'

154

'Helaas niet.'

De salades werden geserveerd en ze waren even stil. Toen zei Whitaker: 'Die vrouw staat me nog steeds niet aan. Blijf naar iemand anders zoeken.'

'Er is niemand anders. Waar ben je bang voor?'

'Marco heeft vaak iets met vrouwen gehad, nietwaar? Er is altijd de mogelijkheid dat ze een relatie aangaan. Ze zou een complicatie kunnen vormen.'

'Ik heb haar gewaarschuwd. En ze heeft het geld nodig.'

'Zit ze krap?'

'Ik krijg de indruk dat ze het moeilijk heeft. Het is de slappe tijd van het jaar en haar man werkt niet.'

Whitaker glimlachte bijna, alsof dat goed nieuws was. Hij stopte een groot stuk tomaat in zijn mond en kauwde daarop. Intussen keek hij in de *trattoria* om zich heen om er zeker van te zijn dat niemand naar hun gedempte, in het Engels gevoerde gesprek luisterde. Toen hij eindelijk kon slikken, zei hij: 'Laten we over e-mail praten. Marco is nooit een groot hacker geweest. In zijn glorietijd deed hij alles met de telefoon; hij had er vier of vijf in zijn kantoor, twee in zijn auto, een in zijn zak. Drie gesprekken tegelijk was heel normaal voor hem. Hij pochte dat hij vijfduizend dollar in rekening bracht als hij alleen maar een telefoontje van een nieuwe cliënt had beantwoord, en meer van die onzin. Gebruikte nooit een computer. De mensen die voor hem werkten, hebben gezegd dat hij wel eens e-mails las. Hij verstuurde ze bijna nooit, en als hij dat deed, ging het altijd via een secretaresse. Zijn kantoor was hightech, maar hij had mensen in dienst om dat soort werk te doen. Hij was daar zelf te belangrijk voor.'

'En in de gevangenis?'

'Er is niets van e-mail gebleken. Hij had een laptop die hij alleen voor brieven gebruikte, nooit voor e-mail. Het lijkt erop dat iedereen hem heeft laten barsten toen hij achter de tralies ging. Hij schreef wel eens aan zijn moeder en zijn zoon, maar daarvoor gebruikte hij altijd de gewone post.'

'Hij lijkt wel een analfabeet.'

'Ja, maar op het hoofdkantoor zijn ze bang dat hij contact probeert op te nemen met iemand in de buitenwereld. Dat kan hij niet door de telefoon doen, tenminste niet nu. Omdat hij geen adres kan gebruiken, valt de gewone post waarschijnlijk ook af.'

'Het zou wel stom van hem zijn als hij een brief op de post deed,' zei Luigi. 'Dan zou daaruit blijken waar hij was.'

'Precies. Dat geldt ook voor de telefoon, de fax, alles, behalve e-mail.'

'We kunnen e-mail volgen.'

'De meeste wel, maar dat is te omzeilen.'

'Hij heeft geen computer en geen geld om er een te kopen.'

'Dat weet ik, maar in theorie is het mogelijk dat hij een internetcafé binnenglipt, een gecodeerde account gebruikt, de e-mail verstuurt, zijn spoor uitwist, een klein bedrag voor het computergebruik betaalt, en weer naar buiten gaat.'

'Ja, maar wie gaat hem leren hoe dat moet?'

'Hij kan het leren. Hij kan het uit een boek halen. Het is onwaarschijnlijk, maar het is altijd mogelijk.'

'Ik doorzoek zijn appartement elke dag,' zei Luigi. 'Elke vierkante centimeter. Als hij een boek koopt of een bonnetje laat slingeren, zie ik dat.'

'Kijk eens bij de internetcafés in de buurt. Er zijn er nu verschillende in Bologna.'

'Ik ken ze.'

'Waar is Marco op dit moment?'

'Geen idee. Het is zaterdag, een vrije dag. Waarschijnlijk zwerft hij door de straten van Bologna en geniet hij van zijn vrijheid.'

'En is hij nog bang?'

'Hij is doodsbang.'

Mevrouw Ruby Ausberry nam een licht kalmerend middel en sliep zes van de acht uur die de vlucht van Milaan naar Washington duurde. De lauwe koffie die ze voor de landing kreeg, maakte haar niet echt wakker, en toen de 747 naar de gate taxiede, dommelde ze weer in. Ze werden in de bussen op de landingsbaan gezet en naar de hoofdterminal gereden, en ze vergat de verjaardagskaart. Ze vergat hem toen ze met de andere passagiers op haar bagage stond te wachten en door de douane ging. En ze vergat hem toen ze haar dierbare kleindochter bij de uitgang op haar zag wachten.

Ze vergat hem tot ze veilig thuis was in York, Pennsylvania, en in haar schoudertas naar een souvenir zocht. 'Oei,' zei ze toen de kaart op de keukentafel viel. 'Die had ik op het vliegveld moeten versturen.' Ze vertelde haar kleindochter het verhaal van die arme man op het vliegveld van Milaan die net zijn paspoort was kwijtgeraakt en daardoor de negentigste verjaardag van zijn vader zou mislopen.

Haar kleindochter keek naar de envelop. 'Het lijkt me geen verjaardagskaart,' zei ze. Ze keek naar het adres: R.N. Backman, advocaat en procureur, Main Street 412, Culpeper, Virginia, 22701.

'De afzender staat niet vermeld,' zei de kleindochter.

'Ik doe hem morgenvroeg meteen op de bus,' zei mevrouw Ausberry. 'Ik hoop dat hij voor de verjaardag aankomt.'

17

Maandagmorgen om tien uur begon de mysterieuze drie miljoen dollar die in Singapore op de rekening van de Old Stone Group, Ltd., stond, aan een geluidloze elektronische reis naar de andere kant van de wereld. Negen uur later, toen de Galleon Bank and Trust op het Caribische eiland Saint Christopher zijn deuren opende, kwam het geld aan en werd het op een naamloze nummerrekening gestort. Normaal gesproken zou het een volslagen anonieme transactie zijn geweest, een van de duizenden op die maandagmorgen, maar Old Stone werd in de gaten gehouden door de FBI. De bank in Singapore werkte volledig mee. De bank op Saint Christopher deed dat niet, maar zou de gelegenheid krijgen dat alsnog te doen.

Toen FBI-directeur Anthony Price op maandagmorgen in alle vroegte op zijn kantoor in het Hoover Building arriveerde, lag de memo al voor hem klaar. Hij zegde alles af wat voor die ochtend op het programma stond. Hij overlegde met zijn team en wachtte tot het geld op Saint Christopher was aangekomen.

Toen belde hij de vice-president.

Het kostte vier uur van ondiplomatieke pressie om de informatie op Saint Christopher los te krijgen. Eerst wilden de bankiers van geen wijken weten, maar welk dwergstaatje kan weerstand bieden aan de macht en razernij van de enige supermogendheid ter wereld?

Toen de vice-president de premier van het landje met economische en bancaire sancties bedreigde die de kleine economie van het eiland volledig te gronde zouden richten, gaf hij eindelijk toe en gaf hij instructies aan de bankiers.

De nummerrekening was te herleiden tot Artie Morgan, de 31-jarige zoon van de ex-president. In de laatste uren van zijn vaders ambtstermijn was hij, met een flesje Heineken in zijn hand en nu en dan ook met advies voor Critz en de president, het Oval Office in- en uitgelopen.

Het schandaal werd met het uur groter.

Van Grand Cayman naar Singapore en nu naar Saint Christopher; die overboekingen vertoonden alle kenmerken van een amateur die zijn sporen probeert uit te wissen. Een professional zou het geld in acht porties hebben verdeeld en het bij verschillende banken in verschillende landen hebben gezet, en dan zouden er tussen de overboekingen maanden zijn verstreken. Maar zelfs een groentje als Artie had dat geld verborgen kunnen houden. De buitenlandse banken die hij nam, waren zwijgzaam genoeg om hem te beschermen. Het was Arties pech dat de FBI achter die beleggingsfondsfraudeur aan zat die wanhopige pogingen deed om buiten de gevangenis te blijven.

Toch was nog steeds niet duidelijk waar het geld vandaan kwam. President Morgan had 22 mensen gratie verleend. Die trokken geen van allen de aandacht, behalve twee: Joel Backman en hertog Mongo. De FBI was druk op zoek naar financiële gegevens van de twintig anderen. Wie had drie miljoen dollar? Wie had de mogelijkheid om aan zoveel geld te komen? Al hun vrienden, familieleden en zakenrelaties werden door de FBI onder de loep genomen.

Uit een eerste analyse bleek wat al bekend was. Mongo had miljarden en was corrupt genoeg om iemand om te kopen. Backman zou het ook voor elkaar kunnen krijgen. Een derde mogelijkheid was een vroegere politicus uit New Jersey wiens familie veel geld had verdiend door wegen voor de overheid aan te leggen. Twaalf jaar eerder was hij een paar maanden naar het 'staatshotel' gegaan en hij was nu door president Morgan in zijn rechten hersteld.

De president was in Europa om kennis te maken met andere regeringsleiders, zijn eerste overwinningstournee in het buitenland. Hij zou pas over drie dagen terug zijn, en de vice-president besloot te wachten. Ze zouden op het geld letten en alle feiten twee- of driemaal controleren, en als de president terugkwam, zouden ze hem een waterdichte zaak kunnen voorleggen. Gratieverlening voor geld; het hele land zou in rep en roer zijn! De oppositiepartij zou diep vernederd zijn en veel zwakker staan in het Congres. Anthony Price zou nog een paar jaar aan het hoofd van de FBI kunnen blijven staan. Die oude Teddy Maynard zou eindelijk naar het bejaardentehuis worden gestuurd. Er was gewoon geen enkel nadeel verbonden aan een totale federale bliksemoorlog tegen een nietsvermoedende ex-president.

Zijn lerares zat op de achterste bank van de Basilica di San Francesco te wachten. Ze was nog dik ingepakt, met haar handen ondanks de handschoenen half in de zakken van haar dikke winterjas. Buiten sneeuwde het weer, en in de immense, koude, lege basiliek was het niet veel warmer. Hij kwam naast haar zitten en zei zachtjes: 'Buon giorno.'
Ze beantwoordde zijn groet met een vaag glimlachje, net genoeg om niet onbeleefd te zijn, en zei: 'Buon giorno.' Hij hield zijn handen ook in zijn zakken, en zo zaten ze een hele tijd naast elkaar, als twee ijskoude wandelaars die beschutting hadden gezocht. Zoals gewoonlijk was haar gezicht somber en was ze met haar gedachten bij iets anders dan die stuntelige Canadese zakenman die haar taal wilde leren. Ze gedroeg zich afstandelijk en Marco had genoeg van die houding van haar. Ermanno had met de dag minder belangstelling. Francesca was bijna onuitstaanbaar. Luigi was er ook altijd nog, die bleef op de achtergrond en hield hem in de gaten, maar het leek wel of die ook zijn belangstelling voor het spel aan het verliezen was.
Marco had het gevoel dat de breuk niet lang meer op zich zou laten wachten. Ze zouden de reddingslijn doorsnijden en hem op de golven laten dobberen. En dan was het een kwestie van zwemmen of verzuipen. Het zij zo, dacht hij. Hij was al bijna een maand vrij. Hij had genoeg Italiaans geleerd om zich in leven te kunnen houden en zou de taal vast nog beter leren spreken als hij in zijn eentje was.
'Hoe oud is deze kerk?' zei hij, toen duidelijk werd dat ze wachtte tot hij iets zei.
Ze verschoof enigszins, schraapte haar keel en nam haar handen uit haar zakken, alsof hij haar uit een diepe slaap had gewekt. 'In 1236 zijn franciscaner monniken eraan begonnen. Dertig jaar later was het hoofdgebouw voltooid.'

'Een haastklus.'

'Ja, het ging snel. In de loop van de eeuwen zijn er aan beide kanten allerlei kapellen bijgebouwd. De sacristie werd gebouwd en de klokkentoren. De Fransen onder Napoleon hebben hem in 1798 ontheiligd door er een douanekantoor van te maken. In 1886 werd het gebouw weer een kerk, en in 1928 is het gerestaureerd. Toen Bologna door de geallieerden werd gebombardeerd, liep de voorgevel grote schade op. Deze kerk heeft het altijd zwaar te verduren gehad.'

'Hij is niet erg mooi aan de buitenkant.'

'Dat heb je met bombardementen.'

'Volgens mij stonden jullie aan de verkeerde kant.'

'Bologna niet.'

Het had geen zin om de oorlog nog eens uit te vechten. Ze zwegen. Het was of hun stemmen naar boven waren gezweefd en nog enigszins door de koepel galmden. Toen Backman een kind was, was zijn moeder een paar keer per jaar met hem naar de kerk geweest, maar aan die halfslachtige poging om hem een beetje geloof bij te brengen kwam een eind toen hij naar de middelbare school ging, en in de afgelopen veertig jaar had hij er nooit meer aan gedacht. Zelfs de gevangenis had hem niet kunnen bekeren, in tegenstelling tot sommige andere gedetineerden. Toch was het zelfs voor een ongelovige moeilijk te begrijpen hoe in zo'n koud, harteloos museum ook maar een enigszins zinvolle eredienst kon worden gehouden.

'Het lijkt hier zo leeg. Komt hier ooit iemand bidden?'

'Er is elke dag een mis en er zijn diensten op zondag. Ik ben hier getrouwd.'

'Je mag niet over jezelf praten. Dan wordt Luigi boos.'

'Italiaans, Marco, geen Engels meer.' In het Italiaans vroeg ze hem: 'Wat heb je vanmorgen met Ermanno bestudeerd?'

'*La famiglia.*'

'*La sua famiglia. Mi dica.*' Vertel me over je familie.

'Dat is een puinhoop,' zei hij in het Engels.

'*Sua moglie?* Je vrouw?'

'Welke? Ik heb er drie.'

'Italiaans.'

'*Quale? Ne ho tre.*'

'*L'ultima.*' De laatste.

Toen riep hij zich tot de orde. Hij was niet Joel Backman, met drie ex-vrouwen en een verknoeide familie. Hij was Marco Lazzeri uit Toronto, met een vrouw, vier kinderen en vijf kleinkinderen. 'Ik maakte een grapje,' zei hij in het Engels. 'Ik heb één vrouw.'

'*Mi dica, in Italiano, di sua moglie?*' Vertel me over je vrouw.

In erg langzaam Italiaans beschreef Marco zijn fictieve vrouw. Ze heette Laura. Ze was 52. Ze woonde in Toronto. Ze werkte voor een klein bedrijf. Ze hield niet van reizen. Enzovoort.

Elke zin werd minstens drie keer herhaald. Elke uitspraakfout stuitte op een grimas en een snel: '*Ripeta.*' Keer op keer vertelde Marco over een Laura die niet bestond. En toen hij met haar klaar was, vroeg ze hem naar zijn oudste kind, ook een verzinsel, ditmaal met de naam Alex. Dertig jaar oud, advocaat in Vancouver, gescheiden, twee kinderen, enzovoort, enzovoort.

Gelukkig had Luigi hem een korte biografie van Marco Lazzeri gegeven, compleet met alle gegevens die hij nu, achter in die ijskoude kerk, nodig had. Ze spoorde hem aan, drong aan op perfectie, waarschuwde dat hij niet te vlug moest spreken, zoals hij geneigd was te doen.

'*Deve parlare lentamente,*' zei ze steeds weer. Je moet langzaam spreken.

Ze was streng en niet prettig in de omgang, maar ze was ook erg gemotiveerd. Als hij kon leren half zo goed Italiaans te spreken als zij Engels sprak, zou hij al heel wat hebben bereikt. Als zij in voortdurende herhaling geloofde, geloofde hij daar ook in.

Terwijl ze over zijn moeder praatten, kwam een oudere man de kerk binnen. Hij ging in de bank recht voor hen zitten en was algauw verdiept in meditatie en gebed. Ze besloten stilletjes weg te gaan. Het sneeuwde een beetje en ze gingen naar het eerste het beste café om espresso te drinken en te roken.

'*Adesso, possiamo parlare della sua famiglia?*' vroeg hij. Kunnen we nu over jouw familie praten?

Ze glimlachte, liet haar tanden zien, wat bijna nooit gebeurde. Toen zei ze: '*Benissimo, Marco.*' Goed. '*Ma, non possiamo. Mi dispiace.*' Maar het spijt me. Dat kunnen we niet doen.

'*Perchè non?*' Waarom niet?

'*Abbiamo delle regole.*' We hebben regels.

'*Dov'è suo marito?*' Waar is je man?

'*Qui, a Bologna.*' Hier, in Bologna.

'*Dov'è lavora?*' Waar werkt hij?

'Non lavora.'

Na haar tweede sigaret gingen ze de overdekte trottoirs weer op en begonnen ze aan een grondige les over sneeuw. Ze sprak een korte zin in het Engels uit, en die moest hij dan vertalen. Het sneeuwt. Het sneeuwt nooit in Florida. Misschien zal het morgen sneeuwen. Het sneeuwde vorige week twee keer. Ik hou van sneeuw. Ik hou niet van sneeuw.

Ze liepen om het grote plein heen en bleven in de zuilengangen. Op Via Rizzoli kwamen ze langs de winkel waar Marco zijn schoenen en zijn anorak had gekocht. Hij dacht dat ze zijn versie van die gebeurtenis misschien wel zou willen horen. Hij kon het meeste Italiaans wel aan. Maar hij begon er niet over, want ze was helemaal verdiept in het weer. Op een kruispunt bleven ze staan en keken naar Le Due Torri, de twee overgebleven torens waarop de Bolognezen zo trots waren.

'Ooit waren er meer dan tweehonderd torens,' zei ze. Toen vroeg ze hem die zin te herhalen. Hij deed zijn best, ging in de fout met de verleden tijd en het aantal, en toen moest hij die verrekte zin net zolang herhalen tot hij hem goed had.

In de Middeleeuwen hadden, om redenen die hedendaagse Italianen niet konden verklaren, hun voorouders toegegeven aan een ongewone architectonische neiging om hoge, smalle torens te bouwen waarin ze gingen wonen. Aangezien oorlogen en plaatselijke schermutselingen indertijd schering en inslag waren, bouwden ze die torens vooral om zich te beschermen. Het waren uitstekende uitkijkposten en ze kwamen goed van pas wanneer de stedelingen werden aangevallen, maar als woning bleken ze minder geschikt te zijn. Om het voedsel te beschermen bevonden de keukens zich vaak op de bovenste verdieping, driehonderd traptreden boven de straat, waardoor het moeilijk was om huispersoneel te krijgen dat niet gauw weer vertrok. Als er gevechten uitbraken, bestookten de oorlogvoerende families elkaar van de ene naar de andere toren met pijlen en speren. Waarom zou je net als het gewone volk op straat gaan vechten?

Die torens werden ook een statussymbool. Geen enkele zichzelf respecterende edele kon toestaan dat zijn buurman en/of rivaal een hogere toren had, en dus woedde er in de twaalfde en dertiende eeuw een merkwaardige concurrentiestrijd in de lucht boven Bologna: geen enkele edelman wilde onderdoen voor zijn buren.

163

De stad kreeg de bijnaam *la turrita*, de 'getorende'. Een Engelse reiziger noemde Bologna een 'bos asperges'.

In de veertiende eeuw kreeg het georganiseerde bestuur vaste voet aan de grond in Bologna, en de bestuurders met visie wisten dat de vechtende edelen in toom gehouden moesten worden. Zodra het stadsbestuur genoeg macht had, sloopte het veel van de torens. Ouderdom en zwaartekracht rekenden af met andere; slechte funderingen brokkelden af naarmate de eeuwen verstreken.

Aan het eind van de negentiende eeuw werd een geruchtmakende campagne om ze allemaal te slopen met een kleine meerderheid van stemmen goedgekeurd. Er bleven maar twee torens overeind staan: de Asinelli en de Garisenda. Die staan dicht bij elkaar op de Piazza di Porto Ravegnana. Ze staan geen van beide helemaal rechtop. De Garisenda zakt naar het noorden met een hoek die de beroemdere, en veel mooiere toren in Pisa naar de kroon steekt. De twee oude torens hebben in de loop van de tijd veel kleurrijke beschrijvingen gekregen. Een Franse dichter vergeleek hen met twee dronken matrozen die naar huis wankelen en op elkaar proberen te leunen. Ermanno's reisgidsje noemde hen de 'Laurel en Hardy' van de middeleeuwse bouwkunst.

La Torre degli Asinelli werd in het begin van de twaalfde eeuw gebouwd en is met zijn 97,2 meter twee keer zo hoog als de andere toren. De Garisenda stond al scheef toen hij in de dertiende eeuw bijna voltooid was, en om te voorkomen dat hij omviel werd de bovenste helft er weer afgehaald. De familie Garisenda verloor haar belangstelling en verliet met schande beladen de stad.

Marco kende die geschiedenis uit Ermanno's boek. Francesca wist dat niet, en zoals alle goede gidsen, nam ze vijftien koude minuten de tijd om over de beroemde torens te vertellen. Ze formuleerde een eenvoudige zin, sprak hem perfect uit, hielp Marco door die zin heen, en ging dan met tegenzin op de volgende over.

'De Asinelli heeft 498 treden naar de top,' zei ze.

'*Andiamo*,' zei Marco vlug. Kom, we gaan. Ze kwamen door een smalle deuropening in de zware fundering en volgden een strakke wenteltrap zo'n vijftien meter omhoog om uit te komen bij het kaartjesloket, dat in een hoek was aangebracht. Hij kocht twee kaartjes voor drie euro per stuk, en ze begonnen te klimmen. De toren was hol en de treden waren aan de buitenmuren bevestigd. Francesca zei dat ze de toren in minstens tien jaar niet had beklommen. Zo te horen vond ze het wel een opwindend avontuur. Ze ging de smalle, stevige eikenhouten treden op en Marco kwam op enige afstand achter haar aan. Nu en dan liet een klein open raam wat licht en koude lucht binnen. 'Langzaam aan,' riep ze in het Engels achterom, terwijl ze de afstand tussen haar en Marco geleidelijk groter maakte. Op die besneeuwde februarimiddag waren zij de enigen die naar het hoogste punt van de stad klommen.

Hij klom langzamer en ze was algauw uit het zicht verdwenen. Ongeveer halverwege naar boven bleef hij voor een groot raam staan om zijn gezicht door de wind te laten afkoelen. Hij wachtte tot hij op adem was en ging toen verder, nog langzamer. Een paar minuten later bleef hij weer staan. Zijn hart bonkte, zijn longen werkten op volle toeren en zijn hersenen vroegen zich af of hij het zou halen. Na 498 treden was hij eindelijk op de vierkante zolder in de top van de toren. Francesca rookte een sigaret. Ze keek naar haar mooie stad en had geen spoortje zweet op haar gezicht.

Het uitzicht vanaf de top was panoramisch. De rode pannendaken van de stad waren bedekt met vijf centimeter sneeuw. De lichtgroene koepel van de San Bartolomeo bevond zich recht onder hen, onverstoorbaar alsof hij weigerde hoger te worden. 'Op heldere dagen kun je de Adriatische Zee in het oosten en de Alpen in het noorden zien,' zei ze, nog steeds in het Engels. 'Het is zo mooi, zelfs als er sneeuw ligt.'

'Erg mooi,' zei hij, bijna hijgend. De wind gierde door de metalen stangen tussen de bakstenen stijlen, en hier boven Bologna was het nog veel kouder dan op straat.

'De toren is het op vier na hoogste bouwwerk van het oude Italië,' zei ze trots. Hij twijfelde er niet aan dat ze de andere vier ook wist.

'Waarom is deze toren gered?' vroeg hij.

'Om twee redenen, denk ik. Hij is goed ontworpen en goed gebouwd. De familie Asinelli was sterk en machtig. En hij is in de veertiende eeuw, toen veel van de andere torens zijn gesloopt, korte tijd als gevangenis gebruikt. Eigenlijk weet niemand zeker waarom deze toren gespaard is gebleven.' Honderd meter naar boven, en ze werd een andere persoon. Haar ogen schitterden; haar stem klonk levendig.

'Als ik dit zie, weet ik altijd weer waarom ik van mijn stad hou,' zei ze met een zeldzaam glimlachje. Ze glimlachte niet naar hem, en niet om iets wat hij zei, maar naar de daken en de skyline van

Bologna. Ze gingen naar de andere kant en keken naar het zuidwesten. Op een heuvel boven de stad zagen ze de contouren van het Santuario di San Luca, de beschermengel van de stad.

'Ben je daar geweest?' vroeg ze.

'Nee.'

'Dan gaan we er op een dag heen, als het mooi weer is. Goed?'

'Oké.'

'We hebben zoveel te bekijken.'

Misschien zou hij haar toch niet ontslaan. Hij hunkerde zo naar gezelschap, vooral van de andere sekse, dat hij haar afstandelijkheid en somberheid en wisselende stemmingen wel kon verdragen. Hij zou nog harder studeren, misschien zou ze hem dan sympathieker vinden.

De klim naar de top van de Asinelli-toren had haar in een beter humeur gebracht, maar toen ze naar beneden ging, kwam haar oude norsheid terug. Ze dronken vlug een espresso bij de torens en namen afscheid. Toen ze wegliep, zonder oppervlakkige omhelzing, zonder een zoen op de wang, zelfs zonder een vluchtige handdruk, besloot hij haar nog één week te geven.

In het geheim liet hij een proeftijd ingaan. Ze kreeg zeven dagen de tijd om aardig te worden, anders zou hij gewoon met de lessen ophouden. Het leven was te kort.

Maar ze zag er wel erg goed uit.

De envelop was opengemaakt door zijn secretaresse, zoals alle post van de vorige dag en de dag daarvoor. Maar in de eerste envelop zat een andere, en die was simpelweg aan Neal Backman geadresseerd. Op de voor- en achterkant stond met grote letters een waarschuwing te lezen: PERSOONLIJK, VERTROUWELIJK, ALLEEN TE OPENEN DOOR NEAL BACKMAN.

'Kijk eerst eens naar de bovenste,' zei de secretaresse toen ze om negen uur 's morgens zijn dagelijkse stapel post naar binnen droeg. 'De envelop is twee dagen geleden in York, Pennsylvania, gepost.' Toen ze de deur achter zich dicht had gedaan, keek Neal naar de envelop. Die was lichtbruin en had geen ander opschrift dan wat de afzender er met de hand op had geschreven. Dat handschrift kwam hem vaag bekend voor.

Met een briefopener sneed hij langzaam de envelop open, en toen trok hij er een enkel opgevouwen vel wit papier uit. Het was van zijn vader. Dat was een schok, maar aan de andere kant ook niet.

21 februari
Beste Neal,
Ik ben voorlopig veilig, maar dat is niet van lange duur, denk ik.
Ik heb je hulp nodig. Ik heb geen adres, geen telefoon, geen fax en
ik weet niet zeker of ik ze zou gebruiken als ik ze wel had. Ik heb
toegang tot e-mail nodig, iets wat niet na te trekken is. Ik heb
geen idee hoe ik dat moet doen, maar ik weet dat jij het kunt. Ik
heb geen computer en geen geld. De kans is groot dat jij in de
gaten wordt gehouden, dus wat je ook doet, je mag geen sporen
achterlaten. Wis je sporen uit. Wis de mijne uit. Vertrouw
niemand. Let op alles. Vernietig deze brief zo snel mogelijk.
Stuur me zoveel geld als je kunt. Je weet dat ik het terugbetaal.
Gebruik nooit je echte naam op iets. Gebruik het volgende adres:
Sr. Rudolph Viscovitch, Università degli Studi, Via Zamboni
22, 44041, Bologna, Italië. Gebruik twee enveloppen, de eerste
voor Viscovitch, de tweede voor mij. In je brief aan hem vraag je
hem het pakje te bewaren voor Marco Lazzeri.
Vlug!
Veel liefs, Marco

Neal legde de brief op zijn bureau en liep naar zijn deur om hem op
slot te doen. Hij ging op een kleine leren bank zitten en probeerde
zijn gedachten te ordenen. Hij was al tot de conclusie gekomen dat
zijn vader het land uit was, anders zou hij al weken geleden contact
met hem hebben opgenomen. Waarom was hij in Italië? Waarom
was die brief op de post gedaan in York, Pennsylvania?
Neals vrouw had haar schoonvader nooit ontmoet. Hij had al twee
jaar in de gevangenis gezeten toen ze elkaar leerden kennen en
trouwden. Ze hadden foto's van de bruiloft gestuurd en later een
foto van hun kind, Joels tweede kleindochter.
Neal praatte niet graag over Joel. Hij dacht ook liever niet aan hem.
Joel was een vader van niets geweest, bijna altijd weg, en zijn verbijsterende val van zijn voetstuk was pijnlijk geweest voor iedereen
in zijn omgeving. Neal had met tegenzin brieven en kaarten gestuurd toen Joel in de gevangenis zat, maar hij kon naar waarheid
zeggen, in elk geval tegen zichzelf en zijn vrouw, dat hij zijn vader
niet miste. Hij had nooit veel met de man te maken gehad.

Nu was hij terug en vroeg om geld dat Neal niet had. Hij nam zonder meer aan dat Neal precies zou doen wat hem was opgedragen. Hij vond het geen enkel punt om iemand anders in gevaar te brengen.

Neal liep naar zijn bureau en las de brief nog eens door, en nog eens. Het was hetzelfde nauwelijks leesbare gekrabbel dat hij zijn hele leven had gezien. En het was dezelfde houding, zowel thuis als op kantoor. Doe dit, en dat, en dan komt het goed. Doe het zoals ik het wil, en doe het nu meteen! Vlug! Zet alles op het spel, want ik heb je nodig.

En als alles nu eens soepel verliep en de manipulator kwam terug? Dan zou hij vast geen tijd hebben voor Neal en zijn kleindochter. Als hij de kans kreeg, zou Joel Backman, 52, weer een gooi doen naar roem en macht in Washington. Hij zou de juiste vriendschappen sluiten, de juiste cliënten opscharrelen, met de juiste vrouw trouwen, de juiste vennoten bij elkaar zoeken, en binnen een jaar zou hij weer in een groot kantoor zitten, schandalige honoraria in rekening brengen en politici onder druk zetten.

Het leven was veel eenvoudiger geweest toen zijn vader in de gevangenis zat.

Wat zou hij tegen Lisa, zijn vrouw, zeggen? Schat, die tweeduizend dollar die we op onze spaarrekening hebben, hebben zojuist een bestemming gekregen. Plus een paar honderd dollar voor een versleuteld e-mailsysteem. En je moet de deuren altijd op slot houden, want ons leven is zojuist veel gevaarlijker geworden.

Omdat de dag toch al bedorven was, riep Neal zijn secretaresse op en vroeg haar geen telefoontjes door te verbinden. Hij ging op de bank liggen, trapte zijn loafers uit, deed zijn ogen dicht en masseerde zijn slapen.

18

In de venijnige wedijver tussen de CIA en de FBI maakten beide kanten om tactische redenen vaak gebruik van bepaalde journalisten. Door de pers te manipuleren konden ze preventieve aanvallen inzetten, tegenaanvallen pareren, haastige terugtrekkingen verdoezelen, zelfs schade beperken. Dan Sandberg cultiveerde al bijna twintig jaar bronnen aan beide kanten, en wanneer de informatie correct was, en exclusief, was hij zonder meer bereid zich te laten gebruiken. Hij was ook bereid de rol van koerier op zich te nemen en zich voorzichtig met vertrouwelijke nieuwtjes in beide kampen te wagen om te zien hoeveel de andere kant wist. In zijn poging om het verhaal te bevestigen dat de FBI onderzoek deed naar gratieverlening voor geld, nam hij contact op met zijn betrouwbaarste bron bij de CIA. Hij stuitte op de gebruikelijke tegenwerking, maar die hield nog geen 48 uur stand.

Zijn bron op het CIA-hoofdkantoor was Rusty Lowell, een ervaren en vermoeide CIA-man met wisselende functies. Wat zijn officiële taak ook was, hij had vooral opdracht de pers te volgen en Teddy Maynard te adviseren hoe hij daar gebruik en misbruik van kon maken. Hij was geen verklikker en gaf geen dingen door die niet waar waren. Sandberg werkte al tien jaar aan hun onderlinge verstandhouding en was er redelijk van overtuigd dat het meeste van wat hij van Lowell te horen kreeg hem in werkelijkheid door Teddy zelf werd verstrekt.

Ze ontmoetten elkaar in Tyson's Corner Mall in Virginia, even buiten de Beltway, achter in een goedkope pizzeria op de eerste verdieping. Ze namen ieder een stuk pizza met peperoni en kaas en een beker frisdrank en gingen toen in een nis zitten waar niemand hen kon zien. De gebruikelijke regels waren van toepassing: (1) alles was off the record en diepe achtergrondinformatie; (2) Sandberg mocht het verhaal pas publiceren wanneer Lowell groen licht had gegeven, en (3) als iets wat Lowell zei door een andere bron werd tegengesproken, zou hij, Lowell, de kans krijgen om daar kennis van te nemen en erop te reageren.

Als onderzoekend journalist had Sandberg een hekel aan die regels. Maar Lowell had er nooit naast gezeten en hij praatte met niemand anders. Als Sandberg deze geweldige bron wilde gebruiken, moest hij zich aan de regels houden.

'De FBI heeft wat geld ontdekt,' begon Sandberg. 'En ze denken dat het met een gratieverlening te maken heeft.'

Lowells ogen verrieden hem altijd, want hij kon niet goed liegen. Ze gingen meteen halfdicht en het was duidelijk dat dit iets nieuws was.

'Weet de CIA daarvan?' vroeg Sandberg.

'Nee,' zei Lowell zonder omhaal. Hij was nooit bang voor de waarheid geweest. 'We hebben wat bankrekeningen in het buitenland gevolgd, maar daar gebeurde niets mee. Om hoeveel geld gaat het?'

'Veel. Ik weet niet hoeveel. En ik weet niet hoe ze het hebben ontdekt.'

'Waar kwam het vandaan?'

'Dat weten ze niet zeker, maar ze willen het erg graag in verband brengen met Joel Backman. Ze praten met het Witte Huis.'

'En niet met ons.'

'Blijkbaar niet. Het riekt naar politiek. Ze zouden president Morgan graag een schandaal aan zijn broek smeren, en Backman zou de perfecte medeschurk zijn.'

'Hertog Mongo zou ook een mooi doelwit zijn.'

'Ja, maar die is zo goed als dood. Hij heeft een lange, kleurrijke carrière als belastingontduiker achter de rug, maar hij telt niet meer mee. Backman heeft geheimen. Ze willen hem terughalen, hem door de molen halen op het ministerie van Justitie, heel Washington een paar maanden helemaal gek maken. Het zou een grote vernedering zijn voor Morgan.'

'De economie kachelt hard achteruit. Wat een geweldige afleidingsmanoeuvre.'

'Zoals ik al zei: het draait allemaal om politiek.'

Lowell nam eindelijk een hap pizza en kauwde er peinzend op. 'Het kan Backman niet zijn. Ze zitten er ver naast.'

'Weet je dat zeker?'

'Heel zeker. Backman wist niet dat er gratie aan zat te komen. We hebben hem letterlijk midden in de nacht uit zijn cel gehaald. We lieten hem wat papieren tekenen en hadden hem voor zonsopgang het land al uit.'

'En waar is hij heen?'

'Dat weet ik niet. En als ik het wist, zou ik het niet zeggen. Wat ik bedoel, is dat Backman geen tijd had om een omkoping te regelen. Hij zat zo diep in de gevangenis dat hij niet eens van gratie kon dromen. Het was Teddy's idee, niet van hem. Backman moeten ze niet hebben.'

'Ze zijn van plan hem op te sporen.'

'Waarom? Hij is vrij, heeft volledige gratie gekregen. Hij is niet voortvluchtig. Hij kan niet worden uitgeleverd, of ze moeten al een tenlastelegging los kunnen krijgen.'

'En dat kunnen ze.'

Lowell keek een seconde of twee met gefronste wenkbrauwen naar de tafel. 'Ik zie geen tenlastelegging. Ze hebben geen bewijs. Ze hebben wat verdacht geld op een bank aangetroffen, zoals je zegt, maar ze weten niet waar het vandaan komt. Ik verzeker je dat het niet Backmans geld is.'

'Kunnen ze hem opsporen?'

'Ze gaan Teddy onder druk zetten, en daarom wilde ik met je praten.' Hij schoof de half opgegeten pizza opzij en boog zich dichter naar Sandberg toe. 'Er komt binnenkort een bespreking in het Oval Office. Teddy zal daar bij zijn, en de president zal zeggen dat hij de geheime informatie over Backman wil zien. Teddy zal weigeren. En dan wordt het een krachtmeting. Zal de president het lef hebben om de oude man te ontslaan?'

'Nou?'

'Waarschijnlijk wel. Tenminste, dat verwacht Teddy. Dit is zijn vierde president, en zoals je weet is dat een record, en de eerste drie wilden hem allemaal ontslaan. Maar nu is hij oud genoeg om te vertrekken.'

'Hij was altijd al oud genoeg om te vertrekken.'
'Zeker, maar toen had hij de touwtjes in handen. Deze keer ligt het anders.'
'Waarom neemt hij niet gewoon ontslag?'
'Omdat hij een gekke, dwarse, koppige ouwe rotzak is. Dat weet jij ook wel.'
'Dat is algemeen bekend.'
'En als hij wordt ontslagen, vertrekt hij niet in alle rust. Dan wil hij uitgebalanceerde berichtgeving.'
'Uitgebalanceerde berichtgeving' was al jaren hun term voor 'beschrijf het vanuit ons standpunt'.
Sandberg schoof zijn pizza ook opzij en liet zijn knokkels knakken. 'Dit is het verhaal zoals ik het zie,' zei hij, ook een deel van het ritueel. 'Nadat hij achttien jaar krachtig leiding aan de CIA heeft gegeven, wordt Teddy Maynard ontslagen door een gloednieuwe president. De reden is de weigering van Maynard om bijzonderheden over geheime lopende operaties te verstrekken. Hij hield voet bij stuk om de nationale veiligheid te beschermen en liet zich niet intimideren door de president, die samen met de FBI om geheime informatie vroeg, opdat de FBI een onderzoek kan instellen naar gratie die door de voormalige president Morgan zijn verleend.'
'Je kunt Backman niet vermelden.'
'Ik kan nog geen namen gebruiken. Ik heb geen bevestiging.'
'Ik verzeker je dat het geld niet van Backman kwam. En als je zijn naam in dit stadium gebruikt, is er een kans dat hij het ziet en iets stoms doet.'
'Wat dan?'
'Op de vlucht slaan, bijvoorbeeld.'
'Waarom is dat stom?'
'Omdat we niet willen dat hij op de vlucht slaat.'
'Jullie willen hem dood hebben.'
'Natuurlijk. Dat is het plan. We willen zien wie hem vermoordt.'
Sandberg leunde achteruit tegen het harde plastic bankje en keek een andere kant op. Lowell prikte stukjes peperoni van zijn koude rubberachtige pizza, en een hele tijd dachten ze in stilte na. Sandberg dronk zijn cola light op en zei ten slotte: 'Teddy heeft Morgan op de een of andere manier overgehaald gratie te verlenen aan Backman, en die is ergens opgeborgen om als lokaas te fungeren.'
Lowell keek hem nog niet aan, maar knikte wel.

'En als hij wordt gedood, ziet de CIA een aantal vragen beant-
woord?'
'Misschien wel. Dat is de bedoeling.'
'Weet Backman waarom hij gratie heeft gekregen?'
'Wij hebben het hem beslist niet verteld, maar hij is vrij intelligent.'
'Wie zitten er achter hem aan?'
'Erg gevaarlijke mensen die wrok koesteren.'
'Weet je wie?'
Een knikje, een schouderophalen, geen antwoord. 'Er zijn verschil-
lende kandidaten. We houden het goed in de gaten en komen mis-
schien iets te weten. Misschien ook niet.'
'En waarom koesteren ze wrok?'
Lowell lachte om die belachelijke vraag. 'Leuk geprobeerd, Dan.
Dat vraag je al zes jaar. Zeg, ik moet gaan. Werk aan dat uitgebalan-
ceerde stuk en laat het aan me zien.'
'Wanneer is die bespreking met de president?'
'Dat weet ik niet precies. Zodra hij terug is.'
'En als Teddy wordt ontslagen?'
'Dan ben jij de eerste die ik bel.'

Als advocaat in het kleine stadje Culpeper in Virginia verdiende
Neal Backman veel minder dan waar hij als rechtenstudent van
gedroomd had. In die tijd was de firma van zijn vader zo'n machts-
factor in Washington geweest dat Neal al voor zich zag dat hij
binnen een paar jaar smakken geld zou verdienen. De jongste
medewerkers van Backman, Pratt & Bolling begonnen met honderdduizend dollar per jaar, en een veelbelovende junior partner
van dertig jaar verdiende drie keer zoveel. In het tweede jaar van
zijn rechtenstudie zette een plaatselijk tijdschrift de manipulator op
het omslag en schreef het over zijn dure speelgoed. Zijn inkomen
werd geschat op tien miljoen dollar per jaar. Dat had nogal wat
beroering gewekt op de rechtenfaculteit, iets waar Neal eigenlijk
wel blij mee was. Hij verheugde zich op een toekomst met zoveel
mogelijkheden om het grote geld binnen te halen.
Maar toen hij nog geen jaar voor de firma werkte, verklaarde zijn
vader zich schuldig en werd Neal ontslagen, letterlijk het gebouw
uitgegooid.
Maar Neal droomde allang niet meer van het grote geld en een luxe
levensstijl. Hij was tevreden met zijn advocatenpraktijk in een klein

kantoor in Culpeper en met zijn inkomen van hoogstens vijftigduizend dollar per jaar. Lisa was gestopt met werken toen hun dochter
werd geboren. Ze regelde de financiën en zorgde dat ze konden
rondkomen.

Toen hij wakker werd na een nacht met weinig slaap, wist hij ongeveer hoe hij te werk zou gaan. Hij had vooral getobd met de vraag
of hij het zijn vrouw al dan niet zou vertellen. Toen hij eenmaal had
besloten dat niet te doen, nam zijn plan vaste vormen aan. Hij ging
om acht uur naar kantoor, zoals hij altijd deed, en werkte anderhalf
uur on line, tot hij er zeker van was dat de bank open was. Toen hij
door Main Street liep, kon hij bijna niet geloven dat er mensen
waren die hem in de gaten hielden. Evengoed zou hij geen risico's
nemen.

De directeur van het dichtstbijzijnde kantoor van de Piedmont
National Bank heette Richard Koley. Ze gingen samen naar de
kerk, joegen op korhoenders en speelden softbal voor de Rotary.
Neals advocatenkantoor bankierde al een eeuwigheid bij hem. Op
dit vroege uur was er niemand in de hal, en Richard zat met een
grote kop koffie en de *Wall Street Journal* aan zijn bureau. Blijkbaar
had hij erg weinig te doen. Hij was aangenaam verrast toen hij Neal
zag binnenkomen, en ze praatten zo'n twintig minuten over basket-
bal. Toen kwamen ze terzake. Richard vroeg: 'Nou, wat kan ik voor
je doen?'

'Ik was alleen nieuwsgierig,' zei Neal. Hij sprak een tekst uit waarop
hij de hele ochtend had geoefend. 'Hoeveel zou ik kunnen lenen
zonder onderpand?'

'Een beetje in de problemen, hè?' Richard pakte de muis en keek al
naar de monitor, waarop alles stond wat hij nodig had.

'Nee, dat is het niet. De rente is zo laag en ik heb wat aandeeltjes op
het oog.'

'Geen slechte strategie, al mag ik er beslist geen reclame voor maken. Nu de Dow Jones Index weer op tienduizend staat, vraag je je
af waarom niet meer mensen geld lenen om aandelen te kopen. Dat
zou in elk geval goed zijn voor de bank. Inkomen?' vroeg hij, terwijl
hij dingen intoetste. Zijn gezicht stond nu ernstig.

'Dat varieert,' zei Neal. 'Zestig tot tachtig.'

Richard fronste zijn wenkbrauwen nog meer, en Neal kon niet zien
of hij het jammer vond dat zijn vriend zo weinig verdiende, of dat
zijn vriend zoveel meer verdiende dan hij. Hij zou het nooit weten.

Banken buiten de grote steden stonden er niet om bekend dat ze hun mensen overbetaalden.

'Totale schulden, exclusief hypotheek?' vroeg hij, nog steeds typend. 'Hmmm, eens kijken.' Neal deed zijn ogen dicht en sloeg weer aan het rekenen. Zijn hypotheek was bijna tweehonderdduizend dollar en die had hij bij de Piedmont. Lisa was zo fel tegen schulden dat hun persoonlijke balans opvallend gunstig was. 'Autolening van zo'n twintigduizend,' zei hij. 'Hooguit duizend op de creditcards. Eigenlijk niet veel.'

Richard knikte instemmend, maar bleef naar de monitor kijken. Toen hij alles had ingetikt, haalde hij zijn schouders op en veranderde weer in de grootmoedige bankier. 'Zonder onderpand kunnen we je drieduizend dollar lenen. Zes procent rente, voor twaalf maanden.'

Omdat hij nooit zonder onderpand geld had geleend, had Neal niet geweten wat hij kon verwachten. Hij had geen idee wat hij waard was, maar op de een of andere manier vond hij drieduizend dollar wel redelijk. 'Kun je tot vierduizend gaan?' vroeg hij.

Richard fronste zijn wenkbrauwen weer, keek nog eens goed naar de monitor en gaf toen antwoord. 'Goed, waarom niet? Ik weet je te vinden, nietwaar?'

'Mooi. Ik hou je op de hoogte van de aandelen.'

'Is het een goede tip, iets van binnenuit?'

'Geef me een maand de tijd. Als de prijs omhooggaat, kom ik terug om erover op te scheppen.'

'Afgesproken.'

Richard trok een la open, op zoek naar formulieren. Neal zei: 'Zeg, Richard, dit blijft onder ons, goed? Je weet wat ik bedoel? Lisa tekent de papieren niet.'

'Geen punt,' zei de bankier, het summum van discretie. 'Mijn vrouw weet nog niet de helft van wat ik met de financiën doe. Vrouwen begrijpen het gewoon niet.'

'Zo is het. En nu we het daar toch over hebben: zou ik het geld cash kunnen krijgen?'

Een korte stilte, een verbaasde blik, maar ja, bij de Piedmont National Bank was alles mogelijk. 'Goed, geef me een uur of zo.'

'Ik moet naar kantoor om tegen iemand te procederen. Om een uur of twaalf kom ik terug. Dan teken ik de papieren en neem ik het geld mee.'

Neal ging vlug naar zijn kantoor, twee straten van de bank vandaan.

175

Hij had pijn in zijn buik van de zenuwen. Lisa zou hem vermoorden als ze erachter kwam, en in een klein stadje waren dingen moeilijk geheim te houden. In de vier jaar van een erg gelukkig huwelijk hadden ze alle besluiten samen genomen. Het zou moeilijk uit te leggen zijn waarom hij dat geld had geleend, al zou ze waarschijnlijk bijdraaien als hij de waarheid vertelde.

Het terugbetalen van het geld zou ook een probleem worden. Zijn vader was altijd iemand geweest die gemakkelijk beloften deed. Soms kwam hij ze na, soms niet, en in geen van beide gevallen maakte hij zich er druk om. Maar dat was de oude Joel Backman. De nieuwe was een wanhopige man zonder vrienden, met niemand die hij kon vertrouwen.

Wat gaf het ook? Het was maar vierduizend dollar. Richard zou het stilhouden. Neal zou zich later wel druk maken om die lening. Per slot van rekening was hij advocaat. Hij kon hier en daar wel extra honoraria incasseren, extra uren declareren.

Op dit moment was het vooral zaak dat hij dat pakketje naar Rudolph Viscovitch stuurde.

Met al dat geld in zijn zak vluchtte Neal in de lunchpauze uit Culpeper weg en reed hij met grote snelheid naar Alexandria, dat anderhalf uur rijden verderop lag. Hij ging naar de winkel, Chatter, in een klein winkelcentrum aan Russell Road, een kleine twee kilometer van de rivier de Potomac vandaan. Die winkel adverteerde on line als de plaats waar je moest zijn voor het nieuwste van het nieuwste op het gebied van telecomapparatuur en was een van de weinige plaatsen in de Verenigde Staten waar je mobiele telefoons zonder SIM-lock kon kopen die ook in Europa werkten. Toen hij daar even rondkeek, stond hij versteld van al die telefoons, semafoons, computers, satelliettelefoons, alles wat je maar nodig zou kunnen hebben om met anderen in contact te blijven. Hij kon niet lang rondkijken, om vier uur kwam iemand bij hem op kantoor langs om een beëdigde verklaring af te leggen. En Lisa kwam overdag vaak naar kantoor om te horen of er nog iets gebeurd was in de stad.

Hij vroeg een verkoper hem de Ankyo 850 Pocket Smartphone te demonstreren, het grootste technologische wonder dat de afgelopen drie maanden op de markt was gekomen. De verkoper pakte het apparaatje uit een vitrinekast en veranderde met veel enthousiasme van taal: 'Volledig QWERTY-toetsenbord, tri-band werking op vijf continenten, tachtig megabyte ingebouwd geheugen, high-speed dataconnectiviteit met EGPRS, draadloze LAN-toegang, draadloze Bluetooth-technologie, IPv4 en IPv6 dual stack support, infrarood, Pop-Port interface, Symbian-besturingssysteem versie 7.0s, Series 80-platform.'

'Automatisch wisselen tussen banden?'

'Ja.'

'Gedekt door Europese netwerken?'

'Natuurlijk.'

De Smartphone was iets groter dan de gemiddelde mobiele telefoon, maar hij lag goed in de hand. Hij had een glad metalen oppervlak met een achterkant van ruw plastic om te voorkomen dat hij uit je hand gleed.

'Hij is groter,' zei de verkoper. 'Maar hij kan van alles: e-mail, multimedia-messaging, camera, videospeler, complete tekstverwerking, internet-browsen, en een volledige draadloze toegang, bijna overal op de wereld. Waar gaat u ermee naartoe?'

'Italië.'

'Geen punt. U hoeft alleen nog maar een account te openen bij een service-provider.'

Zo'n account betekende papieren. Papieren betekenden dat hij een spoor achterliet, iets wat Neal beslist niet wilde. 'En een prepaid SIM-card?' vroeg hij.

'Die hebben we ook. In Italië heet het een TIM, Telecom Italia Mobile. Dat is de grootste provider in Italië. Dekt ongeveer 95 procent van het land.'

'Ik neem hem.'

Neal schoof het onderste deel van de afdekking weg, zodat er een compleet toetsenbord in zicht kwam. De verkoper legde uit: 'U kunt hem het best met beide handen vasthouden en met de duimen typen. Alle tien vingers passen niet op het toetsenbord.' Hij nam het apparaatje van Neal over en demonstreerde het duimtypen.

'Ik begrijp het,' zei Neal. 'Ik neem hem.'

De prijs was 925 dollar plus BTW, en nog eens 89 dollar voor de TIM-card. Neal betaalde contant en wilde geen garantieverlenging, geen kortingregistratie, geen klantendienst, niets wat een papieren spoor kon achterlaten. De verkoper vroeg hem om zijn naam en adres en Neal wilde het niet zeggen. Op een gegeven moment zei hij geërgerd: 'Kan ik niet gewoon betalen en weggaan?'

'Tja, dat kan,' zei de verkoper.

'Dan doen we dat. Ik heb haast.'

Hij ging weg en reed een kleine kilometer naar een grote kantoorhandel. Daar vond hij snel een Hewlett-Packard Tablet-pc met geïntegreerde draadloze capaciteit. Hij investeerde nog eens 440 dollar in de veiligheid van zijn vader, al zou Neal de laptop houden en in zijn kantoor verbergen. Met behulp van een kaart die hij had gedownload vond hij de PackagePost in een ander winkelcentrum daar in de buurt. Daar ging hij aan een tafeltje zitten, schreef vlug twee bladzijden met instructies voor zijn vader, vouwde ze op en deed ze in een envelop met een brief en nog meer instructies die hij eerder die ochtend had opgesteld. Toen hij er zeker van was dat niemand keek, schoof hij twintig briefjes van honderd in de zwarte foedraal die bij het Ankyo-wonder hoorde. Vervolgens stopte hij de brief en de instructies, de Smartphone en de foedraal in een verzenddoos van de winkel. Hij maakte de doos goed dicht en schreef met een markeerstift op de buitenkant BEWAREN VOOR MARCO LAZZERI. De doos ging in een andere, iets grotere doos, en die adresseerde hij aan Rudolph Viscovitch op Via Zamboni 22, Bologna. Het adres van afzender was PackagePost, Braddock Road 8851, Alexandria, Virginia 22302. Omdat het moest, gaf hij zijn naam, adres en telefoonnummer op, voor het geval het pakje retour kwam. De PackagePost-medewerker woog het pakje en vroeg of hij het wilde verzekeren. Neal zei van niet en voorkwam daarmee weer een papieren spoor. De medewerker deed de internationale postzegels op het pakje en zei ten slotte: 'Dat komt in totaal op achttien dollar en twintig cent.'

Neal betaalde hem en de man verzekerde hem opnieuw dat het pakje die middag verzonden zou worden.

19

In het halfduister van zijn kleine appartement werkte Marco zijn ochtendprogramma af. Hij deed dat met zijn gebruikelijke efficiency. Met uitzondering van de gevangenis, toen hij niet gemotiveerd was om meteen in actie te komen, was hij nooit iemand geweest die treuzelde na het wakker worden. Er was te veel te doen, te veel te zien. Hij was vaak al voor zes uur op kantoor geweest, vuurspuwend en wachtend op de eerste ruzie van die dag, vaak na maar drie of vier uur slaap.

Die gewoonten kwamen nu terug. Hij ging niet elke dag te lijf, zocht niet naar een gevecht, maar hij stond voor andere uitdagingen.

Hij douchte in nog geen drie minuten, ook een oude gewoonte die aan de Via Fondazza enorm werd gestimuleerd door een groot gebrek aan warm water. Hij schoor zich bij de wastafel en ontzag daarbij zorgvuldig de al redelijk gevorderde baard die hij aan het kweken was. De snor was bijna compleet; de kin was effen grijs. Hij leek helemaal niet op Joel Backman en klonk ook niet als hem. Hij dwong zichzelf om veel langzamer en met zachtere stem te spreken. En natuurlijk sprak hij nu een andere taal.

Tot zijn snelle ochtendprogramma behoorde ook een beetje spionage. Naast zijn bed stond een ladekast waarin hij zijn spullen bewaarde. Vier laden, allemaal even groot, de onderste la vijftien centimeter boven de vloer. Hij nam een erg dunne witte draad die hij uit een laken had getrokken; diezelfde draad gebruikte hij elke dag. Hij likte aan beide uiteinden, liet zo veel mogelijk speeksel zitten en stak toen het ene uiteinde onder de bodem van de onderste la. Het andere uiteinde plakte hij aan de zijsteun van de kast. Als de la werd opengetrokken, kwam de onzichtbare draad van zijn plaats. Iemand, waarschijnlijk Luigi, kwam elke dag zijn kamer binnen als hij met Ermanno of Francesca aan het studeren was en doorzocht zijn laden.

Zijn bureau stond in de kleine huiskamer, onder het enige raam. Hij had er allerlei papieren, blocnotes en boeken op liggen; Ermanno's gids van Bologna, een paar *Herald Tribune*'s, een zielig stapeltje gratis winkelgidsen die hij had aangepakt van zigeuners die ze op straat uitdeelden, zijn beduimelde Italiaans-Engelse woordenboek en de steeds hoger wordende stapel studiematerialen waarmee Ermanno hem belastte. Het bureau was tamelijk rommelig, en dat ergerde hem. Zijn oude advocatenbureau, dat niet in deze huiskamer zou hebben gepast, was vermaard geweest om de strikte orde die er heerste. Aan het eind van elke middag had een secretaresse alles precies op zijn plaats gelegd.

Toch was niet alles lukraak neergelegd. Het bureaublad bestond uit een soort hardhout dat in de loop van tientallen jaren putjes en vlekken had gekregen. Zo zat er ergens een kleine vlek, waarschijnlijk inkt, dacht Marco. Hij was ongeveer zo groot als een klein knoopje en bevond zich bijna in het midden van het bureau. Elke morgen, als hij wegging, legde hij de hoek van een vel kladpapier precies in het midden van die inktvlek. Zelfs de meest oplettende spion zou het niet zien.

En ze zagen het niet. Degene die dagelijks het appartement kwam doorzoeken, was nooit, niet één keer, zo zorgvuldig te werk gegaan dat hij de papieren en boeken op exact dezelfde plaats teruglegde.

Elke dag, zeven dagen per week, zelfs in de weekends, als Marco niet studeerde, kwamen Luigi en zijn bende binnen en deden ze hun vuile werk. Marco had een plan bedacht. Hij zou op een zondagmorgen zogenaamd met barstende hoofdpijn wakker worden, Luigi bellen, nog steeds de enige die hij met de mobiele telefoon belde, en hem verzoeken aspirine te halen of wat ze in Italië ook maar hadden. Hij zou de hele dag in bed blijven liggen, tot laat in de middag, en dan weer Luigi bellen en zeggen dat hij zich veel beter voelde en iets moest eten. Ze zouden de hoek om lopen, vlug iets eten, en dan zou Marco plotseling naar zijn appartement terug willen. Ze zouden nog geen uur weg zijn.

Zou iemand anders dan de kamer doorzoeken?

Het plan werd steeds concreter. Marco wilde weten wie er nog meer op hem letten. Hoe groot was het net? Als ze hem alleen maar in leven wilden houden, waarom doorzochten ze dan elke dag zijn appartement? Waar waren ze bang voor?

Ze waren bang dat hij de benen zou nemen. En waarom zouden ze daar zo bang voor zijn? Hij was een vrij man en mocht gaan en staan waar hij wilde. Zijn vermomming was goed. Zijn Italiaans was nog primitief, maar het kon ermee door en ging met de dag vooruit. Wat kon het hun schelen als hij een trein nam en door het land reed? Nooit meer terugkwam? Zou dat hun leven niet gemakkelijker maken?

En waarom hielden ze hem zo aan de lijn, zonder paspoort en met erg weinig geld?

Ze waren bang dat hij de benen zou nemen.

Hij deed de lichten uit en maakte de deur open. Het was nog donker onder de zuilengangen van de Via Fondazza. Hij deed de deur achter zich op slot en liep vlug weg, op zoek naar een café dat zo vroeg al open was.

Aan de andere kant van de dikke muur werd Luigi wakker van een zoemer die ergens in de verte ging, dezelfde zoemer die hem de meeste ochtenden op zo'n gruwelijk vroeg uur wekte.

'Wat is dat?' zei de vrouw naast hem.

'Niets,' zei hij. Hij gooide het dekbed in haar richting en strompelde naakt de kamer uit. Hij liep vlug door de huiskamer naar de keuken, waar hij de deur van het slot haalde, naar binnen ging, de deur weer achter zich op slot deed en naar de monitors op een klaptafel keek. Marco ging zoals gewoonlijk door zijn voordeur naar buiten. En weer om tien over zes; daar was niets ongewoons aan. Het was een irritante gewoonte. Die verrekte Amerikanen.

Hij drukte op een knop en de monitor werd zwart. De procedure hield in dat hij zich onmiddellijk zou aankleden, de straat opging, Marco achterna ging en hem in het oog hield totdat Ermanno contact legde. Maar Luigi had genoeg van de procedure. En Simona lag te wachten.

Ze was amper twintig, een studente uit Napels, een geweldige meid die hij een week eerder had ontmoet in een club die hij had ontdekt. Ze hadden nu voor het eerst de nacht met elkaar doorgebracht, en het zou niet voor het laatst zijn. Toen hij terugkwam en zich onder de dekens begroef, sliep ze alweer.

Het was koud buiten. Hij had Simona. Whitaker was in Milaan. Waarschijnlijk sliep die nog en lag hij in bed met een Italiaanse vrouw. Niemand kon nagaan wat hij, Luigi, de hele dag deed. Marco deed niets anders dan koffiedrinken.

Hij trok Simona dicht tegen zich aan en viel in slaap.

Het was een heldere, zonnige dag in het begin van maart. Marco had net een sessie van twee uur met Ermanno achter de rug. Zoals altijd wanneer het redelijk weer was, hadden ze door de binnenstad van Bologna gelopen en alleen maar Italiaans gesproken. Het werkwoord van de dag was *'fare'* geweest, dat 'doen' of 'maken' betekende. Voorzover Marco kon nagaan, was het een van de veelzijdigste en meest gebruikte werkwoorden in de hele taal. Winkelen was *'fare la spesa'*, letterlijk 'onkosten maken' of 'aankopen doen'. Een vraag stellen was *'fare la domanda'*, 'een vraag maken'. Ontbijten was *fare la colazione*, 'ontbijt doen'.

Ermanno ging een beetje vroeg weg. Hij zei weer dat hij zich aan zijn eigen studie moest wijden. Als er een eind aan een wandelles kwam, dook Luigi vaak op om het over te nemen van Ermanno, die zich dan opvallend snel uit de voeten maakte. Marco vermoedde dat ze op die manier de indruk bij hem wilden wekken dat hij voortdurend in de gaten werd gehouden.

Hij en Ermanno gaven elkaar een hand en namen afscheid voor Feltrinelli, een van de vele boekwinkels in de universiteitswijk. Luigi kwam de hoek om en zei hartelijk als altijd: *'Buon giorno. Pranziamo?'* Gaan we lunchen?

'Certamente.'

Ze lunchten steeds minder vaak. Marco kreeg de kans om in zijn eentje te gaan eten. Hij moest zich dan maar zien te redden met het menu en de bediening.

'Ho trovato un nuovo ristorante.' Ik heb een nieuw restaurant ontdekt.

'Andiamo.' Laten we gaan.

Het was niet duidelijk wat Luigi in de loop van een dag allemaal deed, maar het leed geen twijfel dat hij urenlang op zoek was naar nieuwe cafés, *trattoria*'s en restaurants. Ze hadden nooit twee keer in hetzelfde etablissement gegeten.

Ze liepen door smalle straatjes en kwamen in de Via dell' Indipendenza. Luigi was het meest aan het woord. Hij sprak altijd een erg langzaam, nadrukkelijk, exact Italiaans. Wat Marco betrof, was hij de Engelse taal vergeten.

'Francesca kan je vanmiddag niet lesgeven,' zei hij.

'Waarom niet?'

'Ze heeft een rondleiding. Een groep Australiërs heeft haar gisteren gebeld. Ze heeft om deze tijd van het jaar erg weinig te doen. Mag je haar graag?'

'Is het de bedoeling dat ik haar graag mag?'

'Nou, dat zou prettig zijn.'

'Ze is niet bepaald warm en knuffelig.'

'Is ze een goede lerares?'

'Voortreffelijk. Haar perfecte Engels inspireert me om meer te studeren.'

'Ze zegt dat je erg hard studeert en dat je een aardige man bent.'

'Vindt ze me aardig?'

'Ja, als leerling. Vind je haar aantrekkelijk?'

'De meeste Italiaanse vrouwen zijn aantrekkelijk, Francesca ook.'

Ze sloegen een klein straatje in, de Via Goito, en Luigi wees voor hen uit. 'Hier,' zei Luigi, en ze bleven bij de deur van Franco Rossi's restaurant staan. 'Ik ben hier nooit geweest, maar ik heb gehoord dat het erg goed is.'

Franco zelf begroette hen met een glimlach en open armen. Hij droeg een stijlvol donker pak dat mooi contrasteerde met zijn bos grijs haar. Hij nam hun jas aan en praatte met Luigi alsof ze oude vrienden waren. Luigi liet wat namen vallen en Franco wist ze te waarderen. Ze namen een tafel bij het raam. 'Onze beste tafel,' zei Franco overdreven. Marco keek om zich heen en zag geen slechte tafel.

'De antipasti zijn hier verrukkelijk,' zei Franco bescheiden, alsof hij er een hekel aan had om over zijn gerechten op te scheppen. 'Maar mijn favoriet van de dag zou de gesneden champignonsalade zijn. Lino doet er wat truffels in, wat Parmezaanse kaas, een paar schijfjes appel...' Franco's woorden zakten weg en hij kuste zijn vingertoppen. 'Erg goed,' kon hij nog dromerig uitbrengen, met zijn ogen dicht.

Ze namen de salade en Franco ging de volgende gasten verwelkomen. 'Wie is Lino?' vroeg Marco.

'Zijn broer, de kok.' Luigi dompelde een stukje Toscaans brood in een kommetje olijfolie. Een ober kwam naar hen toe en vroeg of ze wijn wilden. 'Zeker,' zei Luigi. 'Ik wil wel iets roods, uit de streek.' Het was een duidelijke zaak. De ober prikte met zijn pen op de wijnlijst en zei: 'Deze hier, een Liano uit Imola. Die is fantastisch.' Hij snoof de lucht even op om zijn woorden kracht bij te zetten. Luigi moest wel. 'Goed, die dan.'

'We hadden het over Francesca,' zei Marco. 'Ze is met haar gedachten soms heel ergens anders. Is er iets met haar aan de hand?'

Luigi doopte wat brood in de olijfolie en kauwde op een groot stuk terwijl hij zich afvroeg hoeveel hij Marco kon vertellen. 'Haar man is ziek,' zei hij.

'Heeft ze kinderen?'

'Ik geloof van niet.'

'Wat mankeert haar man?'

'Hij is erg ziek. Ik denk dat hij ouder is dan zij. Ik heb hem nooit ontmoet.'

Il Signore Rossi kwam terug om hen door het menu te leiden, wat eigenlijk niet nodig was. Hij vertelde dat de tortellini de beste van Bologna waren, en die dag waren ze extra goed. Lino wilde best even uit de keuken komen om dat te bevestigen. Na de tortellini zou de kalfsfilet met truffels een uitstekende keuze zijn.

Meer dan twee uur lang volgden ze Franco's raad op, en toen ze weggingen, wandelden ze over de Via dell' Indipendenza om het eten te laten zakken. Ze besloten een siësta te nemen.

Hij zag haar bij toeval op de Piazza Maggiore. Na een stevige wandeling van een halfuur trotseerde hij de kilte en dronk hij een espresso op een terras in de zon, en opeens zag hij een klein groepje blonde senioren uit het Palazzo Comunale, het stadhuis, komen. Een vertrouwde figuur liep voorop, een slanke, fijn gebouwde vrouw met hoge, rechte schouders en donker haar dat onder een bourgognerode baret uit viel. Hij legde een euro op de tafel en ging naar hen toe. Bij de fontein van Neptunus ging hij achter de groep aan – een man of tien – en luisterde naar de gids Francesca. Ze vertelde dat het reusachtige bronzen beeld van de Romeinse zeegod in drie jaar tijd, van 1563 tot 1566, door een Fransman was gemaakt.

Dat gebeurde in opdracht van een bisschop, die de stad wilde verfraaien om de paus te behagen. Volgens de verhalen maakte de Fransman zich zorgen over de naaktheid van het project – Neptunus had geen kleren aan – en stuurde hij dus eerst het ontwerp naar de paus in Rome om diens toestemming te vragen. De paus schreef terug: 'Voor Bologna is het goed.'

Francesca was bij de toeristen een beetje levendiger dan bij Marco. Haar stem was energieker en ze glimlachte meer. Ze droeg een erg stijlvolle bril waardoor ze tien jaar jonger leek. Hij hield zich schuil achter de Australiërs en keek en luisterde een hele tijd voordat ze hem opmerkte.

Ze vertelde dat de Fontana del Nettuno tegenwoordig een van de beroemdste symbolen van de stad was, en misschien wel de populairste achtergrond voor foto's. Er werden camera's uit alle zakken gehaald, en de toeristen gingen uitgebreid voor Neptunus staan poseren. Op een gegeven moment lukte het Marco om zo dichtbij te komen dat hij oogcontact met Francesca kon maken. Toen ze hem zag, glimlachte ze automatisch en zei ze zachtjes: '*Buon giorno*.'

'*Buon giorno*. Mag ik meekomen?' vroeg hij in het Engels.

'Nee. Sorry dat ik moest afzeggen.'

'Geen punt. Zullen we vanavond ergens gaan eten?'

Ze keek om zich heen alsof ze iets verkeerds had gedaan.

'Om te studeren natuurlijk. Verder niets,' zei hij.

'Nee, sorry,' zei ze. Ze keek langs hem heen over de piazza naar de Basilica di San Petronio. 'Dat café daar,' zei ze. 'Naast de kerk, op de hoek. We kunnen daar om vijf uur afspreken, dan studeren we een uur.'

'*Va bene*.'

De toeristen liepen enkele stappen naar de westelijke muur van het Palazzo Comunale, waar ze hen voor drie grote ingelijste verzamelingen zwartwitfoto's liet staan. Ze vertelde dat in de Tweede Wereldoorlog het hart van het Italiaanse verzet zich in en om Bologna bevond. De Bolognezen haatten Mussolini en zijn fascisten en de Duitse bezetters en er was een actieve ondergrondse. De nazi's namen wraak, ze hadden uitgebreid bekendgemaakt dat ze tien Italianen zouden doden voor iedere Duitser die door het verzet werd gedood. In 55 bloedbaden in en om Bologna vermoordden ze duizenden jonge Italiaanse verzetsstrijders. Hun namen en gezichten waren op deze muur aangebracht om nooit vergeten te worden.

Het was een somber moment, en de bejaarde Australiërs schuifelden dichter naar de muur toe om naar de helden te kijken. Marco kwam ook dichterbij. Hij werd verrast door hun jeugdigheid, door de belofte die nooit was vervuld; afgeslacht om hun moed.

Toen Francesca verderging met de groep, bleef hij achter om naar de gezichten op de lange muur te kijken. Het waren er honderden, misschien wel duizenden. Hier en daar een aantrekkelijk vrouwengezicht. Broers. Vaders en zoons. Een heel gezin.

Boeren die bereid waren te sterven voor hun land en hun overtuigingen. Trouwe patriotten die niets anders te geven hadden dan hun leven. Maar zo was Marco niet. O nee. Toen hij moest kiezen tussen loyaliteit en geld, had Marco gedaan wat hij altijd deed. Hij had voor het geld gekozen. Hij had zijn land de rug toegekeerd. Om de glorie van het geld.

Ze stond achter de deur van het café te wachten. Ze dronk niets, maar rookte natuurlijk wel. Het feit dat ze hem nog zo laat een les wilde geven, dacht Marco, wees erop dat ze het werk nodig had.

'Heb je zin om te gaan wandelen?' vroeg ze voordat ze hem begroette.

'Natuurlijk.' Hij had voor de lunch al enkele kilometers met Ermanno gelopen en na de lunch ook enkele uren waarin hij op haar wachtte. Hij had voor die dag wel genoeg gewandeld, maar wat kon hij anders doen? Hij liep nu al een maand heel wat kilometers per dag en was in goede conditie. 'Waar gaan we naartoe?'

'Het is een heel eind,' zei ze.

Ze liepen door smalle straatjes naar het zuidwesten en praatten langzaam in het Italiaans over de ochtendles met Ermanno. Ze vertelde over de Australiërs, een ongedwongen, vriendelijk volk. Toen ze aan de rand van de oude stad kwamen en de Porta Saragozza naderden, besefte Marco waar hij was en waar hij heen ging.

'Naar San Luca,' zei hij.

'Ja. Het is erg helder weer. Het wordt een mooie avond. Ben je fit?'

Zijn voeten deden vreselijk pijn, maar dat zou hij nooit toegeven.

'*Andiamo*,' zei hij. Laten we gaan.

Het Santuario di San Luca stond al acht eeuwen bijna driehonderd meter boven de stad op de Colle della Guardia, een van de eerste heuvels aan de voet van de Apennijnen. Het keek als waker uit over Bologna. Om er te komen zonder nat te worden of in de zon te verbranden, deden de Bolognezen waar ze altijd zo goed in waren geweest: ze bouwden een overdekt looppad. Ze begonnen daarmee in 1674 en bouwden 65 jaar lang zonder onderbreking de ene boog na de andere, 666 bogen over een pad dat in totaal drie kilometer en zeshonderd meter lang is, de langste zuilengang ter wereld.

Hoewel Marco de geschiedenis van de stad had bestudeerd, was het allemaal veel interessanter wanneer het door Francesca werd verteld. Het was een stevige klim tegen de helling op, en ze pasten hun tempo daarbij aan. Na honderd bogen deden zijn kuiten vreselijk pijn. Zij daarentegen stapte voort alsof ze bergen kon beklimmen. Hij verwachtte dat ze door al die sigaretten in ademnood zou komen, maar dat gebeurde niet.

Om zo'n groot en extravagant project te kunnen financieren, maakte Bologna gebruik van zijn aanzienlijke rijkdom. Het was een zeldzaam staaltje van eenheid onder de rivaliserende facties. Elke boog van de zuilengang werd gefinancierd door een andere groep kooplieden, ambachtslieden, studenten, kerken en adellijke families. Om hun prestatie vast te leggen, en zelf in de herinnering voort te leven, mochten ze plaquettes tegenover hun bogen hangen. De meeste waren in de loop van de tijd verdwenen.

Francesca bleef even staan bij de 170e boog, waar nog een van de weinige overgebleven plaquettes hing. Deze boog werd *la Madonna grassa* genoemd, de dikke madonna. Er waren onderweg vijftien kapellen. Ze bleven weer staan tussen de achtste en negende kapel, waar een viaduct over een weg leidde. Toen ze het steilste deel van de helling beklommen, vielen er lange schaduwen door de zuilengang. 'Het is 's avonds goed verlicht,' verzekerde ze hem. 'Voor de terugweg.'

Marco dacht niet aan de terugweg. Hij keek nog omhoog, tuurde nog naar de kerk, die soms dichterbij leek en op andere momenten van hen weg leek te glippen. Zijn dijspieren deden inmiddels pijn en zijn stappen kostten hem meer moeite.

Toen ze het hoogste punt bereikten en onder de 666e boog vandaan stapten, stonden ze tegenover de prachtige basiliek. De lichten daarvan gingen aan, want de heuvels boven Bologna waren inmiddels in duisternis gehuld, en de koepel glansde met schakeringen van goud. 'Hij is nu dicht,' zei ze. 'We bekijken hem op een andere dag.'

Onderweg had hij een glimp opgevangen van een bus die de helling kwam afrijden. Als hij ooit nog eens naar San Luca zou gaan om door de zoveelste kathedraal te wandelen, zou hij vast en zeker de bus nemen.

'Deze kant op,' zei ze zachtjes, en ze wenkte hem naar zich toe. 'Ik weet een geheim pad.'

Hij liep achter haar aan over een grindpad achter de kerk langs naar een plateau, waar ze bleven staan en naar de stad beneden hen keken. 'Dit is mijn favoriete plek,' zei ze, diep ademhalend alsof ze op die manier de schoonheid van Bologna in zich op probeerde te nemen.

'Hoe vaak kom je hier?'

'Een aantal keren per jaar, meestal met groepen. Ze nemen altijd de bus. Soms ga ik op zondagmiddag lopend naar boven.'

'Alleen?'

'Ja, alleen.'

'Kunnen we ergens zitten?'

'Ja, er is daar een verscholen bankje. Niemand weet ervan.' Hij ging een eindje met haar omlaag en ze liepen over een rotsig pad naar een ander plateau met een even spectaculair uitzicht.

'Zijn je benen moe?' vroeg ze.

'Natuurlijk niet,' loog hij.

Ze stak een sigaret op en genoot daarvan zoals maar weinig mensen van een sigaret kunnen genieten. Ze zaten een hele tijd zwijgend naast elkaar. Ze rustten uit, dachten na en keken naar de glinsterende lichtjes van Bologna.

Ten slotte zei Marco: 'Luigi heeft me verteld dat je man ernstig ziek is. Ik vind dat heel erg.'

Ze keek hem verrast aan en wendde zich toen af. 'Luigi zegt dat ik geen persoonlijke dingen mag vertellen.'

'Luigi heeft de regels veranderd. Wat heeft hij jou over mij verteld?'

'Ik heb daar niet naar gevraagd. Je komt uit Canada, je reist rond, je wilt Italiaans leren.'

'Geloof je dat?'

'Niet echt.'

'Waarom niet?'

'Je zegt dat je vrouw en kinderen hebt, maar je laat ze in de steek om een lange reis naar Italië te maken. En als je een zakenman bent die een vakantiereis maakt, welke rol speelt Luigi dan? En Ermanno? Waarom heb je die mensen nodig?'

'Goede vragen. Ik heb geen vrouw.'

'Dus het is allemaal een leugen.'
'Ja.'
'Wat is de waarheid?'
'Die kan ik je niet vertellen.'
'Goed. Ik wil het niet weten.'
'Jij hebt al genoeg problemen, nietwaar, Francesca?'
'Mijn problemen zijn mijn zaak.'
Ze stak weer een sigaret op. 'Mag ik er ook een?' vroeg hij.
'Rook je?'
'Vele jaren geleden.' Hij nam er een uit het pakje en stak hem aan.
De lichtjes van de stad werden helderder naarmate de duisternis
zich verspreidde.
'Vertel je Luigi alles wat we doen?' vroeg hij.
'Ik vertel hem erg weinig.'
'Goed.'

20

Teddy's laatste bezoek aan het Witte Huis stond voor tien uur 's morgens op het programma. Hij was van plan te laat te komen. Vanaf zeven uur die ochtend overlegde hij met zijn officieuze overgangsteam: alle vier de adjunct-directeuren en zijn naaste medewerkers. In kleine besloten bijeenkomsten vertelde hij zijn vertrouwelingen dat hij zou vertrekken, dat het al een hele tijd onvermijdelijk was, en dat de CIA in goede conditie verkeerde en het leven zou doorgaan.

Degenen die hem goed kenden, voelden een zekere opluchting. Per slot van rekening liep hij tegen de tachtig en werd zijn legendarische slechte gezondheid steeds slechter.

Om precies kwart voor negen, toen hij zat te overleggen met William Lucat, zijn adjunct-directeur voor operaties, nodigde hij Julia Javier uit voor hun bespreking over Backman. De zaak-Backman was belangrijk, maar stond in het totaal van het inlichtingenwerk ergens midden in de lijst.

Wat vreemd dat een operatie met betrekking tot een in ongenade gevallen lobbyist Teddy's ondergang zou worden.

Julia Javier zat naast de altijd waakzame Hoby, die nog aantekeningen maakte die niemand ooit zou zien, en zei zakelijk: 'Hij is nog in Bologna, dus als we tot actie moeten overgaan, kunnen we dat nu doen.'

'Ik dacht dat we hem naar een dorp op het platteland zouden brengen, ergens waar we hem beter in de gaten konden houden?' zei Teddy.

'Dat is pas over een paar maanden.'

'Zoveel tijd hebben we niet.' Teddy keek Lucat aan en zei: 'Wat gebeurt er als we nu op de knop drukken?'

'Dan werkt het. Dan krijgen ze hem ergens in Bologna te pakken. Dat is een mooie stad met bijna geen misdaad. Moorden komen daar bijna niet voor, en dus zal zijn dood wat aandacht krijgen als zijn lichaam daar wordt gevonden. De Italianen zullen snel beseffen dat hij niet... Hoe heet hij, Julia?'

'Marco,' zei Teddy zonder in zijn aantekeningen te kijken. 'Marco Lazzeri.'

'Ja, ze zullen zich op het hoofd krabben en zich afvragen wie hij is.' Julia zei: 'Zijn identiteit is niet te achterhalen. Ze hebben dan een lichaam en een vals identiteitsbewijs, maar geen familie, geen vrienden, geen adres, geen baan, niets. Ze begraven hem van de armen en houden het dossier een jaar open. Dan sluiten ze het.'

'Dat is niet ons probleem,' zei Teddy. 'Wij vermoorden hem niet.'

'Precies,' zei Lucat. 'In de stad is het een beetje rommeliger, maar hij mag graag door de straten lopen. Ze krijgen hem wel. Misschien rijdt een auto hem aan. Die Italianen rijden als gekken, weet je.'

'Zo moeilijk is het niet, hè?'

'Ik denk van niet.'

'En hoe groot is de kans dat we weten wanneer het gebeurt?' vroeg Teddy.

Lucat krabde aan zijn baard en keek over de tafel naar Julia, die op een nagel beet en naar Hoby keek, die met een plastic lepeltje in een beker groene thee roerde. Ten slotte zei Lucat: 'Ik zou zeggen, fifty-fifty, in elk geval dat we ter plaatse zijn. We zullen hem zeven dagen per week, 24 uur per dag in de gaten houden, maar de mensen die hem uitschakelen zullen de allerbesten zijn. Misschien zijn er geen getuigen.'

Julia voegde daaraan toe: 'Een paar weken nadat ze de anonieme arme drommel hebben begraven, maken we de meeste kans. We hebben daar goede mensen. We luisteren goed. Ik denk dat we het dan wel te horen krijgen.'

Lucat zei: 'Als we niet zelf de trekker overhalen, is er altijd een kans dat we het nooit zeker weten.'

'We mogen dit niet verknoeien, begrepen? Het zal prettig zijn om te horen dat Backman dood is – God weet dat hij het verdient – maar de operatie is op touw gezet om te zien wie hem vermoordt,' zei Teddy, terwijl zijn witte gerimpelde handen langzaam een kartonnen bekertje groene thee naar zijn mond brachten. Hij slurpte luid en grof.

Misschien werd het tijd dat de oude man ging zitten wegkwijnen in een bejaardentehuis.

'Ik heb er redelijk veel vertrouwen in,' zei Lucat. Hoby noteerde dat.

'Als we het nu laten uitlekken, hoe lang duurt het dan voor hij dood is?' vroeg Teddy.

Lucat haalde zijn schouders op en staarde voor zich uit alsof hij over de vraag nadacht. Julia kauwde op een andere nagel. 'Dat hangt ervan af,' zei ze voorzichtig. 'Als het de Israëliërs zijn, kan het binnen een week gebeuren. De Chinezen zijn meestal langzamer. De Saudi's zullen wel een huurmoordenaar zoeken, en dan kan het wel een maand duren.'

'De Russen kunnen het binnen een week,' voegde Lucat daaraan toe.

'Als het gebeurt, ben ik hier niet meer,' zei Teddy triest. 'En niemand aan deze kant van de Atlantische Oceaan zal het ooit weten. Beloof me dat jullie me bellen.'

'Dit is het groene licht?' vroeg Lucat.

'Ja. Maar wees voorzichtig met dat uitlekken. Alle jagers moeten evenveel kans op de prooi krijgen.'

Ze namen definitief afscheid van Teddy en verlieten zijn kantoor. Om halftien duwde Hoby hem de gang op naar de lift. Ze daalden acht verdiepingen af naar het souterrain, waar de kogelvrije witte busjes klaarstonden voor zijn laatste rit naar het Witte Huis.

Het gesprek duurde niet lang. Dan Sandberg zat achter zijn bureau op de *Post* toen het om een paar minuten over tien in het Oval Office begon. En twintig minuten later, toen het telefoontje van Rusty Lowell kwam, zat hij daar nog steeds. 'Het is voorbij,' zei Lowell.

'Wat is er gebeurd?' vroeg Sandberg, die al aan het typen was.

'Het ging volgens het scenario. De president wilde meer over Backman weten. Teddy hield voet bij stuk. De president zei dat hij er recht op had om alles te weten. Teddy beaamde dat, maar hij zei dat

de informatie voor politieke doeleinden zou worden misbruikt en een gevoelige operatie in gevaar zou brengen. Ze bakkeleiden daar even over. Teddy werd ontslagen. Precies zoals ik je heb verteld.'
'Goh.'
'Het Witte Huis komt over vijf minuten met een bekendmaking. Misschien wil je kijken.'
Zoals altijd begon de manipulatie meteen. De persvoorlichter maakte met een somber gezicht bekend dat de pers had besloten 'onze inlichtingenoperaties op een nieuwe koers te brengen'. Hij prees directeur Maynard voor zijn legendarische leiderschap en wekte de indruk dat het hem droevig stemde dat hij nu een opvolger moest zoeken. De eerste vraag, afgevuurd vanaf de voorste rij, was of Maynard ontslag had genomen of ontslagen was.
'De president en directeur Maynard zijn tot overeenstemming gekomen.'
'Wat betekent dat?'
'Precies wat ik zei.'
En zo ging het een halfuur door.
In Sandbergs voorpaginaverhaal van de volgende morgen zaten twee sensationele primeurs. Het begon met de definitieve bevestiging dat Maynard was ontslagen omdat hij had geweigerd gevoelige informatie te verstrekken voor wat naar zijn oordeel vuige politieke doeleinden waren. Hij had geen ontslag genomen en hij en de president waren ook niet 'tot overeenstemming gekomen'. Hij was gewoon ontslagen. Ten tweede maakte hij bekend dat de president die bewuste gegevens van de CIA wilde hebben omdat de FBI een onderzoek naar het verkopen van gratieverleningen had ingesteld. Het schandaal van de gekochte graties had al in de verte gerommeld, maar nu zette Sandberg de deur open. Zijn primeur bracht het verkeer op de Arlington Memorial Bridge nagenoeg tot stilstand.
Toen Sandberg nog op de krant was, genietend van zijn primeurs, ging zijn mobieltje. Het was Rusty Lowell, die kortaf zei: 'Bel me via een vaste lijn, en doe het snel.' Sandberg ging naar een kamertje waar hij privacy had en toetste Lowells nummer op het CIA-hoofdkantoor in.
'Lucat is net ontslagen,' zei Lowell. 'Hij heeft om acht uur vanmorgen in het Oval Office met de president gesproken. Die vroeg hem als interim-directeur op te treden. Hij zei ja. Ze spraken een uur

met elkaar. De president drong aan op het Backman-dossier. Lucat hield voet bij stuk. En toen werd hij ontslagen, net als Teddy.'

'Verdomme, die zit daar al honderd jaar.'

'Achtendertig jaar, om precies te zijn. Een van de beste mensen hier. Een geweldig goede bestuurder.'

'Wie is de volgende?'

'Dat is een erg goede vraag. We zijn allemaal bang voor de klop op de deur.'

'Iemand moet de leiding van de CIA overnemen.'

'Heb je Susan Penn ooit ontmoet?'

'Nee. Ik weet wie ze is, maar ik heb haar nooit ontmoet.'

'Adjunct-directeur voor wetenschap en technologie. Ze is Teddy altijd erg trouw geweest, dat zijn we allemaal, maar ze is ook iemand die aan haar carrière denkt. Ze is nu in het Oval Office. Als haar wordt gevraagd interim-directeur te worden, doet ze het. En ze wil het Backman-dossier wel afgeven om het te worden.'

'Hij is de president, Rusty. Hij heeft er recht op om alles te weten.'

'Natuurlijk. En het is een principekwestie. Je kunt het de man niet kwalijk nemen. Hij is pas begonnen en hij wil zijn spierballen laten zien. Het ziet ernaar uit dat hij ons een voor een gaat ontslaan, tot hij zijn zin krijgt. Ik heb tegen Susan Penn gezegd dat ze de baan moet aannemen om er een eind aan te maken.'

'Dus de FBI weet binnenkort alles over Backman?'

'Vandaag nog, denk ik. ik weet niet wat ze gaan doen als ze horen waar hij is. Het duurt nog weken voor ze een tenlastelegging hebben. Waarschijnlijk verknoeien ze gewoon de operatie.'

'Waar is hij?'

'Dat weet ik niet.'

'Kom nou, Rusty, het ligt nu anders.'

'Het antwoord is nee. Einde verhaal. Ik hou je op de hoogte van het aderlaten.'

Een uur later sprak de persvoorlichter van het Witte Huis met de pers en maakte hij de benoeming van Susan Penn tot interim-directeur van de CIA bekend. Hij zei er nadrukkelijk bij dat ze de eerste vrouw in die functie was, waarmee maar weer eens werd bewezen hoe vastbesloten de president was om zich voor de zaak van de gelijke rechten in te zetten.

Luigi zat op de rand van zijn bed. Hij was helemaal alleen en hij had al zijn kleren aan. Hij wachtte op het signaal uit het appartement naast hem. Dat kwam om veertien minuten over zes, Marco werd een echt gewoontedier. Luigi liep naar de controlekamer en drukte op een knop om de zoemer tot zwijgen te brengen die aangaf dat zijn vriend door de voordeur naar buiten was gegaan. Een computer registreerde de exacte tijd en binnen enkele seconden zou iemand in Langley weten dat Marco Lazzeri om precies veertien over zes het huis aan de Via Fondazza had verlaten.

Luigi had hem een paar dagen niet gevolgd. Simona was blijven slapen. Hij wachtte een paar seconden, glipte de achterdeur uit, liep vlug door een steegje en tuurde in de schaduw van de zuilengangen langs de Via Fondazza. Marco was links van hem. Hij liep in zuidelijke richting en deed dat in zijn gebruikelijke pittige tempo, dat hoger werd naarmate hij langer in Bologna was. Hij was minstens twintig jaar ouder dan Luigi, maar door al die kilometers die hij elke dag liep had hij een betere conditie gekregen. Daar kwam nog bij dat hij niet rookte, niet veel dronk, blijkbaar geen belangstelling voor de dames en het nachtleven had en de afgelopen zes jaar in een kooi had gezeten. Geen wonder dat hij urenlang door de straten kon dwalen zonder iets te doen.

Omdat hij zijn nieuwe wandelschoenen elke dag droeg, had Luigi ze niet in handen kunnen krijgen en zat er nog steeds geen zendertje in. Whitaker in Milaan maakte zich daar zorgen over, maar ja, die piekerde over alles. Luigi was ervan overtuigd dat Marco misschien wel honderd kilometer door de stad zou lopen maar de stad niet zou verlaten. Hij was wel eens een tijdje zoek, als hij op verkenning ging of interessante dingen wilde bekijken, maar hij kwam altijd weer opdagen.

Marco sloeg nu de Via Santo Stefano in, een hoofdweg die van de zuidoostelijke hoek van het oude Bologna naar de drukte rond de Piazza Maggiore leidde. Luigi stak over en volgde hem aan de overkant. Terwijl hij bijna op een drafje liep, nam hij vlug radiocontact op met Zellman, een nieuwe man in Bologna, door Whitaker gestuurd om het net strakker aan te trekken. Zellman wachtte op de Strada Maggiore, ook een drukke weg tussen de Via Fondazza en de universiteit.

Zellmans komst was een teken dat het plan een stapje verder was gegaan. Luigi kende nu de meeste details en vond het een beetje droevig dat Marco's dagen geteld waren. Hij wist niet wie hem zou elimineren en hij kreeg de indruk dat Whitaker het ook niet wist. Luigi hoopte maar dat ze hem niet zouden opdragen het te doen. Hij had twee mensen gedood en wilde zich verder liever buiten zulke dingen houden. Daar kwam nog bij dat hij Marco graag mocht. Voordat Zellman het spoor had opgepikt, was Marco opeens weg. Luigi bleef staan luisteren. Hij dook een donker portiek in, voor het geval Marco ook was blijven staan.

Marco hoorde hem daar achter; zijn voetstappen waren een beetje te luid en zijn ademhaling was een beetje te hard. Snel naar links een smal straatje in, de Via Castellata, een sprint van vijftig meter, weer naar links de Via de' Chiari in, en een radicale verandering van richting, van pal noord naar pal west, een hele tijd doorlopen in een stevig tempo, tot hij bij een pleintje kwam dat de Piazza Cavour heette. Hij kende de oude stad nu zo goed, de brede avenues, de steegjes, de doodlopende straatjes, de kruispunten, het eindeloze labyrint van bochtige straatjes, de namen van alle pleinen en veel winkels. Hij wist welke sigarenwinkels om zes uur opengingen en welke pas om zeven uur. Hij kende vijf cafetaria's die al heel vroeg vol zaten, al wachtten de meeste met opengaan tot het licht was. Hij wist waar hij voor het raam kon zitten, achter een krant, met een goed zicht op het trottoir, zodat hij kon kijken of Luigi hem volgde.
Hij kon Luigi kwijtraken wanneer hij maar wilde, al speelde hij het spelletje de meeste dagen mee en liet hij zich gemakkelijk volgen. Maar het feit dat hij zo nauwlettend werd geschaduwd, sprak boekdelen.
Ze willen niet dat ik de benen neem, zei hij steeds weer tegen zichzelf. En waarom? Omdat er een reden is waarom ik hier ben.
Hij ging een heel eind naar het westen van de stad, ver van alle plaatsen waar ze hem zouden verwachten. Nadat hij bijna een uur door tientallen straatjes en steegjes had gezigzagd, kwam hij op de Via Irnerio en keek daar naar de voetgangers. De Bar Fontana was recht tegenover hem. Niemand keek ernaar.
Rudolph zat helemaal achterin, zijn hoofd begraven in het ochtendblad, de pijprook opstijgend in een lome blauwe spiraal. Ze hadden elkaar in geen tien dagen gezien, en na de gebruikelijke hartelijke begroetingen was zijn eerste vraag: 'Ben je in Venetië geweest?'

Ja, daar had hij zich enorm geamuseerd. Marco noemde de namen op van alle bezienswaardigheden die hij uit zijn hoofd had geleerd. Hij praatte honderduit over de kanalen, al die verschillende bruggen, de immense horden toeristen. Een schitterende stad. Hij zat te popelen om er weer naartoe te gaan. Rudolph droeg een paar eigen herinneringen aan Venetië bij. Marco beschreef de San Marco alsof hij daar een week in had doorgebracht.

'Waar nu naartoe?' vroeg Rudolph.

'Waarschijnlijk naar het zuiden, naar het warme weer. Misschien Sicilië, de kust van Amalfi.' Rudolph was natuurlijk gek op Sicilië en vertelde over de keren dat hij daar was geweest. Nadat ze een halfuur over reizen hadden gepraat, kwam Marco eindelijk terzake.

'Ik reis zoveel dat ik eigenlijk geen adres heb. Een vriend uit Amerika stuurt me een pakje. Ik heb hem jouw adres op de juridische faculteit doorgegeven. Ik hoop dat je dat niet erg vindt.'

Rudolph stak zijn pijp weer aan. 'Het is er al. Gisteren aangekomen,' zei hij. Tegelijk met de woorden kwam er dichte rook uit zijn mond.

Marco's hart sloeg een slag over. 'Stond er een afzender op?'

'Het kwam uit Virginia.'

'Goed.' Hij had meteen een droge mond. Hij nam een slokje water en deed zijn best zijn opwinding verborgen te houden. 'Ik hoop dat je het niet erg vindt.'

'Nee hoor.'

'Ik kom het straks ophalen.'

'Ik ben van elf uur tot halfeen in mijn kamer.'

'Goed. Bedankt.' Weer een slokje. 'Gewoon uit nieuwsgierigheid: hoe groot is het pakje?'

Rudolph kauwde op de steel van zijn pijp en zei: 'Ongeveer zo groot als een kleine sigarendoos.'

In de loop van de morgen ging het regenen. Marco en Ermanno liepen door de universiteitswijk en vonden beschutting in een rustig cafeetje. Ze waren vroeg klaar met de les, vooral omdat de leerling er zo'n vaart achter had gezet. Ermanno was altijd bereid om er vroeg mee op te houden.

Omdat hij niet met Luigi zou lunchen, kon Marco vrijelijk door de stad zwerven, vermoedelijk zonder te worden gevolgd. Evengoed was hij voorzichtig. Hij maakte zijn omtrekkende bewegingen, soms naar een punt waar hij al geweest was, en voelde zich zoals altijd belachelijk. Belachelijk of niet, het was een standaardprocedure geworden. Toen hij in de Via Zamboni terug was, sloot hij zich aan bij een groep studenten die doelloos over straat slenterde. Bij de deur van de juridische faculteit aangekomen, dook hij naar binnen, rende de trap op en klopte binnen enkele seconden op Rudolphs halfopen deur.

Rudolph zat achter zijn oeroude schrijfmachine en typte zo te zien een persoonlijke brief. 'Daar,' zei hij, wijzend naar een berg papier op een tafel die in geen tientallen jaren was opgeruimd.

Marco pakte het pakje zo nonchalant mogelijk op. 'Nogmaals bedankt, Rudolph,' zei hij, maar Rudolph was alweer aan het typen. Het was duidelijk dat hij niet gestoord wilde worden en niet in de stemming was voor bezoek.

'Graag gedaan,' zei hij achterom, en hij liet weer een wolk pijprook ontsnappen.

'Is er een toilet hier in de buurt?' vroeg Marco.

'Links op de gang.'

'Dank je. Tot ziens.'

Er was een prehistorisch urinoir en drie houten hokjes. Hij ging het achterste in, deed de deur op slot, liet het deksel van de wc zakken en ging zitten. Hij maakte zijn pakje zorgvuldig open en vouwde de vellen papier open. Het eerste papier had geen briefhoofd. Toen hij de woorden 'Beste Marco' zag, sprongen de tranen hem bijna in de ogen.

Beste Marco,
Ik vond het geweldig om van je te horen. Ik dankte God toen je werd vrijgelaten en ik bid nu voor je veiligheid. Zoals je weet, wil ik alles doen om je te helpen.
Hierbij ontvang je een Smartphone, het allernieuwste op dat gebied. De Europeanen zijn ons voor met mobiele telefoons en draadloze internettechnologie, dus dit apparaat moet daar prima werken. Ik heb wat instructies op een ander vel papier geschreven. Ik weet dat het Grieks is, maar het is echt niet zo ingewikkeld.
Bel maar niet, dat is te gemakkelijk na te gaan. Bovendien zou je een naam moeten gebruiken en een account moeten aanvragen. Werk met e-mail. Als je KwyteMail met encryptie

gebruikt, kan niemand onze communicatie nagaan. Ik stel voor
dat je alleen naar mij mailt. Ik stuur alles wel door.
Ik heb een nieuwe laptop gekocht die ik voortdurend bij me in de
buurt zal houden.
Dit zal werken, Marco. Geloof me. Zodra je on line bent, kun je
me mailen en kunnen we praten.
Veel succes, Grinch
(5 maart)

Grinch? Een code of zoiets? Hij had hun echte namen niet gebruikt.
Marco keek naar het smalle apparaatje. Hij begreep er niets van,
maar was van plan dat verrekte ding aan de praat te krijgen. Hij stak
zijn vingers in het kleine foedraal, vond het geld en telde het langzaam alsof het goud was. De deur ging open en dicht; iemand
gebruikte het urinoir. Marco kon bijna niet ademhalen. Ontspan
je, zei hij steeds weer tegen zichzelf.
De deur van de toiletruimte ging weer open en dicht, en hij was
alleen. De instructies op het andere vel papier waren met de hand
geschreven. Blijkbaar had Neal toen niet veel tijd gehad. Er stond:

Ankyo 850 pc Pocket Smartphone – volledig geladen batterij –
6 uur spreektijd alvorens te herladen, lader bijgevoegd.
Stap 1) Ga naar internetcafé met draadloze toegang – lijst bijge-
sloten.
Stap 2) Ga café binnen of nader het tot binnen zestig meter.
Stap 3) Zet aan. Schakelaar rechtsboven.
Stap 4) Wacht tot 'Access Area' in scherm verschijnt, en dan de
vraag 'Access Now?' Druk op 'Yes' onder aan scherm; wacht.
Stap 5) Druk dan op toetsenbordschakelaar, rechtsonder, en klap
toetsenbord open.
Stap 6) Klik op 'Wi-Fi access' op scherm.
Stap 7) Klik op 'Start' voor internetbrowser.
Stap 8) Type bij cursor 'www.kwytemail.com'.
Stap 9) Type gebruikersnaam 'Grinch456'.
Stap 10) Type wachtwoord 'post hoc ergo propter hoc'.
Stap 11) Druk op 'Compose' om nieuw bericht op te stellen.
Stap 12) Type mijn e-mailadres: 123Grinch@kwytemail.com.
Stap 13) Typ je bericht voor mij.

Stap 14) Klik op 'Encrypt Message'.
Stap 15) Klik op 'Send'.
Stap 16) Bingo, ik heb het bericht.

Er stonden nog meer opmerkingen op de andere kant, maar Marco moest even pauzeren. De telefoon werd met de minuut zwaarder, want hij riep meer vragen op dan dat hij beantwoordde. Marco was nooit in een internetcafé geweest en kon zich dus niet voorstellen hoe je er een kon gebruiken als je aan de overkant van de straat stond. Of binnen zestig meter.

Hij had altijd secretaresses gehad om de stroom e-mailberichten af te handelen. Hij had het te druk gehad om voor een beeldscherm te zitten.

Er was een boekje met een handleiding bij. Hij sloeg het op een willekeurige plaats open. Hij las een paar regels en begreep er helemaal niets van. Vertrouw op Neal, zei hij tegen zichzelf.

Je zult wel moeten, Marco. Je moet met dat verrekte ding leren werken.

Vanaf een website die www.AxEss.com heette had Neal een lijst van gratis draadloze internetplaatsen in Bologna afgedrukt – drie cafés, twee hotels, een bibliotheek en een boekwinkel.

Marco vouwde zijn geld op, stopte het in zijn zak en stopte de rest weer in het pakje. Hij stond op, spoelde om de een of andere reden het toilet door en ging weg. De telefoon, de papieren, het foedraal en de kleine lader gingen allemaal gemakkelijk in de diepe zakken van zijn anorak.

Toen hij de juridische faculteit verliet, sneeuwde het inmiddels, maar door de overdekte trottoirs en de vele studenten die gingen lunchen liep hij beschut. Toen hij de universiteitswijk achter zich liet, zocht hij in gedachten naar geheime bergplaatsen voor de geweldige dingen die Neal hem had gestuurd. De telefoon zou hij altijd bij zich dragen. Het geld ook. Maar de papieren – de brief, de instructies, de handleiding – waar kon hij die verbergen? In zijn appartement was geen enkele plaats veilig. Hij zag in een etalage een fraai soort schoudertas. Hij ging naar binnen en informeerde ernaar. Het was een laptoptas van het merk Silvio, marineblauw, waterdicht, gemaakt van een synthetisch weefsel dat de verkoopster niet kon vertalen. Hij kostte zestig euro, en Marco legde dat geld met tegenzin op de toonbank. Terwijl zij het geld in de kassa deed, stopte hij de telefoon en de andere dingen in de tas. Buiten hing hij hem aan zijn schouder en hield hem onder zijn rechterarm.

Die tas betekende voor Marco Lazzeri de vrijheid. Hij zou hem tot het uiterste bewaken.

Hij ging naar de boekwinkel in de Via Ugo Bassi. De tijdschriften bevonden zich op de eerste verdieping. Hij stond vijf minuten met een voetbalblad bij het rek en keek naar de voordeur of er een verdacht uitziend persoon binnenkwam. Belachelijk. Maar het was een gewoonte geworden. De internetverbindingen bevonden zich in een kleine cafetaria op de tweede verdieping. Hij kocht een pasteitje en een cola en ging in een smalle nis zitten vanwaar hij iedereen kon zien komen en gaan.

Niemand kon hem daar vinden.

Met zoveel zelfvertrouwen als hij kon opbrengen, haalde hij zijn Ankyo 850 tevoorschijn en keek in de handleiding. Hij las Neals instructies nog eens door. Hij volgde ze nerveus op en typte met beide duimen op het kleine toetsenbord, precies zoals op een illustratie in de handleiding te zien was. Na elke stap keek hij op om te zien wat er in de cafetaria gebeurde.

De stappen werkten perfect. Binnen de kortste keren was hij tot zijn grote verbazing on line, en toen de codes werkten, kreeg hij een scherm dat hem toestemming gaf om een bericht te schrijven. Langzaam typte hij zijn eerste draadloze e-mail:

> *Grinch: Het pakje ontvangen. Je zult nooit weten hoeveel het voor me betekent. Dank je voor je hulp. Weet je zeker dat onze berichten helemaal veilig zijn? Zo ja, dan zal ik je meer over mijn situatie vertellen. Ik ben helaas niet veilig. Het is ongeveer halfnegen v.m. jouw tijd. Ik verstuur nu dit bericht en kijk over een paar uur of er antwoord is. Veel liefs, Marco*

Hij verstuurde het bericht, zette de telefoon uit en bleef een uur over de handleiding gebogen zitten. Voordat hij wegging om Francesca te ontmoeten, zette hij het weer aan en volgde de stappen om on line te komen. Op het scherm klikte hij 'Google Search' aan, en vervolgens typte hij 'Washington Post' in. Sandbergs verhaal trok zijn aandacht, en hij scrollde het door.

Hij had Teddy Maynard nooit ontmoet, maar ze hadden elkaar een aantal keren door de telefoon gesproken. Dat waren erg gespannen gesprekken geweest. De man was al tien jaar zo goed als dood. In zijn vorige leven had Joel een paar keer de degens gekruist met de CIA, meestal vanwege streken die zijn cliënten, de defensieleveranciers, probeerden uit te halen.

Toen Marco de boekwinkel uitkwam, nam hij de straat in zich op, zag niets van belang en begon aan weer een lange wandeling.

Geld voor gratieverlening? Wat een sensationeel verhaal, maar het was bijna niet te geloven dat een vertrekkende president zich op die manier zou laten omkopen. Ten tijde van zijn eigen spectaculaire val had Joel veel dingen over zichzelf gelezen, en ongeveer de helft daarvan was waar geweest. Hij had door bittere ervaring geleerd dat je weinig kon geloven van wat er in de kranten stond.

21

Een agent, Efraim, betrad vanaf het trottoir een naamloos, onge-
nummerd, onopvallend gebouw aan Pinsker Street in het centrum
van Tel Aviv en liep langs de lift naar een doodlopende gang met
één afgesloten deur. Er was geen knop, geen handgreep. Hij haalde
een apparaatje uit zijn zak dat op een kleine afstandsbediening van
een televisie leek en richtte dat op de deur. Ergens binnen vielen
zware tuimelaars, er was een scherpe klik te horen, en de deur ging
open en verschafte toegang tot een van de vele geheime huizen van
de Mossad, de Israëlische geheime politie. Er waren vier vertrekken,
twee met stapelbedden waarin Efraim en zijn drie collega's sliepen,
een klein keukentje waar ze hun eenvoudige maaltijden klaarmaak-
ten, en een grote, volgestouwde werkruimte waar ze elke dag uren
aan een operatie werkten die zes jaar nagenoeg had gesluimerd
maar plotseling een van de belangrijkste projecten van de Mossad
was geworden.
De vier waren leden van een *kidon*, een kleine, hechte eenheid van
uiterst bekwame agenten die zich vooral toelegden op moord. Snelle, efficiënte, geluidloze moord. Hun doelwitten waren vijanden
van Israël die niet voor het gerecht gebracht konden worden omdat
de rechtbanken niet bevoegd waren. De meeste doelwitten bevonden zich in Arabische en islamitische landen, maar *kidon* werden
ook vaak gebruikt in het voormalige Oostblok, Europa, Azië, zelfs

in Noord-Korea en de Verenigde Staten. Ze kenden geen grenzen, geen beperkingen. Niets kon hen ervan weerhouden de mensen uit te schakelen die Israël wilden vernietigen. De mannen en vrouwen van een *kidon* waren volledig gemachtigd om te doden voor hun land. Wanneer een doelwit eenmaal schriftelijk door de premier was goedgekeurd, werd er een operatieplan in werking gesteld. Er werd een eenheid samengesteld en de vijand van Israël was zo goed als dood. Het was zelden moeilijk geweest om een dergelijke goedkeuring van de top te verkrijgen.

Efraim gooide een zak met pasteitjes op een van de klaptafels waaraan Rafi en Shaul gegevens zaten door te nemen. Amos zat in een hoek bij de computer en bestudeerde kaarten van Bologna in Italië. De meeste van hun gegevens waren verouderd. Er zaten bladzijden met voornamelijk nutteloze achtergrondinformatie over Joel Backman bij, informatie die jaren geleden was verzameld. Ze wisten alles van zijn chaotische privé-leven, de drie ex-vrouwen, de drie kinderen, de voormalige vennoten, de vriendinnen, de cliënten, de vrienden die hij vroeger in invloedrijke kringen in Washington had gehad. Toen zes jaar geleden goedkeuring was verleend aan de moord op hem, was een andere *kidon* hard aan het werk geweest om die informatie over Backman bij elkaar te krijgen. Een voorlopig plan om hem bij een auto-ongeluk in Washington te laten omkomen, was in de ijskast gezet toen Backman zich plotseling schuldig verklaarde en de gevangenis in vluchtte. Zelfs een *kidon* kon niet bij hem komen zolang hij in beschermende hechtenis zat in Rudley.

Die achtergrondinformatie was nu alleen belangrijk vanwege zijn zoon. Sinds zijn verrassende gratie en verdwijning, zeven weken geleden, had de Mossad twee agenten op Neal Backman gezet. Ze wisselden elkaar elke drie of vier dagen af, opdat niemand in Culpeper, Virginia, argwaan zou koesteren; kleine stadjes met hun nieuwsgierige buren en verveelde politieagenten vormden altijd een groot probleem. Een van de Mossad-agenten, een aantrekkelijke dame met een Duits accent, had zelfs in Main Street met Neal gepraat. Ze zei dat ze toeriste was en vroeg de weg naar Montpelier, het huis van de vroegere president James Madison. Ze flirtte, of deed haar best om dat te doen, en was volkomen bereid verder te gaan. Hij hapte niet toe. Ze hadden microfoontjes in zijn huis en kantoor aangebracht en luisterden mee met zijn mobiele telefoon.

Vanuit een lab in Tel Aviv werd ook meegelezen met alle e-mails van en naar zijn kantoor en zijn huis. Ze volgden zijn bankrekening en zijn creditcarduitgaven. Ze wisten dat hij zes dagen geleden even naar Alexandria was geweest, al wisten ze niet waarvoor.

Ze letten ook op Backmans moeder in Oakland, maar die arme vrouw ging zienderogen achteruit. Jarenlang hadden ze zich afgevraagd of ze haar stiekem een van de giftige pillen uit hun verbazingwekkende arsenaal zouden toedienen. Dan zouden ze haar zoon overvallen op haar begrafenis. Maar het *kidon*-handboek over moord verbood het doden van familieleden, tenzij die familieleden ook een gevaar voor de veiligheid van Israël vormden.

Toch was over dat idee gediscussieerd, en Amos was de grootste voorstander geweest.

Ze wilden Backman dood hebben, maar ze wilden ook dat hij een paar uur leefde voordat hij doodging. Ze moesten met hem praten, hem een paar vragen stellen, en als hij niets wilde zeggen, wisten ze hoe ze hem aan het praten konden krijgen. Als de Mossad echt iets wilde weten, praatte iedereen.

'We hebben zes agenten gevonden die Italiaans spreken,' zei Efraim. 'Twee komen hier vanmiddag om drie uur voor een bespreking.' Geen van hen vieren sprak Italiaans, maar ze spraken allemaal vloeiend Engels, en ook Arabisch. Samen spraken ze nog acht andere talen.

Ieder van de vier had gevechtservaring en uitgebreide computertraining, en ze waren erg goed in het oversteken van grenzen (met en zonder papieren), ondervragingen, vermommingen en vervalsingen. En ze konden in koelen bloede doden zonder daar spijt van te krijgen. Hun gemiddelde leeftijd was 34, en ieder van hen was betrokken geweest bij minstens vijf geslaagde *kidon*-operaties.

Wanneer hun *kidon* volledig operationeel was, zou hij twaalf leden tellen. Vier zouden de eigenlijke moord plegen en de andere acht zouden voor dekking, surveillance en tactische ondersteuning zorgen en de rommel opruimen.

'Weten we waar hij woont?' vroeg Amos die achter de computer zat.

'Nee, nog niet,' zei Efraim. 'En ik weet ook niet of we een adres krijgen. Dit komt via contraspionage.'

'Er zijn een half miljoen mensen in Bologna,' zei Amos bijna in zichzelf.

'Vierhonderdduizend,' zei Shaul. 'En honderdduizend daarvan zijn studenten.'

'We moeten een foto van hem hebben,' zei Efraim, en de andere drie onderbraken hun bezigheden en keken op. 'Er is ergens een foto van Backman, een foto die kortgeleden is genomen, na de gevangenis. Daar kunnen we misschien een exemplaar van krijgen.'

'Daar zouden we zeker wat aan hebben.'

Ze hadden honderd oude foto's van Joel Backman. Ze hadden elke vierkante centimeter van zijn gezicht bestudeerd, elke rimpel, elk adertje in zijn ogen, elke sliert haar. Ze hadden zijn tanden geteld en ze hadden kopieën van zijn tandartsgegevens. Hun specialisten aan de andere kant van de stad, op het hoofdkantoor van het Centrale Instituut voor Inlichtingen en Speciale Taken, beter bekend als Mossad, hadden uitstekende computerbeelden gemaakt van het uiterlijk dat Backman nu zou hebben, zes jaar nadat de wereld hem voor het laatst had gezien. Er waren digitale projecties van Backmans gezicht wanneer hij 110 kilo zou wegen, zijn gewicht toen hij zich schuldig verklaarde. En een serie van een Backman van tachtig kilo, het gewicht dat hij nu scheen te hebben. Ze hadden aan zijn haar gewerkt, hadden het natuurlijk gelaten en de kleur voorspeld voor een man van 52. Ze hadden het zwart en rood en bruin gekleurd. Ze hadden het geknipt en langer laten groeien. Ze hadden tien verschillende brillen op zijn gezicht gezet en er een baard aan toegevoegd, eerst een donkere, toen een grijze.

Het kwam allemaal op de ogen neer. Bestudeer de ogen.

Hoewel Efraim de leider van de eenheid was, had Amos meer ervaring. Hij was op Backman gezet in 1998, toen de Mossad voor het eerst geruchten hoorde over de JAM-software die te koop werd aangeboden door een machtige lobbyist in Washington. Via hun ambassadeur in Washington hadden de Israëliërs naar de aankoop van JAM toe gewerkt. Ze dachten dat ze het voor elkaar hadden, maar visten achter het net doordat Backman en Jacy Hubbard een andere koper hadden.

De koopprijs was nooit bekendgemaakt. De deal was niet doorgegaan. Er was wat geld in andere handen overgegaan, maar om de een of andere reden had Backman het product niet geleverd.

Waar was het nu? Had het eigenlijk wel ooit bestaan?

Alleen Backman wist dat.

De onderbreking van zes jaar in de jacht op Joel Backman had

Amos ruimschoots de tijd gegeven om enige hiaten op te vullen. Net als zijn superieuren geloofde hij dat het zogeheten Neptune-satellietsysteem een Chinese creatie was, dat de Chinezen een flink deel van hun nationale schatkist hadden gebruikt om het op te bouwen, dat ze waardevolle technologie van de Amerikanen hadden gestolen om dat te kunnen doen; dat ze de lancering van het systeem briljant hadden gecamoufleerd en daarmee de Amerikaanse, Russische en Israëlische satellieten te slim af waren geweest, en dat ze niet in staat waren geweest het systeem opnieuw te programmeren om de software die JAM had geüpload onschadelijk te maken. Neptune was nutteloos zonder JAM, en de Chinezen zouden hun Grote Muur ervoor over hebben om de hand te leggen op JAM en Backman.

Amos geloofde, evenals de Mossad, dat Farooq Khan, het laatst overgebleven lid van het trio en de belangrijkste schrijver van de software, acht maanden geleden door de Chinezen was opgespoord en vermoord. De Mossad had op zijn spoor gezeten toen hij verdween.

Ze geloofden ook dat de Amerikanen nog niet met zekerheid wisten wie Neptune had gebouwd en dat die inlichtingenlacune een doorlopende, bijna permanente schande was. Amerikaanse satellieten beheersten het luchtruim al veertig jaar en waren in staat door wolken heen te kijken, een machinegeweer onder een tent te zien, een telegrafische overboeking van een drugshandelaar te onderscheppen, mee te luisteren met een gesprek in een gebouw en met infraroodbeelden olie onder de woestijn op te sporen. Ze waren veel beter dan alles wat de Russen hadden gelanceerd. Het was bijna ondenkbaar dat een ander systeem met een even goede of betere technologie kon worden ontworpen, gebouwd, gelanceerd en in werking gesteld zonder dat de CIA en het Pentagon het wisten.

Israëlische satellieten waren erg goed, maar niet zo goed als die van de Amerikanen. En nu had de inlichtingenwereld de indruk dat Neptune veel beter was dan alles wat de Amerikanen ooit hadden gelanceerd.

Dat waren alleen maar veronderstellingen; er was weinig bevestigd. Het enige exemplaar van JAM was verstopt. De scheppers van het programma waren dood.

Amos had zich bijna zeven jaar met de zaak beziggehouden, en hij vond het geweldig dat er een nieuwe *kidon* was. Hij was druk bezig met het maken van plannen. De tijd was erg beperkt. De Chinezen zouden de helft van Italië opblazen als ze dachten dat Backman ergens in de puinhopen zou terechtkomen. De Amerikanen zouden misschien ook proberen hem te pakken te krijgen. Op hun eigen grondgebied werd hij beschermd door hun grondwet, met alle waarborgen die daarin waren opgenomen. De wetten vereisten dat hij eerlijk werd behandeld toen hij in de gevangenis zat, en dat hij 24 uur per dag werd beschermd. Maar aan de andere kant van de wereld was hij vrij bejaagbaar wild.

Kidon waren gebruikt om een paar afvallige Israëliërs te elimineren, maar nooit in hun eigen land. De Amerikanen zouden hetzelfde doen.

Neal Backman bewaarde zijn nieuwe, erg dunne laptop in de oude gehavende aktetas die hij elke avond mee naar huis nam. Lisa had dat niet gemerkt, want hij haalde hem er nooit uit. Hij hield hem dicht bij zich, nooit meer dan twee stappen van hem vandaan.

Hij bracht een kleine verandering in zijn ochtendprogramma aan. Hij had een klantenkaart gekocht van Jerry's Java, een nieuwe koffie- en broodjesketen die met luxe koffie en gratis kranten, tijdschriften en draadloze internettoegang klanten wilde lokken. De keten had een vroeger taco-restaurant met drive-inloket aan de rand van de stad verbouwd. Ze hadden alles in een leuke stijl gemoderniseerd, en in de eerste twee maanden hadden ze erg goede zaken gedaan.

Er stonden drie auto's voor hem in de rij voor het drive-inloket. Hij had zijn laptop op zijn knieën, net onder het stuur. Toen hij aan de beurt was, bestelde hij een dubbele *mocha* zonder slagroom, en daarna wachtte hij tot de auto's voor hem langzaam verder reden. Al wachtend typte hij met beide handen. Zodra hij on line was, ging hij naar KwyteMail. Hij typte zijn gebruikersnaam in, Grinch123, en toen zijn wachtwoord, post hoc ergo propter hoc. Seconden later was het er, het eerste bericht van zijn vader.

Neal hield zijn adem in toen hij het las, en toen blies hij de lucht weer uit en reed een plaatsje verder in de rij. Het werkte! De oude man had het voor elkaar gekregen!

Vlug typte hij:

Marco, onze berichten zijn niet na te trekken. Je kunt alles zeggen wat je wilt, maar het is altijd beter om zo min mogelijk te zeggen. Blij dat je daar bent en niet meer in Rudley. Ik ga elke dag om deze tijd on line, om precies tien voor acht 's morgens. Nu moet ik weg. Grinch

Hij legde de laptop op de passagiersplaats, liet zijn raampje zakken en betaalde bijna vier dollar voor een kop koffie. Toen hij wegreed, keek hij steeds weer naar de computer om te zien hoe lang het toegangssignaal standhield. Hij reed de straat op en na zo'n zestig meter was het signaal weg.

In november, na Arthur Morgans verpletterende nederlaag, was Teddy Maynard naar de gratieverlening aan Backman toe begonnen te werken. Met zijn gebruikelijke zorgvuldige planning bereidde hij zich voor op de dag waarop mollen het nieuws over Backmans verblijfplaats lieten uitlekken. Om de Chinezen een tip te geven op een zodanige manier dat het geen argwaan zou wekken, ging Teddy op zoek naar de perfecte informant.

Ze heette Helen Wang en ze was een Chinees-Amerikaanse van de vijfde generatie die al acht jaar als analiste voor Aziatische aangelegenheden op Langley werkte. Ze was erg intelligent, erg aantrekkelijk en sprak redelijk goed Mandarijns Chinees. Teddy hielp haar aan een tijdelijke detachering op het ministerie van Buitenlandse Zaken, en daar bouwde ze contacten op met diplomaten uit China, van wie sommigen zelf spionnen waren en de meesten voortdurend op zoek waren naar nieuwe informanten.

De Chinezen waren berucht om hun agressieve tactieken bij het rekruteren van informanten. Elk jaar schreven zich 25.000 studenten uit China bij Amerikaanse universiteiten in, en de geheime politie ging ze allemaal na. Van Chinese zakenlieden werd verwacht dat ze na thuiskomst met de centrale inlichtingendienst samenwerkten. De duizenden Amerikaanse ondernemingen die zaken deden in China, werden voortdurend in het oog gehouden. Er werd onderzoek naar hun directieleden gedaan en die werden geobserveerd. Geschikt lijkende personen werden soms benaderd.

Toen Helen Wang zich 'per ongeluk' liet ontvallen dat ze een paar jaar voor de CIA had gewerkt en spoedig daarnaar terug hoopte te keren, had ze algauw de aandacht van inlichtingenchefs in Peking.

209

Ze accepteerde een uitnodiging van een nieuwe vriend om te lunchen in een duur restaurant in Washington, en daarop volgde een diner. Ze speelde haar rol erg goed, ging nooit gretig op hun toenaderingen in, maar zei uiteindelijk altijd met tegenzin ja. Na elke ontmoeting stuurde ze een gedetailleerd rapport naar Teddy.

Toen Backman plotseling uit de gevangenis werd vrijgelaten, en duidelijk werd dat hij was verstopt en niet aan de oppervlakte zou komen, oefenden de Chinezen ontzaglijk veel druk op Helen Wang uit. Ze boden haar honderdduizend dollar aan voor informatie over zijn verblijfplaats. Ze deed alsof ze bang was voor dat aanbod en verbrak het contact een paar dagen. Met perfecte timing beëindigde Teddy haar detachering op Buitenlandse Zaken en riep hij haar naar Langley terug. Twee weken had ze niets te maken met haar oude vrienden op de Chinese ambassade.

Toen belde ze hen en steeg de beloning snel naar vijfhonderdduizend dollar. Helen werd hebberig en eiste een miljoen. Ze beweerde dat ze haar carrière en haar vrijheid op het spel zette en dat die toch wel minstens een miljoen waard waren. De Chinezen gingen akkoord.

Op de dag nadat Teddy was ontslagen, belde ze haar contactpersoon en verzocht ze om een geheime ontmoeting. Ze gaf hem een papier met instructies voor een telegrafische overboeking naar een bankrekening in Panama, een rekening die in het geheim eigendom was van de CIA. Als het geld was binnengekomen, zei ze, zouden ze elkaar ontmoeten en dan zou ze vertellen waar Joel Backman was. Ze zou hun ook een recente foto van Backman geven.

Voor de uitwisseling ontmoetten de informant en de Chinese agent elkaar op een zodanige manier dat niemand iets ongewoons zou opmerken. Na haar werk ging Helen Wang naar een Kroger-winkel in Bethesda. Ze liep naar het eind van gangpad 12, waar de tijdschriften en pocketboeken waren uitgestald. De Chinese agent hing daar rond met een *Lacrosse Magazine* in zijn handen. Helen pakte een ander exemplaar van hetzelfde tijdschrift op en schoof er vlug een envelop in. Ze bladerde enigszins verveeld in het tijdschrift en legde het toen terug. De agent keek in de sportbladen. Helen liep weg, maar ze zag nog wel dat hij haar exemplaar van *Lacrosse Magazine* oppakte.

Deze ene keer was al dat geheimzinnige gedoe eigenlijk niet nodig geweest. Helens vrienden bij de CIA keken niet toe, want ze hadden de uitwisseling zelf georganiseerd. Ze kenden de Chinese agent al jaren.

De envelop bevatte een gefotokopieerde, twintig bij vijfentwintig centimeter grote kleurenfoto van Joel Backman die door een straat liep. Hij was veel slanker geworden, had de eerste aanzet van een grijzig baardje, droeg een bril in Europese stijl en was gekleed als een Italiaan. Onder aan het papier was met de hand geschreven: Joel Backman, Via Fondazza, Bologna, Italië. De agent keek ernaar toen hij in zijn auto zat, en daarna reed hij met grote snelheid naar de ambassade van de Volksrepubliek China aan Wisconsin Avenue NW in Washington.

Eerst schenen de Russen geen belangstelling voor de verblijfplaats van Joel Backman te hebben. Hun onderlinge communicatie werd op verschillende manieren door de CIA gevolgd. Er werden geen voorlopige conclusies getrokken, en dat was ook niet mogelijk. Jarenlang hadden de Russen in het geheim beweerd dat het zogeheten Neptune-systeem van hen was, en dat had de verwarring bij de CIA alleen maar groter gemaakt.

Tot grote verrassing van de inlichtingenwereld slaagde Rusland erin ongeveer 160 verkenningssatellieten per jaar in de lucht te houden, ongeveer evenveel als de voormalige Sovjet-Unie. In tegenstelling tot wat het Pentagon en de CIA hadden voorspeld, waren de Russen nog sterk aanwezig in de ruimte.

In 1999 vertelde een overloper van de GROE, de inlichtingendienst van de Russische strijdkrachten die voor de KGB in de plaats was gekomen, aan de CIA dat Neptune niet van de Russen was. Ze waren er net zo van geschrokken als de Amerikanen. De verdenking viel op de Chinezen, die een grote achterstand hadden in het satellietspel.

Of niet?

De Russen wilden alles over Neptune weten, maar ze waren niet bereid om voor informatie over Backman te betalen. Toen de toenaderingen van Langley grotendeels genegeerd werden, werd dezelfde kleurenfoto die aan de Chinezen was verkocht anoniem geë-maild naar vier Russische inlichtingenchefs die onder diplomatieke dekking in Europa opereerden.

Een manager van een Amerikaanse oliemaatschappij, gestationeerd in Riad, zorgde ervoor dat de informatie naar de Saudi's uitlekte. Hij heette Taggett en hij woonde daar al meer dan twintig jaar. Hij sprak vloeiend Arabisch en bewoog zich zo gemakkelijk in de betere kringen als welke buitenlander ook. Hij was vooral goed bevriend met een vrij hoge ambtenaar op het Saudische ministerie van Buitenlandse Zaken, en toen ze laat op de middag thee dronken, vertelde hij hem dat zijn onderneming zich ooit door Joel Backman had laten vertegenwoordigen. Bovendien – en dat was nog belangrijker – beweerde Taggett dat hij wist waar Backman zich schuilhield.

Vijf uur later werd Taggett gewekt door de deurbel. Drie jongemannen in zakenpakken drongen zijn appartement binnen en eisten enkele ogenblikken van zijn tijd. Ze verontschuldigden zich, legden uit dat ze voor een afdeling van de Saudische politie werkten en zeiden dat ze echt met hem moesten praten. Na enige aandrang was Taggett schoorvoetend bereid de gewenste informatie aan hen door te geven. De CIA had hem geïnstrueerd hoe hij het moest aanpakken en wat hij moest zeggen.

Joel Backman hield zich onder een andere naam schuil in Bologna, Italië. Dat was alles wat hij wist.

Kon hij meer aan de weet komen? vroegen ze.

Misschien wel.

Ze vroegen hem of hij de volgende morgen naar het hoofdkantoor van zijn onderneming in New York wilde vertrekken om te proberen meer informatie over Backman te verkrijgen. Dat was erg belangrijk voor de Saudische regering en de koninklijke familie.

Taggett verklaarde zich daartoe bereid. Hij zou alles doen voor de koning.

22

Elk jaar in mei, kort voor hemelvaartsdag, lopen de inwoners van Bologna in optocht vanaf de Saragozzapoort de Colle della Guardia op. Ze lopen door de langste aaneengesloten zuilengang ter wereld, door alle 666 bogen en langs alle vijftien kapellen, naar de top, waar het Santuario di San Luca staat. Ze halen hun madonna uit het heiligdom en gaan daarmee in processie naar de stad terug, waar ze met haar door de drukke straten gaan en haar ten slotte in de kathedraal van San Pietro zetten, waar ze acht dagen blijft tot een nieuwe processie haar naar huis brengt. Dat festival wordt alleen in Bologna gehouden en is sinds 1476 geen jaar overgeslagen.

Francesca en Joel zaten in het Santuario di San Luca. Francesca beschreef het ritueel en vertelde hoeveel het voor de bevolking van Bologna betekende. Het was een mooi verhaal, maar verder vond Marco het alleen maar de zoveelste lege kerk.

Om zich de drie kilometer en zeshonderd meter lange beklimming van de helling te besparen, hadden ze deze keer de bus genomen. Zijn kuiten deden nog pijn van hun vorige bezoek aan San Luca, drie dagen geleden.

Francesca werd zo door belangrijke zaken afgeleid dat ze in het Engels verviel en dat blijkbaar niet eens merkte. Hij klaagde niet. Toen ze klaar was met het verhaal van het festival, wees ze hem op de interessante elementen in de kathedraal: de architectuur en de constructie van de koepel, de fresco's op de muren. Marco deed zijn uiterste best om op te letten. De koepels en vervaagde fresco's en marmeren crypten en overleden heiligen liepen in Bologna allemaal door elkaar heen, en hij verlangde onwillekeurig naar warmer weer. Dan konden ze buiten blijven en daar praten. Dan konden ze naar de mooie parken van de stad gaan en zou hij protesteren zodra ze zelfs maar praatte over een kathedraal.

Zij dacht niet aan warmer weer. Haar gedachten waren elders.

'Die heb je al gedaan,' onderbrak hij haar toen ze naar een schilderij boven het doopvont wees.

'Sorry. Verveel ik je?'

Het scheelde niet veel of hij zei de waarheid, maar in plaats daarvan zei hij: 'Nee, ik heb genoeg gezien.'

Ze verlieten het heiligdom en liepen om de kerk heen naar het geheime pad dat een eindje omlaag leidde naar het beste uitzicht op de stad. De sneeuw smolt snel op de rode pannendaken. Het was 18 maart.

Ze stak een sigaret op en leek er genoeg aan te hebben om in stilte naar Bologna te kijken. 'Vind je mijn stad mooi?' vroeg ze ten slotte.

'Ja, erg mooi.'

'Wat vind je er mooi aan?'

Na zes jaar gevangenis was elke stad mooi. Hij dacht even na en zei: 'Het is een echte stad, met mensen die wonen waar ze werken. Het is er veilig en schoon, en tijdloos. De dingen zijn in de loop van de eeuwen niet veel veranderd. De mensen houden van hun geschiedenis en zijn trots op wat ze hebben bereikt.'

Ze knikte. Blijkbaar kon ze zijn analyse wel waarderen. 'Ik sta soms versteld van Amerikanen,' zei ze. 'Als ik ze door Bologna leid, hebben ze altijd haast. Ze willen altijd zo gauw mogelijk naar een bezienswaardigheid, want dan kunnen ze die doorstrepen op hun lijst en naar de volgende gaan. Ze vragen altijd naar morgen en overmorgen. Hoe komt dat?'

'Dat moet je niet aan mij vragen.'

'Waarom niet?'

'Ik ben een Canadees, weet je nog wel?'

'Jij bent geen Canadees.'

'Nee, dat ben ik niet. Ik kom uit Washington.'

'Daar ben ik geweest. Ik heb nog nooit zoveel mensen zien rond-

rennen, op weg naar niets. Ik begrijp niet waarom mensen zo'n hectisch leven willen leiden. Alles moet snel: werken, eten, seks.'
'Ik heb in zes jaar geen seks gehad.'
Ze keek hem aan met een blik vol vragen. 'Daar wil ik niet over praten.'
'Je bent er zelf over begonnen.'
Ze nam een trekje van haar sigaret. 'Waarom heb je in zes jaar geen seks gehad?'
'Omdat ik in de gevangenis zat, in eenzame opsluiting.'
Ze huiverde een beetje, en toen ging ze meer rechtop zitten. 'Heb je iemand vermoord?'
'Nee, helemaal niet. Ik heb eigenlijk geen erge dingen gedaan.'
Weer een stilte, weer een trekje. 'Waarom ben je hier?'
'Dat weet ik niet precies.'
'Hoe lang blijf je?'
'Misschien kan Luigi daar antwoord op geven.'
'Luigi,' zei ze alsof ze wilde spugen. Ze draaide zich om en liep door. Hij liep achter haar aan omdat hij niets anders kon doen. 'Waar hou je je voor schuil?' vroeg ze.
'Dat is een erg, erg lang verhaal en je wilt het niet echt weten.'
'Verkeer je in gevaar?'
'Ik denk van wel. Ik weet niet in hoeverre, maar laten we zeggen dat ik mijn echte naam niet durf te gebruiken en niet naar huis durf te gaan.'
'Dat lijkt me een groot gevaar. Welke rol speelt Luigi?'
'Hij beschermt me, denk ik.'
'Hoe lang nog?'
'Dat weet ik echt niet.'
'Waarom ga je er niet gewoon vandoor?'
'Dat ben ik nu aan het doen. Ik ben ermee bezig. En als ik hier wegging, waar zou ik dan heen kunnen gaan? Ik heb geen geld, geen paspoort, geen identiteitsbewijs. Officieel besta ik niet.'
'Dat is erg verwarrend.'
'Ja. Maar we zullen het er niet meer over hebben.'
Hij wendde even zijn ogen af en zag haar niet vallen. Ze droeg zwarte leren laarzen met lage hakken en verdraaide haar linkervoet op een rots die op het smalle pad lag. Ze slaakte een kreet en viel hard op het pad, waarbij ze zich op het laatste moment opving met beide handen. Haar tasje vloog naar voren. Ze gilde iets in het Itali-

aans. Marco knielde vlug neer om haar vast te pakken.

'Mijn enkel,' zei ze met een grimas. Haar ogen waren al vochtig; haar mooie gezicht was verwrongen van pijn.

Hij tilde haar voorzichtig op van het natte pad, droeg haar naar een bankje en haalde haar tasje op. 'Ik moet zijn gestruikeld,' zei ze steeds weer. 'Het spijt me zo.' Ze vocht tegen de tranen, maar gaf het algauw op.

'Het geeft niet, het geeft niet,' zei hij. Ze haalde een papieren zakdoekje uit haar tasje en veegde haar ogen af. Ze haalde diep adem en klemde haar kaken op elkaar. 'Het spijt me.'

'Het geeft niet.' Marco keek om zich heen; ze waren alleen. De bus naar San Luca was bijna leeg geweest, en de afgelopen tien minuten hadden ze niemand gezien. 'Ik, eh, ga naar binnen om hulp te halen.'

'Ja, graag.'

'Blijf hier zitten. Ik kom zo terug.' Hij gaf een klopje op haar knie en ze kon even glimlachen. Toen liep hij zo vlug weg dat hij zelf ook bijna viel. Hij rende naar de achterkant van de kerk en zag niemand. Waar zat het kantoor van een kathedraal? Waar was de beheerder, de koster, de hoofdpriester? Wie had de leiding van zoiets? Buiten liep hij twee keer om de San Luca heen voordat hij een beheerder uit een gedeeltelijk schuilgaande deur bij de tuinen tevoorschijn zag komen.

'*Mi può aiutare?*' riep hij. Kunt u me helpen?

De beheerder keek hem aan en zei niets. Marco was er zeker van dat hij duidelijk had gesproken. Hij kwam dichterbij en zei: '*La mia amica si é fatta male.*' Mijn vriendin is gewond.

'*Dov'è?*' bromde de man. Waar?

Marco wees en zei: '*Lì, dietro alla chiesa.*' Daar, achter de kerk.

'*Aspetti.*' Wacht. Hij draaide zich om, liep naar de deur terug en maakte hem open.

'*Si sbrighi, per favora.*' Alstublieft, schiet op.

Een minuut of twee ging tergend langzaam voorbij. Marco wachtte ongeduldig. Het liefst zou hij zijn teruggerend om bij Francesca te kijken. Als ze een bot had gebroken, zou ze snel in een shocktoestand kunnen raken. Een grotere deur onder de doopkapel ging open, en een man in een pak kwam vlug naar buiten, op de voet gevolgd door de beheerder.

'*La mia amica è caduta,*' zei Marco. Mijn vriendin is gevallen.

'Waar is ze?' vroeg de man in voortreffelijk Engels. Ze liepen over een kleine binnenplaats met klinkers, om ongesmolten sneeuw heen.

'Daar achter, bij het lagere plateau. Het is haar enkel. Ze denkt dat hij gebroken is. We hebben misschien een ambulance nodig.'

De man snauwde iets achterom tegen de beheerder, die wegliep.

Francesca zat zo waardig als maar mogelijk was op de rand van de bank. Ze hield het papieren zakdoekje bij haar mond; ze huilde niet meer. De man kende haar naam niet, maar hij had haar blijkbaar eerder in San Luca gezien. Ze praatten in het Italiaans en Marco kon het meeste niet verstaan.

Ze had haar linkerlaars nog aan, en ze vonden het beter dat zo te laten om zwellingen te voorkomen. De man, de heer Coletta, had blijkbaar verstand van EHBO. Hij onderzocht haar knieën en handen. Die waren geschaafd, maar ze bloedden niet. 'Het is alleen maar een lelijke verstuiking,' zei ze. 'Ik geloof niet dat hij gebroken is.'

'Een ambulance doet er een eeuwigheid over,' zei de man. 'Ik rij u wel naar het ziekenhuis.'

Dichtbij klonk een claxon. De beheerder had een auto gehaald en stopte zo dicht mogelijk bij hen.

'Ik denk dat ik kan lopen,' zei Francesca dapper en ze probeerde overeind te komen.

'Nee, we helpen je,' zei Marco. Ze pakten ieder een elleboog vast en hielpen haar langzaam overeind. Ze trok een grimas toen ze druk op haar voet uitoefende, maar zei: 'Hij is niet gebroken. Alleen verstuikt.' Ze wilde beslist zelf lopen. Ze droegen haar min of meer naar de auto.

Coletta nam de leiding en zette hen op de achterbank. Ze zat met haar rug tegen het linker achterportier en had haar voeten op Marco's schoot om ze omhoog te houden. Toen zijn passagiers zich hadden geïnstalleerd, sprong Coletta achter het stuur. Ze reden langzaam achteruit over een weggetje met struiken aan weerskanten en toen over een smalle, verharde weg. Algauw reden ze de helling af naar Bologna.

Francesca zette haar zonnebril op om haar ogen te bedekken. Marco zag een beetje bloed op haar linkerknie. Hij nam het papieren zakdoekje uit haar hand en bette het af. 'Dank je,' fluisterde ze. 'Het spijt me dat ik je dag heb bedorven.'

'Toe, hou daarmee op,' zei hij glimlachend.

Het was juist de beste dag met Francesca. De val maakte haar nederig, menselijk, en riep, of ze dat nu wilde of niet, eerlijke emoties bij haar op. Er was nu ook fysiek contact, en de een deed zijn best om de ander te helpen. Op deze manier kwam hij in haar leven. Wat er nu ook gebeurde, in het ziekenhuis of thuis, hij zou er minstens een tijdje bij zijn. In deze noodsituatie had ze hem nodig, of ze dat nu wilde of niet.

Terwijl hij haar voeten vasthield en uit het raam keek, besefte Marco hoe wanhopig hij naar een relatie verlangde, wat voor relatie ook, met wie ook.

Iedere vriend zou goed genoeg zijn.

Onder aan de heuvel zei ze tegen de man die Coletta heette: 'Ik zou graag naar huis willen.'

Hij keek in het spiegeltje en zei: 'Maar ik denk dat u naar een dokter moet gaan.'

'Straks misschien. Ik rust eerst wat uit en wacht af hoe het dan is.' De beslissing was genomen; het zou zinloos zijn om haar tegen te spreken.

Marco had ook goede raad voor haar, maar hij zweeg. Hij wilde zien waar ze woonde.

'Goed,' zei Coletta.

'Het is in de Via Minzoni, bij het station.'

Marco glimlachte, trots op zichzelf omdat hij die straat kende. Hij kon zich hem voorstellen op een kaart, aan de noordelijke rand van de oude stad, een mooie wijk maar geen wijk met hoge huren. Hij had daar minstens één keer gewandeld. Hij had daar zelfs een cafetaria ontdekt die 's morgens vroeg openging, op het punt waar de straat op de Piazza dei Martiri uitkwam. Toen ze langs de rand van de binnenstad reden, lette Marco op alle straatnaamborden. Hij nam elk kruispunt in zich op en wist elk moment precies waar hij was.

Er werd geen woord meer gezegd. Hij hield haar voeten vast, en haar stijlvolle maar enigszins versleten zwarte laarzen maakten zijn wollen broek een beetje vuil. Op dat moment kon het hem niets schelen. Toen ze de Via Minzoni inreden, zei ze: 'Twee straten verder, aan de rechterkant.' Even later zei ze: 'Nog iets verder. Er is een lege plek achter die groene BMW.'

Ze trokken haar voorzichtig van de achterbank en hielpen haar het trottoir op, waar ze zich even van hen los schudde en probeerde te lopen. De enkel bezweek; ze vingen haar op. 'Ik woon op de eerste verdieping,' zei ze, met haar kaken op elkaar. Er waren acht appartementen. Marco lette goed op toen ze op de knop naast de naam Giovanni Ferro drukte. Een vrouwenstem antwoordde.

'Francesca,' zei ze, en de deur klikte. Ze stapten de hal in, die donker en groezelig was. Rechts was een lift waarvan de deur al openstond. Ze konden er net met zijn drieën in. 'Ik red me nu wel,' zei ze. Blijkbaar wilde ze zich van Marco en meneer Coletta ontdoen. 'We moeten er wat ijs op leggen,' zei Marco, terwijl ze erg langzaam naar boven gingen.

De lift kwam luidruchtig tot stilstand, de deur ging eindelijk open en ze schuifelden naar buiten. Beide mannen ondersteunden Francesca nog bij haar ellebogen. Het was maar een paar stappen lopen naar haar appartement, en toen ze bij de deur waren aangekomen, ging Coletta niet verder.

'Ik vind dit heel erg,' zei hij. 'Als u doktersrekeningen krijgt, wilt u me dan bellen?'

'Nee, u hebt me erg geholpen. Heel erg bedankt.'

'Dank u,' zei Marco, die haar nog steunde. Hij drukte op de deurbel en bleef wachten, terwijl Coletta de lift inging en hen verliet. Ze trok zich los en zei: 'Nu red ik me wel, Marco. Mijn moeder past vandaag op het huis.'

Hij had gehoopt op een uitnodiging om binnen te komen, maar hij verkeerde niet in een positie om aan te dringen. Wat hem betrof, was deze episode voorbij, en hij was veel meer aan de weet gekomen dan hij had kunnen verwachten. Hij glimlachte, liet haar arm los en wilde net afscheid nemen toen er aan de binnenkant van de deur een slot klikte. Ze draaide zich om naar de deur en oefende daardoor druk uit op haar gewonde enkel. Die bezweek weer, zodat ze een gilletje slaakte en hem vastgreep.

De deur ging open op het moment dat Francesca flauwviel.

Haar moeder was signora Altonelli, een dame van een jaar of zeventig die geen Engels sprak en even dacht dat Marco haar dochter op de een of andere manier kwaad had gedaan. Zijn stuntelige Italiaans bleek ontoereikend te zijn, vooral in zo'n gespannen situatie. Hij droeg Francesca naar de bank, deed haar voeten omhoog en zei: '*Ghiaccio, ghiaccio.*' IJs, breng wat ijs. De moeder ging met tegenzin naar de keuken.

Francesca kwam net in beweging toen haar moeder met een nat washandje en een plastic zakje ijs terugkwam.

'Je bent flauwgevallen,' zei Marco, die bij haar stond. Ze pakte zijn hand vast en keek geschrokken om zich heen.

'*Chi è?*' zei haar moeder achterdochtig. Wie is hij?

'*Un amico.*' Een vriend. Hij bette haar gezicht af met het washandje en ze herstelde vlug. In zo ongeveer het snelste Italiaans dat hij tot dan toe had gehoord, vertelde ze haar moeder wat er gebeurd was. De mitrailleursalvo's over en weer maakten hem duizelig. Hij probeerde hier en daar een woord op te pikken, maar gaf dat toen maar op. Plotseling glimlachte signora Altonelli en klopte ze hem waarderend op de schouder. Goed zo.

Toen ze de kamer uit was, zei Francesca: 'Ze gaat koffiezetten.'

'Geweldig.' Hij had een krukje bij de bank getrokken en zat dicht bij haar te wachten. 'We moeten wat ijs op die voet leggen,' zei hij.

'Ja.'

Ze keken naar haar laarzen. 'Wil jij ze uittrekken?' vroeg ze.

'Goed.' Hij maakte de rits van de rechterlaars los en deed hem uit alsof die voet ook gewond was geraakt. Met de linkerlaars ging hij nog langzamer te werk. Elke kleine beweging veroorzaakte pijn, en op een gegeven moment zei hij: 'Wil je het liever zelf doen?'

'Nee, toe, ga verder.' De rits hield bijna precies bij de enkel op. Door de zwelling was het moeilijk om de laars van haar voet te krijgen. Na enkele lange minuten van delicaat gewrik, waarbij de patiënte veel pijn leed en haar kaken op elkaar klemde, was de laars uit.

Ze droeg zwarte kousen. Marco keek ernaar en zei toen: 'Die moeten ook uit.'

'Ja.' Haar moeder kwam terug en vuurde een salvo Italiaans af. 'Wil jij in de keuken wachten?' zei Francesca tegen Marco.

De keuken was klein maar onberispelijk, erg modern met chroom en glas en geen vierkante centimeter verspilde ruimte. Op het aanrecht stond een hightech koffiepot te gorgelen. De muren bij de kleine ontbijthoek hingen vol met kleurrijke abstracte kunst. Hij wachtte en hoorde hen tegelijk praten.

Ze kregen de kousen uit zonder dat het tot nieuw letsel kwam. Toen Marco naar de huiskamer terugkeerde, was signora Altonelli bezig het ijs om de linkerenkel heen te leggen.

'Ze zegt dat het geen breuk is,' zei Francesca tegen hem. 'Ze heeft jarenlang in een ziekenhuis gewerkt.'

'Woont ze in Bologna?'

'In Imola, een paar kilometer hiervandaan.'

Hij wist precies waar het was, in elk geval op de kaart. 'Dan ga ik nu maar,' zei hij. Hij wilde eigenlijk niet weggaan, maar plotseling voelde hij zich een indringer.

'Ik denk dat je wel een kop koffie kunt gebruiken,' zei Francesca. Haar moeder ging vlug weer naar de keuken.

'Ik voel me een indringer,' zei hij.

'Nee, toe, na alles wat je vandaag hebt gedaan, is dat het minste wat ik kan doen.'

Haar moeder kwam terug met een glas water en twee tabletten. Francesca slikte alles door en liet haar hoofd in de kussens zakken. Ze wisselde korte zinnen met haar moeder uit, keek hem toen aan en zei: 'Er staat een chocoladetaart in de koelkast. Wil je een punt?'

'Ja, dank je.'

En haar moeder was de kamer weer uit. Ze neuriede nu en was blij dat ze iemand had om voor te zorgen en te eten te geven. Marco ging weer op de kruk zitten. 'Doet het pijn?'

'Ja,' zei ze glimlachend. 'Ik kan niet liegen. Het doet pijn.'

Hij wist geen geschikt antwoord te bedenken en nam zijn toevlucht tot vertrouwd terrein. 'Het ging allemaal zo snel,' zei hij. Enkele minuten namen ze de val nog eens door. Toen zwegen ze. Ze deed haar ogen dicht; blijkbaar was ze in slaap gevallen. Marco sloeg zijn armen over elkaar en keek naar een reusachtig, erg vreemd schilderij dat bijna een hele muur in beslag nam.

Het was een eeuwenoud gebouw, maar binnen hadden Francesca en haar man zich daar als rechtgeaarde modernisten tegen verzet. Het meubilair was laag en bestond uit glad zwart leer met stalen frames, erg minimalistisch. De muren hingen vol met verbijsterende hedendaagse kunst.

'We mogen Luigi dit niet vertellen,' fluisterde ze.

'Waarom niet?'

Ze aarzelde en gooide het er toen uit. 'Hij betaalt me tweehonderd euro per week om jou les te geven, Marco, en hij klaagt over de prijs. We hebben daar woorden over gehad. Hij heeft gedreigd iemand anders te zoeken. Eerlijk gezegd heb ik het geld nodig. Ik heb momenteel maar een of twee rondleidingen per week; het is nog de rustigste tijd van het jaar. Over een maand komen de toeristen weer, maar op dit moment verdien ik niet veel.'

Haar stoïcijnse façade was allang verdwenen. Hij kon bijna niet geloven dat ze zich zo kwetsbaar opstelde. Deze dame was bang, en hij zou desnoods zijn leven wagen om haar te helpen.

Ze ging verder: 'Als ik een paar dagen geen lesgeef, ontslaat hij me.'

'Nou, de komende paar dagen kun je geen lesgeven.' Hij keek naar het ijs dat om haar enkel was gelegd.

'Kunnen we het stilhouden? Ik ben gauw genoeg weer op de been, nietwaar?'

'We kunnen proberen het stil te houden, maar Luigi weet altijd veel. Hij volgt me. Ik zal me morgen ziek melden, en voor de dag daarop moeten we iets bedenken. Misschien kunnen we hier studeren.'

'Nee. Mijn man is hier.'

Marco keek onwillekeurig achterom. 'Hier?'

'Hij is in de slaapkamer. Hij is erg ziek.'

'Wat...'

'Kanker. Het laatste stadium. Mijn moeder is bij hem als ik werk. Elke middag komt er een wijkverpleegster.'

'Wat erg.'

'Ja.'

'Maak je geen zorgen om Luigi. Ik zeg tegen hem dat ik je een geweldige lerares vind en dat ik met niemand anders wil werken.'

'Dat zou een leugen zijn, nietwaar?'

'Min of meer.'

Signora Altonelli kwam terug. Ze had een dienblad bij zich met daarop taart en espresso, zette dat op een knalrode salontafel midden in de kamer en sneed de taart in stukken. Francesca nam wel koffie maar had geen zin om te eten. Marco at zo langzaam als menselijkerwijs mogelijk was en nam kleine slokjes uit zijn kopje alsof het zijn laatste was. Toen signora Altonelli erop aandrong dat hij nog een stuk nam, en nog een kop koffie, ging hij een beetje onwillig akkoord.

Marco bleef ongeveer een uur. Toen hij met de lift naar beneden ging, besefte hij dat Giovanni Ferro geen enkel geluid had gemaakt.

23

China's belangrijkste inlichtingendienst, het ministerie van Staats-veiligheid, of MSV, gebruikte kleine, goed getrainde eenheden om moordaanslagen over de hele wereld te plegen, ongeveer zoals de Russen, Israëliërs, Britten en Amerikanen dat ook deden.
Er was wel een verschil. De Chinezen werkten vooral met één bepaalde eenheid. In plaats van het vuile werk te spreiden, zoals andere landen deden, wendde de MSV zich altijd eerst tot een jon-geman die de CIA en de Mossad al enkele jaren met grote bewonde-ring volgden. Hij heette Sammy Tin en was de zoon van twee Chi-nese diplomaten. Er gingen geruchten dat ze door het MSV waren geselecteerd om te trouwen en kinderen voort te brengen. Als ooit een agent perfect gekloond was, dan was het Sammy Tin wel. Hij was geboren in New York en opgegroeid in een forensenplaats bij Washington, en hij was opgeleid door privé-leraren die hem met vreemde talen bombardeerden vanaf de tijd dat hij nog maar net uit de luiers was. Hij ging op zestienjarige leeftijd naar de univer-siteit van Maryland, studeerde op 21-jarige leeftijd in twee vakken af en studeerde vervolgens technologie in Hamburg. In de loop van de jaren had hij het maken van bommen tot een hobby gemaakt. Explosieven werden zijn passie, vooral explosies vanuit vreemde pakjes als enveloppen, kartonnen bekers, balpennen, siga-rettenpakjes. Hij was een scherpschutter, maar vuurwapens waren

simpel en verveelden hem. De Tinman hield van bommen.

Onder een valse naam studeerde hij scheikunde in Tokyo, en daar kreeg hij de kunst en de wetenschap van de vergiftiging onder de knie. Toen hij 24 was, had hij meer dan tien verschillende namen, sprak hij ongeveer evenveel talen en stak hij grenzen over met een grote verzameling paspoorten en vermommingen. Hij kon immigratieambtenaren op de hele wereld ervan overtuigen dat hij Japans, Koreaans of Taiwanees was.

Om zijn opleiding af te ronden ging hij een slopend jaar in training bij een elite-eenheid van het Chinese leger. Hij leerde kamperen, op een houtvuur koken, kolkende rivieren oversteken, in de oceaan overleven en dagen in de wildernis doorbrengen. Toen hij 26 was, vond het MSV dat de jongen genoeg had gestudeerd. Het werd tijd dat hij ging moorden.

Voorzover de CIA wist, begon hij zijn verbijsterende staat van dienst met de moord op drie Chinese wetenschappers die te goede maatjes met de Russen waren geworden. Hij kreeg ze te pakken toen ze in Moskou in een restaurant zaten te dineren. Terwijl hun lijfwachten buiten stonden te wachten, werd van een van hen de keel doorgesneden toen hij net klaar was bij het urinoir. Het duurde een uur voordat ze zijn lichaam vonden, want dat was in een nogal kleine vuilnisbak geprop. De tweede beging de fout dat hij zich zorgen maakte om de eerste. Hij ging naar de herentoiletten, waar de Tinman verkleed als schoonmaker stond te wachten. Ze vonden hem met zijn hoofd in het toilet, dat verstopt was zodat de inhoud omhoogkwam. De derde stierf enkele seconden later aan de tafel, waar hij in zijn eentje zat en zich grote zorgen maakte over zijn twee collega's. Een man in een oberjasje liep vlug voorbij en stak zonder de pas in te houden een giftig pijltje in zijn nek.

Het waren nogal slordige moorden. Te veel bloed, te veel getuigen. De ontsnapping was ook nog een probleem, maar de Tinman had geluk en zag kans om onopgemerkt door de drukke keuken te rennen. Tegen de tijd dat de lijfwachten naar binnen werden geroepen, rende hij al buiten door een steegje. Hij dook de donkere stad in, nam een taxi en kwam twintig minuten later op de Chinese ambassade aan. De volgende dag was hij in Peking en vierde hij in stilte zijn eerste succes.

De hele inlichtingenwereld was geschokt door die brutale aanslag. Rivaliserende diensten probeerden uit te zoeken wie het had gedaan. Het was volkomen in strijd met de gebruikelijke manieren waarop Chinezen hun vijanden elimineerden. Ze stonden bekend om hun geduld, hun discipline; ze wachtten en wachtten totdat het perfecte moment was aangebroken. Ze bleven jagen tot hun prooi het gewoon opgaf. Of ze vervingen het ene plan door het andere en wachtten zorgvuldig hun kans af.

Toen het een paar maanden in Berlijn opnieuw gebeurde, was de legende van de Tinman geboren. Een Franse manager had vervalste hightech geheimen op het gebied van mobiele radar overhandigd. Hij werd van het balkon van een hotelkamer op de veertiende verdieping gegooid, en toen hij naast het zwembad terechtkwam, schrokken de zonnebaders daar flink van. Opnieuw was de moord te zichtbaar.

In Londen liet de Tinman een mobiele telefoon tegen iemands hoofd ontploffen. Een overloper in Chinatown, New York, raakte het grootste deel van zijn gezicht kwijt door de explosie van een sigaret. Algauw werden de meeste heftige moorden in de inlichtingenwereld aan Sammy Tin toegeschreven. Hij werd steeds legendarischer. Hoewel hij vier of vijf vertrouwde leden in zijn eenheid hield, werkte hij vaak alleen. Hij verloor een man in Singapore toen hun doelwit plotseling met een paar vrienden tevoorschijn kwam, allemaal gewapend. Dat was een zeldzame mislukking, en hij leerde daarvan dat hij snel moest toeslaan en niet te veel mensen op de loonlijst moest hebben.

Naarmate hij meer ervaring kreeg, werden de moorden minder heftig, minder gewelddadig en gemakkelijker te verbergen. Hij was inmiddels 33, en zonder enige twijfel was hij de meest gevreesde agent ter wereld. De CIA gaf een fortuin uit om hem te volgen. Ze wisten dat hij in zijn luxe appartement in Peking was. Toen hij wegging, volgden ze hem naar Hongkong. Interpol werd gewaarschuwd toen hij een non-stopvlucht naar Londen nam, waar hij van paspoort wisselde en op het laatste moment in een Alitalia-toestel naar Milaan stapte.

Interpol kon alleen maar toekijken. Sammy Tin reisde vaak op een diplomatiek paspoort. Hij was geen crimineel; hij was agent, diplomaat, zakenman, hoogleraar, alles wat hij maar wilde zijn.

Op het vliegveld Malpensa bij Milaan stond een auto voor hem klaar, en hij verdween in de stad. Voorzover de CIA kon nagaan, was het vierenhalf jaar geleden dat de Tinman in Italië was geweest.

Elya zag er op en top uit als een rijke Saudische zakenman, al was zijn dikke wollen pak bijna zwart, een beetje te donker voor Bologna en waren de streepjes op het pak veel te breed voor Italiaans ontwerp. En zijn overhemd was roze met een spierwitte boord, geen slechte combinatie, maar ja, roze was roze. Door de boord zat een goudstaafje, ook te dik, dat de knoop van zijn das strak omhoog duwde, zodat het leek of hij werd gesmoord, en aan beide uiteinden van het staafje zat een diamant. Elya hield van diamanten; een grote op elke hand, tientallen kleinere in zijn Rolex, nog een paar in de gouden manchetknopen van zijn overhemd. Stefano dacht dat de schoenen Italiaans waren, gloednieuw, bruin, maar niet te licht voor het pak.

Over het geheel genomen zag de man er gewoon niet goed uit, al had hij wel enorm zijn best gedaan. Stefano had de tijd om zijn cliënt te bestuderen toen ze nagenoeg in stilte van het vliegveld, waar Elya en zijn assistent per privé-jet waren aangekomen, naar het centrum van Bologna reden. Ze zaten op de achterbank van een zwarte Mercedes, een van Elya's voorwaarden, met een chauffeur die zwijgend op de voorbank zat naast de assistent, die blijkbaar alleen Arabisch sprak. Elya sprak redelijk Engels in snelle salvo's, meestal gevolgd door iets in het Arabisch tegen zijn assistent, die zich gedwongen voelde alles op te schrijven wat zijn baas zei.

Toen hij tien minuten met hen in de auto had gezeten, hoopte Stefano al dat ze ruimschoots voor de lunch klaar zouden zijn.

Het eerste appartement dat hij hun liet zien, was dicht bij de universiteit, waar Elya's zoon binnenkort medicijnen zou gaan studeren. Vier kamers op de eerste verdieping, geen lift, solide oud gebouw, fraai ingericht, beslist luxueus voor een student, 1.800 euro per maand, contract voor een jaar, exclusief nutsvoorzieningen. Elya fronste alleen maar zijn wenkbrauwen, alsof zijn verwende zoon iets veel mooiers zou willen. De assistent fronste ook zijn wenkbrauwen. Zo gingen ze de trap af, de auto in, en ze zeiden niets toen de chauffeur haastig naar het tweede adres reed.

Dat was op de Via Remorsella, een blok ten westen van de Via Fondazza. Dit appartement was iets groter dan het eerste, had een keuken ter grootte van een bezemkast, was slecht ingericht, had geen enkel uitzicht, was twintig minuten van de universiteit verwijderd, kostte 2.600 euro per maand, en er hing zelfs een vreemd luchtje. Ze fronsten hun wenkbrauwen niet meer, want het appartement beviel hun wel. 'Dit is goed,' zei Elya, en Stefano slaakte een zucht van verlichting. Met een beetje geluk hoefde hij niet met hen te lunchen. En hij had zojuist een mooie commissie verdiend.

Ze gingen vlug naar het kantoor van Stefano's firma, waar in een recordtempo de papieren werden opgemaakt. Elya was een drukbezette man met een dringende afspraak in Rome, en als het huurcontract niet onmiddellijk kon worden ondertekend, ging de hele zaak niet door.

De zwarte Mercedes reed hen met grote snelheid naar het vliegveld terug, waar Stefano hen nerveus en uitgeput bedankte en afscheid van hen nam, waarna hij zo snel mogelijk weer wegging. Elya en zijn assistent liepen over de baan naar zijn jet en liepen naar binnen. De deur ging dicht.

De jet kwam niet in beweging. Elya en zijn assistent hadden hun zakenpakken uitgetrokken en droegen nu vrijetijdskleding. Ze overlegden met drie andere leden van hun team. Nadat ze ongeveer een uur hadden gewacht, kwamen ze uit de jet, sjouwden hun vele bagage naar de terminal voor privé-vliegtuigen en zetten alles in de busjes die klaarstonden.

Luigi vertrouwde die marineblauwe Silvio-tas niet. Marco liet hem nooit in zijn appartement achter en hield hem altijd in het oog. Hij nam hem overal met zich mee, aan zijn schouder en stevig onder zijn rechterarm, alsof er goud in zat.

Wat zou hij toch kunnen bezitten dat zoveel bescherming verdiende? Marco nam zijn studiematerialen bijna nooit ergens mee naartoe. Als hij en Ermanno binnenshuis studeerden, deden ze dat in Marco's appartement. Als ze buiten studeerden, waren het alleen conversatielessen en gebruikten ze geen boeken.

Whitaker in Milaan vertrouwde het ook niet, vooral omdat Marco in een internetcafé bij de universiteit was gesignaleerd. Hij stuurde een agent, Krater, naar Bologna om Zellman en Luigi te helpen Marco en zijn verontrustende tas nauwlettender in de gaten te houden. Omdat de strop strakker werd aangehaald en ze vuurwerk verwachtten, vroeg Whitaker zijn superieuren in Langley om nog meer mensen.

Maar Langley verkeerde in chaos. Teddy's vertrek was niet onverwacht geweest, maar had het hele kantoor wel in rep en roer gebracht. De schokgolven van Lucats ontslag waren ook nog voelbaar. De president dreigde met een grootscheepse reorganisatie, en de adjunct-directeuren en hoge functionarissen waren meer met het redden van hun eigen hachje bezig dan met het toezicht op hun operaties.

Krater kreeg van Luigi het radiobericht dat Marco in de richting van de Piazza Maggiore liep, waarschijnlijk om koffie te drinken, zoals hij laat op de middag vaak deed. Krater zag hem met zijn donkerblauwe tas onder zijn rechterarm over het plein lopen, al helemaal een Italiaan. Nadat hij het tamelijk dikke dossier over Joel Backman had gelezen, vond hij het interessant om hem eindelijk met eigen ogen te zien. Die arme kerel moest eens weten.

Maar Marco had geen dorst, tenminste nog niet. Hij liep de cafés en winkels voorbij en ging toen plotseling, na een steelse blik, de Albergo Nettuno in, een vijftig kamers tellend hotel dicht bij de piazza. Krater nam radiocontact op met Zellman en Luigi, die erg verbaasd was, want Marco had geen enkele reden om een hotel binnen te gaan. Krater wachtte vijf minuten, liep toen de kleine hal in en nam alles in zich op. Rechts van hem was een foyerachtige ruimte met stoelen en een paar reistijdschriften op een grote salontafel. Links van hem bevond zich een kleine telefoonkamer met de deur open, en daar was ook een andere kamer die niet leeg was. Marco zat daar in zijn eentje over de kleine tafel onder de wandtelefoon gebogen, zijn blauwe tas open. Hij was te druk bezig om Krater te zien voorbijlopen.

'Kan ik iets voor u doen, meneer?' zei de receptionist.

'Ja, dank u, ik wilde vragen of u een kamer voor me hebt,' zei Krater in het Italiaans.

'Voor wanneer?'

'Vanavond.'

'Het spijt me, maar we hebben geen kamers vrij.'

Krater pakte een brochure op. 'U bent altijd vol,' zei hij met een glimlach. 'Dit is een populair hotel.'

'Ja, dat is het zeker. Misschien een andere keer.'

'Hebt u toevallig internettoegang?'

'Natuurlijk.'

'Draadloos?'

'Ja, het eerste hotel in de stad.'

Hij liep weg en zei: 'Dank u. Ik kom een andere keer wel weer.'

'Ja, graag.'

Op weg naar buiten kwam hij langs de telefoonruimte. Marco had niet opgekeken.

Hij typte met beide duimen zijn tekst en hoopte dat de receptionist hem niet zou vragen weg te gaan. Het Nettuno adverteerde met de draadloze internettoegang, maar alleen voor zijn gasten. De cafetaria's, bibliotheken en een van de boekwinkels gaven die toegang gratis aan iedereen die binnenkwam, maar de hotels niet.
Zijn e-mailbericht luidde:

> *Grinch, ik heb eens zakengedaan met een bankier in Zürich, Mikel Van Thiessen van de Rhineland Bank aan de Bahnhofstrasse, centrum van Zürich. Ga na of hij daar nog is. Zo niet, wie heeft zijn plaats ingenomen? Laat geen spoor achter! Marco*

Hij drukte op SEND en hoopte weer dat hij alles goed had gedaan. Hij zette de Ankyo 850 vlug af en stopte hem in zijn tas. Toen hij wegging, knikte hij naar de receptionist, die aan het telefoneren was.
Twee minuten nadat Krater het hotel had verlaten, kwam Marco naar buiten. Ze keken vanaf drie verschillende punten naar hem en volgden hem toen hij moeiteloos opging in de stroom van mensen die van hun werk naar huis gingen. Zellman liep terug, ging het Nettuno binnen, begaf zich naar de tweede telefoonkamer aan de linkerkant en ging op de stoel zitten waar Marco nog geen twintig minuten eerder had gezeten. De receptionist verbaasde zich en deed alsof hij druk bezig was.
Een uur later kwamen ze in een café bij elkaar en praatten over Marco. De conclusie lag voor de hand, maar was moeilijk te accepteren: aangezien Marco de telefoon niet had gebruikt, had hij geprofiteerd van de draadloze internettoegang van het hotel. Er kon geen andere reden zijn waarom hij dat hotel was binnengegaan, nog geen tien minuten in een telefoonkamer had gezeten en daarna was vertrokken. Maar hoe speelde hij dat klaar? Hij had geen laptop en geen andere mobiele telefoon dan het toestel dat Luigi hem had geleend, een verouderd apparaat dat alleen in de stad werkte en nooit voor internet kon worden gebruikt. Had hij een hightech apparaatje bemachtigd? Hij had geen geld.

Misschien had hij het gestolen.

Ze bespraken verschillende scenario's. Zellman ging weg om het verontrustende nieuws naar Whitaker te mailen. Krater werd eropuit gestuurd om in etalages naar een identieke blauwe Silvio-tas te zoeken.

Luigi bleef alleen in het café achter.

Zijn gedachten werden onderbroken door een telefoontje van Marco zelf. Die was in zijn appartement en voelde zich niet zo goed. Hij had de hele middag last van zijn maag gehad. Hij had zijn les met Francesca afgezegd en ging ook niet dineren.

24

Als Dan Sandbergs telefoon voor zes uur 's morgens ging, was het nooit goed nieuws. Hij was een nachtmens, iemand die vaak sliep tot het laat genoeg was om ontbijt en lunch te combineren. Iedereen die hem kende, wist dat het zinloos was om hem vroeg te bellen.

Het was een collega van de *Post*. 'Iemand is je te vlug af,' zei hij ernstig.

'Wat?' snauwde Sandberg.

'De *Times* geeft je het nakijken.'

'Wie?'

'Backman.'

'Wat?'

'Ga zelf maar kijken.'

Sandberg liep vlug naar de huiskamer van zijn rommelige appartement en zette zijn computer aan. Hij vond het verhaal, geschreven door Heath Frick, een gehate rivaal bij de *New York Times*. De kop van de voorpagina luidde GRATIEONDERZOEK FBI LEIDT NAAR BACKMAN.

Frick, die zich op een groot aantal naamloze bronnen beriep, meldde dat het onderzoek van de FBI naar gekochte gratieverlening intensiever was geworden en zich nu ook richtte op specifieke individuen die gratie hadden gekregen van de voormalige president Arthur

Morgan. Hertog Mongo werd een 'persoon van belang' genoemd, een eufemisme dat vaak werd gebruikt wanneer de autoriteiten iemand die ze niet formeel in staat van beschuldiging kunnen stellen in zijn goede naam willen aantasten. Maar Mongo was in een ziekenhuis opgenomen en zou volgens de geruchten binnenkort zijn laatste adem uitblazen.

Het onderzoek was nu gericht op Joel Backman, wiens gratieverlening te elfder ure volgens Fricks gratuite analyse veel mensen had geschokt. Backmans raadselachtige verdwijning had het alleen maar aannemelijker gemaakt dat hij een gratieverlening had gekocht en daarna was gevlucht om de voor de hand liggende vragen uit de weg te gaan. Er deden nog oude geruchten de ronde, merkte Frick op, en diverse naamloze en betrouwbare bronnen zinspeelden erop dat de theorie over Backman die een fortuin had begraven nooit officieel was afgewezen.

'Wat een onzin!' snauwde Sandberg, terwijl hij de tekst over zijn scherm liet gaan. Hij kende de feiten beter dan wie ook. Die onzin was volstrekt ongefundeerd. Backman had niet voor zijn gratieverlening betaald.

Niemand die ook maar iets met de voormalige president te maken had, wilde een woord zeggen. Op dit moment was het alleen maar een voorlopig onderzoek, niets formeels, maar het zware federale geschut was niet ver weg. Een gretige officier van Justitie stond al klaar. Hij had zijn jury van onderzoek nog niet, maar hij en zijn mensen stonden al in de startblokken en wachtten alleen nog op het groene licht van het ministerie van Justitie.

Frick besloot met twee alinea's over Backman, dingen die de krant al eerder had geschreven.

'Alleen maar vulling!' ging Sandberg tekeer.

De president las het ook, maar reageerde anders. Hij maakte wat aantekeningen en bewaarde die tot halfacht voor de ochtendbriefing met Susan Penn, zijn interim-directeur van de CIA. De dagelijkse briefing van de president was van oudsher de taak van de directeur zelf. Het gebeurde altijd in het Oval Office en het was meestal het eerste wat de president op die dag deed. Maar Teddy Maynard en zijn slechte gezondheid hadden daar verandering in gebracht, en de afgelopen tien jaar waren de briefings door iemand anders gedaan. Nu werd de traditie in ere hersteld.

Om precies zeven uur die ochtend werd een acht tot tien bladzijden tellend overzicht van inlichtingenzaken op het bureau van de president gelegd. Hij was nu bijna twee maanden in functie en had de gewoonte ontwikkeld om elk woord van dat overzicht te lezen. Hij vond het fascinerend. Zijn voorganger had eens opgeschept dat hij bijna niets las: boeken, kranten, tijdschriften. Zeker geen wetsvoorstellen, beleidsstukken, verdragen of dagelijkse briefings. Hij had vaak al moeite met het lezen van zijn eigen toespraken gehad. Dat was bij de nieuwe president heel anders.

Susan Penn werd in een gepantserde auto van haar huis in Georgetown naar het Witte Huis gereden, waar ze elke morgen om kwart over zeven aankwam. Onderweg las ze het overzicht, dat door de CIA was opgesteld. Op bladzijde 4 stond die ochtend iets over Joel Backman. Die had de aandacht getrokken van een aantal erg gevaarlijke mensen, misschien zelfs van Sammy Tin.

De president begroette haar hartelijk en had koffie klaarstaan. Zoals altijd waren ze alleen, en ze gingen meteen aan het werk.

'Heb je de *New York Times* van vanmorgen gezien?' vroeg hij.

'Ja.'

'Hoe groot is de kans dat Backman voor een gratieverlening heeft betaald?'

'Erg klein. Zoals ik al eerder heb gezegd, had hij geen idee dat er gratie zat aan te komen. Hij had geen tijd om dingen te regelen. Daar komt nog bij dat we er vrij zeker van zijn dat hij dat geld niet had.'

'Waarom heeft Backman dan gratie gekregen?'

Susan Penns loyaliteit ten opzichte van Teddy Maynard was snel verleden tijd aan het worden. Teddy was weg en zou binnenkort dood zijn, maar zij, met haar 44 jaar, had nog een hele carrière voor zich. Misschien een lange carrière. Zij en de president konden goed samenwerken. Hij scheen geen haast te hebben om een nieuwe CIA-directeur te benoemen.

'Eerlijk gezegd wilde Teddy hem dood hebben.'

'Waarom? Waarom wilde Maynard hem dood hebben?'

'Het is een lang verhaal...'

'Nee, dat is het niet.'

'We weten niet alles.'

'Je weet genoeg. Vertel me wat je weet.'

Ze wierp haar exemplaar van het overzicht op de bank en haalde

233

diep adem. 'Backman en Jacy Hubbard hadden zich lelijk in de nesten gewerkt. Ze hadden cliënten die zo dom waren om software, JAM geheten, naar de Verenigde Staten te brengen, naar het kantoor van Backman en Hubbard. Ze wilden er een fortuin mee maken.'

'Die cliënten waren die jonge Pakistanen, nietwaar?'

'Ja, en ze zijn nu alle drie dood.'

'Weet je wie ze heeft gedood?'

'Nee.'

'Weet je wie Jacy Hubbard heeft gedood?'

'Nee.'

De president stond met zijn kop koffie in de hand op en liep naar zijn bureau. Hij ging op de rand zitten en keek haar op die afstand indringend aan. 'Ik kan bijna niet geloven dat we die dingen niet weten.'

'Ik eerlijk gezegd ook niet. En we hebben echt wel ons best gedaan. Dat is een van de redenen waarom Teddy zo graag wilde dat Backman gratie kreeg. Zeker, hij wilde hem dood hebben, uit principe, die twee hebben een hele voorgeschiedenis en Teddy heeft Backman altijd een verrader gevonden. Maar hij had ook sterk het gevoel dat de moord op Backman ons iets duidelijk zou kunnen maken.'

'Wat dan?'

'Dat hangt ervan af wie hem vermoordt. Als de Russen het doen, mogen we aannemen dat het satellietsysteem van de Russen was. Dat geldt ook voor de Chinezen. Als de Israëliërs hem doden, is er een grote kans dat Backman en Hubbard hun product aan de Saudi's wilden verkopen. Als de Saudi's hem te grazen nemen, mogen we aannemen dat Backman hen heeft bedrogen. We zijn er bijna zeker van dat de Saudi's dachten dat de verkoop doorging.'

'Maar Backman heeft ze belazerd?'

'Misschien niet. We denken dat Hubbards dood alles veranderde. Backman pakte zijn koffers en vluchtte naar de gevangenis. Alle deals werden afgelast.'

De president liep naar de salontafel terug en schonk zijn kopje nog eens vol. Hij ging tegenover haar zitten en schudde zijn hoofd. 'Je wilt me laten geloven dat drie jonge Pakistaanse hackers toegang kregen tot een satellietsysteem dat zo verfijnd was dat zelfs wij er niets van wisten?'

'Ja. Ze waren briljant, maar ze hadden ook geluk. En ze drongen

234

niet alleen in het systeem binnen, maar schreven ook een paar verbijsterende programma's om het systeem te manipuleren.'

'En dat is JAM?'

'Zo noemden ze het.'

'Heeft iemand die software ooit gezien?'

'De Saudi's. Daardoor weten we dat de software niet alleen echt bestaat maar waarschijnlijk ook echt werkt.'

'Waar is die software nu?'

'Dat weet niemand, behalve misschien Backman.'

Een lange stilte. De president nam een slokje van zijn lauwe koffie. Toen steunde hij met zijn ellebogen op zijn knieën en zei: 'Wat is het beste voor ons, Susan? Wat is in ons belang?'

Ze aarzelde niet. 'Dat we ons aan Teddy's plan houden. Backman zal worden geëlimineerd. De afgelopen zes jaar heeft niemand de software gezien, dus die is waarschijnlijk ook weg. Het satellietsysteem hangt boven de aarde, maar de eigenaar kan er niet mee spelen.'

Weer een slokje, weer een stilte. De president schudde zijn hoofd en zei: 'Het zij zo.'

Neal Backman las de *New York Times* niet, maar hij zocht elke morgen wel even op internet naar de naam van zijn vader. Toen hij Fricks verhaal zag, voegde hij het artikel als attachment aan een e-mailbericht toe en verstuurde het met het ochtendbericht vanuit Jerry's Java.

Aan zijn bureau las hij het verhaal opnieuw. Hij dacht weer aan de oude geruchten over het geld dat de manipulator zou hebben verstopt toen de firma instortte. Hij had zijn vader er nooit rechtstreeks naar gevraagd, want hij had geweten dat hij geen eerlijk antwoord zou krijgen. Toch was hij in de loop van de jaren gaan geloven wat algemeen werd aangenomen: Joel Backman was net zo blut als de meeste veroordeelde criminelen.

Waarom had hij dan het knagende gevoel dat zijn vader inderdaad zijn gratie had gekocht? Want als iemand vanuit de diepten van een federale gevangenis zo'n wonder tot stand kon brengen, dan was het zijn vader wel. Maar hoe was hij in Bologna terechtgekomen? En waarom? Wie zat er achter hem aan?

De vragen stapelden zich op, en de antwoorden waren moeilijker te vinden dan ooit.

Terwijl hij zijn dubbele *mocha* dronk en naar zijn afgesloten kamerdeur keek, stelde hij zichzelf weer de grote vraag: hoe vond je een bepaalde Zwitserse bankier als je geen gebruik mocht maken van telefoon, fax, post of e-mail?

Hij zou er wel achter komen. Hij had alleen tijd nodig.

Efraim las het verhaal in de *New York Times* toen hij in de trein van Florence naar Bologna zat. Iemand had hem vanuit Tel Aviv gewaarschuwd, en hij vond het on line. Amos zat vier plaatsen achter hem en las het ook op zijn laptop.

Rafi en Shaul zouden de volgende morgen vroeg aankomen, Rafi met een vliegtuig uit Milaan, Shaul met een trein uit Rome. De vier Italiaans sprekende leden van de *kidon* waren al in Bologna. Ze organiseerden in allerijl de twee huizen die ze voor het project nodig hadden.

Voorlopig waren ze van plan Backman in de donkere zuilengangen van de Via Fondazza of een andere geschikte zijstraat te kidnappen, bij voorkeur vroeg in de morgen of als het donker was. Ze zouden hem verdoven, in een busje duwen, naar een van hun huizen brengen en wachten tot het middel was uitgewerkt. Ze zouden hem ondervragen en uiteindelijk met gif doden en zijn lichaam naar het Gardameer rijden, twee uur naar het noorden, om het daar aan de vissen te voeren.

Het was een primitief plan met nogal wat risico's, maar ze hadden het groene licht gekregen. Ze konden niet meer terug. Nu Backman zoveel aandacht kreeg, moesten ze snel toeslaan.

Ze hadden des te meer haast omdat de Mossad alle reden had om aan te nemen dat Sammy Tin in Bologna zelf of dicht in de buurt was.

Het restaurant het dichtst bij haar appartement was een gezellige oude *trattoria* die Nino's heette. Ze kende het goed en kende de twee zoons van de oude Nino al heel wat jaren. Ze legde uit wat haar probleem was, en toen ze aankwam, stonden ze allebei te wachten en droegen ze haar praktisch naar binnen. Ze namen haar stok, tas en jas aan en leidden haar langzaam naar hun favoriete tafel, die ze dichter naar de haard toe schoven. Ze brachten haar koffie en water en boden haar alles aan wat ze verder nog zou kunnen wensen. Het was midden op de middag en het lunchpubliek was weg. Francesca en haar leerling hadden Nino's voor zich alleen. Toen Marco een paar minuten later arriveerde, begroetten de twee broers hem alsof hij familie was. *'La professoressa la sta aspettando,'* zei een van hen. De lerares wacht op u.

De val op het grind van San Luca en de verstuikte enkel hadden haar totaal veranderd. Van haar ijzige onverschilligheid was niets meer over, en evenmin van de droefheid, althans voorlopig. Ze glimlachte toen ze hem zag, pakte zelfs zijn hand vast en trok hem zo dicht naar zich toe dat ze een kusbeweging in de lucht konden maken waarbij de wang net niet werd aangeraakt, een gewoonte die Marco de afgelopen twee maanden bij anderen had gezien maar zelf nog niet in de praktijk had gebracht. Per slot van rekening was dit zijn eerste vrouwelijke kennis in Italië. Ze gaf hem een teken dat hij op de stoel recht tegenover haar moest gaan zitten. De broers zwermden om hem heen, pakten zijn jas aan, vroegen of hij koffie wenste, wilden erg graag zien hoe een Italiaanse les in zijn werk ging.

'Hoe gaat het met je voet?' vroeg Marco, en hij beging de fout dat in het Engels te doen. Ze legde haar vinger op haar lippen, schudde haar hoofd en zei: *'Non inglese, Marco. Solamente Italiano.'*

Hij fronste zijn wenkbrauwen en zei: 'Daar was ik al bang voor.'

Haar voet deed veel pijn. Ze had er ijs op gehad als ze las of televisiekeek, en de zwelling was minder erg geworden. Ze was langzaam naar het restaurant gelopen, maar het was belangrijk dat ze in beweging kwam. Op aandrang van haar moeder gebruikte ze een stok. Die vond ze zowel nuttig als gênant.

De broers brachten nog meer koffie en water, en toen ze ervan overtuigd waren dat het hun dierbare vriendin Francesca en haar Canadese leerling aan niets ontbrak, trokken ze zich met tegenzin in het voorste gedeelte van het restaurant terug.

'Hoe gaat het met je moeder?' vroeg hij in het Italiaans.

Erg goed, al was ze erg moe. Ze zat nu al bijna een maand bij Giovanni, en dat eiste zijn tol.

Zo, dacht Marco, er mag nu dus over Giovanni worden gepraat. Hoe ging het met hem?

Niet te opereren hersenkanker, zei ze, en ze moest het een paar keer zeggen voor hij het verstond. Giovanni leed al bijna een jaar en het einde was nabij. Hij was bewusteloos. Het was jammer.

Wat was zijn beroep geweest? Wat had hij gedaan?

Hij had jarenlang middeleeuwse geschiedenis gedoceerd op de universiteit. Daar hadden ze elkaar ontmoet, zij als studente, hij als haar hoogleraar. In die tijd was hij getrouwd met een vrouw aan wie hij een grote hekel had. Ze hadden twee zoons. Zij en de professor werden verliefd en begonnen een verhouding die bijna tien jaar duurde voordat hij van zijn vrouw scheidde en met Francesca trouwde.

Kinderen? Nee, zei ze bedroefd. Giovanni had er twee, hij wilde er niet meer. Ze had spijt, veel spijt.

Het was duidelijk dat het geen gelukkig huwelijk was geweest. Wacht maar tot we over mijn huwelijken beginnen, dacht Marco.

Dat duurde niet lang. 'Vertel me eens over jezelf,' zei ze. 'Langzaam spreken. Ik wil de klemtonen goed horen.'

'Ik ben gewoon een Canadese zakenman,' begon Marco in het Italiaans.

'Nee, echt. Hoe heet je echt?'

'Nee.'

'Wat is er?'

'We houden het op Marco. Ik heb een lange voorgeschiedenis, Francesca, en ik kan er niet over praten.'

'Goed. Heb je kinderen?'

Die had hij. Hij praatte een hele tijd over zijn drie kinderen, hoe ze heetten, hun leeftijd, beroep, woonplaats, partner, kinderen. Hij verzon er wat bij om het verhaal soepel te maken en wist het zelfs zo te brengen dat de familie enigszins normaal leek. Francesca luisterde aandachtig en wees hem op elke uitspraakfout, elk verkeerd vervoegd werkwoord. Een van Nino's zoons kwam wat bonbons brengen en bleef lang genoeg bij hen staan om met een brede glimlach te zeggen: '*Parla molto bene, signore.*' Het gaat erg goed, meneer.

Na een uur werd ze onrustig. Marco merkte dat ze zich niet meer op haar gemak voelde. Hij haalde haar ten slotte over om weg te gaan, en het was hem een groot genoegen haar over de Via Minzoni terug te brengen. Ze had haar rechterarm stevig op zijn linkerelleboog, terwijl ze met haar linkerhand de stok gebruikte. Ze liepen zo langzaam mogelijk. Ze zag er tegenop om naar haar appartement terug te gaan, naar de dodenwake. Hij zou wel kilometers willen lopen, dicht tegen elkaar aan, met op zijn elleboog de hand van iemand die hem nodig had.

Bij haar appartement aangekomen, gaven ze elkaar een afscheidskus en spraken ze af dat ze elkaar de volgende dag weer bij Nino's zouden ontmoeten, zelfde tijd, zelfde tafel.

Jacy Hubbard had bijna 25 jaar in Washington doorgebracht, een kwarteeuw waarin hij alle perken te buiten was gegaan met een verbijsterende reeks beschikbare vrouwen. De laatste was Mae Szun geweest, een schoonheid van bijna een meter tachtig lang met perfecte trekken, dodelijk zwarte ogen en een hese stem die Jacy moeiteloos uit een bar en in een auto kreeg. Na een uur van ruwe seks had ze hem aan Sammy Tin overgedragen, die hem had afgemaakt en op het graf van zijn broer had achtergelaten.

Als er seks nodig was om een eliminatie te organiseren, gaf Sammy de voorkeur aan Mae Szun. Ze was zelf ook een goede MSV-agente, maar die benen en dat gezicht voegden daar een dimensie aan toe die al minstens drie keer iemand fataal was geworden. Ze werd door hem naar Bologna ontboden, niet om iemand te verleiden maar om hand in hand met een andere agent te lopen. Ze moesten zich als gelukkig getrouwde toeristen voordoen. Maar verleiding was altijd een mogelijkheid. Vooral in het geval van Backman. Die arme kerel had net zes jaar achter de tralies gezeten, zonder vrouwen.

Mae kreeg Marco in het oog toen hij in een stroom mensen over de Strada Maggiore liep, ongeveer in de richting van de Via Fondazza. Met verbazingwekkende soepelheid ging ze vlugger lopen, haalde een mobiele telefoon tevoorschijn en slaagde erin de afstand tot hem te verkleinen, terwijl ze er toch al die tijd bleef uitzien als een vrouw die verveeld naar de winkels liep te kijken.

Toen was hij weg. Hij sloeg plotseling linksaf, een smal straatje in, de Via Begatto, en ging naar het noorden, van de Via Fondazza vandaan. Toen zij de hoek omging, was hij nergens meer te bekennen.

25

Eindelijk werd het lente in Bologna. Er zou geen sneeuw meer vallen. De vorige dag was het bijna tien graden geweest, en toen Marco 's morgens voor zonsopgang naar buiten ging, dacht hij erover
om zijn anorak voor een van de andere jasjes te verruilen. Hij deed
een paar stappen in de donkere zuilengang, liet de temperatuur op
zich inwerken en kwam tot de conclusie dat het nog koud genoeg
was voor de anorak. Hij zou over een paar uur terug zijn en kon dan
altijd nog een ander jasje aandoen. Hij stak zijn handen diep in zijn
zakken en begon aan de ochtendwandeling.

Hij kon aan niets anders denken dan het verhaal in de *New York
Times*. Toen hij zijn naam op de voorpagina had gezien, waren er
pijnlijke herinneringen bij hem opgekomen, en die waren al verontrustend genoeg. Maar de beschuldiging dat hij de president had
omgekocht, was pure laster, en in een vorig leven zou hij de dag zijn
begonnen met een salvo gerechtelijke procedures tegen iedereen die
erbij betrokken was. Hij zou gehakt van de *New York Times* hebben
gemaakt.

Maar de vragen hielden hem wakker. Wat kon al die aandacht nu
voor hem betekenen? Zou Luigi hem weer plotseling ergens anders
heen brengen?

En de belangrijkste vraag: verkeerde hij nu meer in gevaar dan de
vorige dag?

Hij kon zich vrij goed in leven houden, weggestopt in een mooie stad waar niemand wist hoe hij echt heette. Niemand herkende hem. Niemand interesseerde zich daarvoor. De Bolognezen leidden hun leven zonder anderen te storen.

Hij herkende zichzelf niet eens. Als hij 's morgens klaar was met scheren en zijn bril en zijn bruine corduroy pet opzette, ging hij voor de spiegel staan om hallo te zeggen tegen Marco. De vlezige wangen en opgezette donkere ogen, het dichtere, langere haar waren allang verleden tijd, net als de grijns en de arrogantie. Hij was nu een doodgewone, rustige man zoals je er zoveel zag.

Marco leefde van dag tot dag, en de dagen stapelden zich op. Niemand die het verhaal in de *New York Times* las, wist waar Marco was of wat hij deed.

Hij liep langs een man in een donker pak en wist meteen dat hij in moeilijkheden verkeerde. De man droeg een pak dat niet in Bologna thuishoorde. Het was van buitenlandse snit, iets wat in een goedkope winkel uit het rek was gepakt, het soort pak dat hij in een vorig leven elke dag had gezien. De man droeg er een effen button-downoverhemd bij zoals hij dertig jaar lang zoveel mensen in Washington had zien dragen. Hij had er ooit over gedacht een memo uit te vaardigen om blauw-met-witte katoenen button-downoverhemden te verbieden, maar Carl Pratt had hem dat uit zijn hoofd gepraat.

Hij kon de kleur van de das niet zien.

Het was niet het soort pak dat je ooit 's morgens in alle vroegte, of op welk tijdstip dan ook, in de zuilengangen van de Via Fondazza zou zien. Hij deed een paar stappen, keek achterom en zag dat de man in het pak hem volgde. Blanke man, dertig jaar, dik, atletisch, de geheide winnaar van een hardloopwedstrijd of vuistgevecht. Daarom gebruikte Marco een andere strategie. Hij bleef plotseling staan, draaide zich om en zei: 'Zoekt u iets?'

Waarop iemand anders zei: 'Hé, Backman.'

Bij het horen van zijn naam verstijfde hij. Een ogenblik voelden zijn knieën als rubber aan. Zijn schouders zakten in en hij zei tegen zichzelf dat hij echt niet droomde. In een flits dacht hij aan alle verschrikkingen die het woord 'Backman' met zich meebracht. Wat erg dat je zo bang kon zijn voor je eigen naam.

Het waren er twee. Die met de stem kwam van de andere kant van de Via Fondazza. Hij droeg ongeveer hetzelfde pak, maar met een gewoon wit overhemd zonder knoopjes op de boord. Hij was ouder, kleiner en veel slanker. De dikke en de dunne.

'Wat willen jullie?' zei Marco.

Ze grepen langzaam in hun zak. 'We zijn van de FBI,' zei de dikke. Amerikaans Engels, waarschijnlijk uit het Midwesten.

'Dat zal wel,' zei Marco.

Ze lieten hun insigne zien, het verplichte ritueel, maar in de duisternis van de zuilengang kon Marco niets lezen. Het schemerige licht boven de deur van een appartement hielp een beetje. 'Ik kan die dingen niet lezen,' zei hij.

'We gaan een eindje lopen,' zei de dunne.

'Zijn jullie verdwaald?' vroeg Marco zonder in beweging te komen. Hij wilde niet in beweging komen, en zijn voeten waren daar ook te zwaar voor.

'We weten precies waar we zijn.'

'Dat betwijfel ik. Hebben jullie een arrestatiebevel?'

'Dat hebben we niet nodig.'

De dikke beging de fout Marco's linkerelleboog aan te raken, alsof hij hem voort wilde helpen naar de plaats waar ze heen wilden. Marco trok zich fel terug. 'Raak me niet aan! Sodemieter op. Jullie mogen me niet arresteren. Jullie mogen alleen maar praten.'

'Goed, dan praten we,' zei de dunne.

'Ik hoef niet te praten.'

'Een eindje verderop is een cafetaria,' zei de dikke.

'Mooi, ga dan koffiedrinken. Met een koekje erbij. Maar laat mij met rust.'

De dikke en de dunne keken elkaar aan en keken toen om zich heen. Ze wisten niet goed wat ze nu moesten doen, wat het reserveplan inhield.

Marco kwam niet in beweging. Niet dat hij zich veilig voelde op de plaats waar hij was, maar hij kon al bijna een donkere auto om de hoek zien staan.

Waar blijft Luigi, vroeg hij zich af. Maakt dit deel uit van zijn complot?

Hij was ontdekt, opgespoord, ontmaskerd, op de Via Fondazza met zijn eigen naam aangesproken. Dat kon alleen maar betekenen dat hij weer moest verhuizen, dat ze hem naar een andere schuilplaats zouden brengen.

De dunne besloot het initiatief te nemen. 'Goed, dan doen we het

hier. Er zijn in Amerika veel mensen die met je willen praten.'
'Misschien ben ik daarom wel hier.'
'We doen onderzoek naar de gratieverlening die je hebt gekocht.'
'Dan verspillen jullie verdomd veel tijd en geld, en dat zou niemand verbazen.'
'We hebben wat vragen over de transactie.'
'Wat een stom onderzoek,' zei Marco. Hij spuwde de dunne de woorden toe. Voor het eerst in vele jaren voelde hij zich weer de manipulator die een arrogante bureaucraat of een stompzinnige politicus op zijn nummer zette. 'De FBI geeft goed geld uit om twee malloten als jullie helemaal naar Italië te sturen, zodat jullie mij op een trottoir kunnen aanspreken om me vragen te stellen die niemand met ook maar een beetje verstand zou beantwoorden. Jullie zijn een stel stomkoppen, weten jullie dat? Ga naar huis en zeg tegen jullie baas dat hij ook een stomkop is. En als jullie dan toch met hem praten, zeg dan ook dat hij veel tijd en geld verspilt als hij denkt dat ik voor mijn gratieverlening heb betaald.'
'Dus je ontkent...'
'Ik ontken niets. Ik geef niets toe. Ik zeg niets, behalve dat dit de FBI op zijn absolute dieptepunt is. Jullie hebben geen idee waar jullie mee bezig zijn.'
In Amerika zou dit in duw- en trekwerk ontaarden. Ze zouden hem stijf vloeken en beledigen. Maar hier in het buitenland wisten ze niet goed hoe ze zich moesten gedragen. Ze hadden opdracht hem te vinden, te kijken of hij inderdaad was waar de CIA zei dat hij was. En als ze hem vonden, moesten ze hem onder druk zetten, hem bang maken, hem bestoken met vragen over telegrafische overboekingen en buitenlandse bankrekeningen.
Ze wisten precies wat de bedoeling was en ze hadden het vele malen geoefend. Maar in de zuilengangen van de Via Fondazza stuurde de heer Lazzeri hun plannen in de war.
'We vertrekken niet uit Bologna voordat we hebben gepraat,' zei de dikke.
'Gefeliciteerd, dat wordt dan een lange vakantie.'
'We hebben onze orders, Backman.'
'En ik heb de mijne.'
'Alleen een paar vragen, toe,' zei de dunne.
'Ga maar naar mijn advocaat,' zei Marco en hij liep weg, in de richting van zijn appartement.

'Wie is je advocaat?'

'Carl Pratt.'

Ze kwamen niet in beweging, volgden hem niet, en Marco ging vlugger lopen. Hij stak de straat over, keek even naar zijn huis, maar ging geen moment langzamer lopen. Als ze hem wilden volgen, wachtten ze te lang. Toen hij de Via del Piombo in glipte, wist hij dat ze hem nooit zouden vinden. Dit waren nu zijn straten, zijn steegjes, zijn donkere portieken van winkels die pas over een uur of drie opengingen.

Ze hadden hem alleen op de Via Fondazza gevonden omdat ze zijn adres wisten.

Aan de zuidwestelijke rand van het oude Bologna, bij de Porto San Stefano, nam hij een stadsbus en hij bleef daar een halfuur in zitten, tot aan het station aan de noordelijke rand. Daar nam hij een andere bus naar het centrum van de stad. De bussen werden steeds voller; de mensen die vroeg op moesten, gingen naar hun werk. Een derde bus bracht hem weer door de stad naar de Porta Saragozza, en daar begon hij aan de drie kilometer en zeshonderd meter lange klim over de helling naar San Luca. Bij de vierhonderdste boog bleef hij staan om op adem te komen. Hij keek tussen de zuilen door om te zien of iemand achter hem aan kwam sluipen. Zoals hij had verwacht, was daar niemand.

Hij ging langzamer lopen en kwam uiteindelijk na 55 minuten boven. Achter het Santuario di San Luca volgde hij het smalle pad waar Francesca was gevallen, en ten slotte ging hij op de bank zitten waarop zij had gewacht. Het uitzicht op Bologna in de vroege ochtend was schitterend. Hij trok zijn anorak uit om af te koelen. De zon was op, de lucht was zo fris en zuiver als hij nooit had meegemaakt, en een hele tijd zat Marco daar in zijn eentje te kijken hoe de stad tot leven kwam.

Hij hield van de eenzaamheid, van de veiligheid van dat moment. Waarom kon hij niet elke morgen naar boven gaan en hoog boven Bologna zitten met niets anders te doen dan te denken of misschien de krant te lezen? Of misschien een vriend te bellen en nieuwtjes uit te wisselen?

Dan zou hij die vrienden eerst moeten hebben.

Het was een droom die geen werkelijkheid zou worden.

Met Luigi's erg beperkte mobieltje belde hij Ermanno om hun ochtendsessie af te zeggen. Toen belde hij Luigi en zei dat hij geen zin had om te studeren.

'Is er iets mis?'

'Nee. Ik heb alleen wat rust nodig.'

'Dat kan wel zijn, Marco, maar we betalen Ermanno om je les te geven, nietwaar? Je moet elke dag studeren.'

'Hou maar op, Luigi. Ik studeer vandaag niet.'

'Dat bevalt me niet.'

'En dat kan me niet schelen. Schors me maar. Trap me maar van school.'

'Ben je kwaad om iets?'

'Nee, Luigi, er is niets aan de hand. Het is een mooie dag, lente in Bologna, en ik ga een lange wandeling maken.'

'Waar?'

'Nee, dank je, Luigi. Ik wil geen gezelschap.'

'En lunchen?'

De pijn van de honger schoot door Marco's maag. Een lunch met Luigi was altijd heerlijk, en altijd op Luigi's kosten. 'Goed.'

'Ik denk er even over na. Ik bel je terug.'

'Goed, Luigi. *Ciao.*'

Ze ontmoetten elkaar om halfeen in Caffè Atene, een eeuwenoud etablissement in een steegje, een paar treden lager dan straatniveau. Het was een kleine ruimte, met vierkante tafeltjes die elkaar bijna aanraakten. De obers liepen rond met dienbladen vol voedsel hoog boven hun hoofd. Koks riepen vanuit de keuken. De volle eetruimte was rokerig, luidruchtig, vol met hongerige mensen die graag hard praatten onder het eten. Luigi vertelde dat het restaurant daar al eeuwen was, dat het bijna onmogelijk was om een tafel te krijgen en dat het voedsel natuurlijk voortreffelijk was. Hij stelde voor dat ze een bord *calamari* namen om op gang te komen.

Nadat hij de hele ochtend in San Luca met zichzelf in discussie was geweest, had Marco besloten Luigi niets over zijn ontmoeting met de FBI te vertellen. In elk geval nu nog niet, niet die ochtend. Misschien wel de volgende dag, of de dag daarna, maar voorlopig was hij nog bezig de zaken op een rijtje te zetten. Hij wilde het vooral verzwijgen omdat hij geen zin had om weer zijn spullen te pakken en weg te vluchten, zeker niet op Luigi's voorwaarden.

Als hij vluchtte, dan alleen.

Hij kon zich absoluut niet voorstellen waarom de FBI in Bologna

245

was, blijkbaar zonder iets af te weten van Luigi of diens opdrachtgevers. Hij nam aan dat Luigi niets van hun aanwezigheid wist. In elk geval maakte Luigi zich blijkbaar veel drukker om het menu en de wijnkaart. Het leven was goed. Alles was normaal.

De lichten gingen uit. Plotseling was het volslagen donker in Caffè Atene, en het volgende moment viel een ober met iemands lunch op een dienblad over hun tafel heen, schreeuwend en vloekend en morsend op zowel Luigi als Marco. De poten van de oude tafel wankelden en de rand vloog hard tegen Marco's schoot. Ongeveer tegelijk trof een voet of iets anders hem hard op zijn linkerschouder. Iedereen schreeuwde. Glas viel aan scherven. Er werd tegen mensen aan geduwd, en toen riep iemand in de keuken: 'Brand!'

Het werd een run op de buitendeur en de straat, maar niemand raakte ernstig gewond. De laatste die buiten stond, was Marco, die moest bukken om de mensen te ontwijken en intussen naar zijn blauwe Silvio-tas zocht. Zoals altijd had hij hem aan de rugleuning van zijn stoel gehangen, waarbij de tas zo dicht bij hem hing dat hij hem kon voelen. De tas was in de mêlee verdwenen.

De Italianen stonden op straat en keken verbijsterd naar het restaurant. Hun lunch was daarbinnen, half opgegeten en straks bedorven. Ten slotte kwam er een dun rookpluimpje door de deur naar buiten. Ze zagen een ober met een brandblusser langs de voorste tafels rennen. Toen kwam er nog wat rook, maar niet veel.

'Ik ben mijn tas kwijt,' zei Marco tegen Luigi, toen ze daar stonden te kijken.

'De blauwe?'

Hoeveel tassen heb ik bij me, Luigi? 'Ja, de blauwe.' Hij had al het vermoeden dat de tas hem was ontstolen.

Een kleine brandweerwagen met een enorme sirene kwam aanrijden, kwam slippend tot stilstand en bleef loeien terwijl de brandweermannen naar binnen renden. Na een paar minuten gingen een paar Italianen weg. De besluitvaardigen gingen ergens anders lunchen zolang er nog tijd was. De anderen bleven alleen maar naar dat gruwelijke tafereel staan kijken.

De sirene ging eindelijk uit. Blijkbaar was het vuur ook uit, en dat zonder dat ze water over het hele restaurant heen hoefden te sproeien. Na een uur van discussie en woordenwisseling en erg weinig brandbestrijding was de situatie onder controle. 'Iets in de toiletten,' riep een ober naar een van zijn vrienden, een van de weinige

246

gasten die verzwakt van de honger waren achtergebleven. De lichten gingen weer aan.

Ze mochten weer naar binnen om hun jas te halen. Sommigen die ergens anders waren gaan eten, kwamen terug voor hun spullen. Luigi was erg behulpzaam bij het zoeken naar Marco's tas. Hij besprak de situatie met een van de obers, en algauw was de helft van het personeel aan het zoeken. Ze praatten opgewonden door elkaar heen en Marco hoorde een ober iets over een 'rookbom' zeggen.

De tas was weg. Marco had niet anders verwacht.

Ze namen een panino en een biertje op een terras, ergens in de zon, waar ze de mooie meisjes voorbij konden zien lopen. Marco werd helemaal in beslag genomen door de diefstal, maar hij probeerde zich zorgeloos voor te doen.

'Jammer van die tas,' zei Luigi op een gegeven moment.

'Ach, het is niet zo erg.'

'Ik zal je een ander mobieltje geven.'

'Dank je.'

'Wat ben je nog meer kwijt?'

'Niets. Alleen wat kaarten van de stad, wat aspirines, een paar euro.'

In een hotelkamer, een paar straten daarvandaan, hadden Zellman en Krater de tas op het bed staan, met de inhoud ernaast. Afgezien van de Ankyo-telefoon waren er twee kaarten van Bologna, die veel gebruikt waren maar weinig informatie opleverden, vier briefjes van honderd euro, de mobiele telefoon die Luigi hem had gegeven, een buisje aspirines en de handleiding van de Ankyo.

Zellman, die van hen tweeën het meest van computers wist, sloot de Ankyo op een internetcontact aan en speelde algauw met het menu. 'Dit is een mooi ding,' zei hij, onder de indruk van Marco's apparaatje. 'Het nieuwste van het nieuwste.'

Zoals te verwachten was, kon hij niet verder omdat hij het wachtwoord niet wist. Dat zouden ze op Langley moeten uitzoeken. Met zijn eigen laptop mailde hij een bericht naar Julia Javier. Hij gaf het serienummer en andere informatie door.

Binnen twee uur na de diefstal zat een CIA-agent op het parkeerterrein bij Chatter in een buitenwijk van Alexandria te wachten tot de winkel openging.

26

Vanuit de verte zag hij haar dapper met haar stok over het trottoir van de Via Minzoni schuifelen. Hij volgde haar en was algauw op vijftien meter afstand. Vandaag droeg ze hoge schoenen van bruine suède, ongetwijfeld omdat die extra steun gaven. Die schoenen hadden niet al te hoge hakken. Schoenen met lage hakken zouden comfortabeler zijn geweest, maar ze was nu eenmaal een Italiaanse en mode kwam altijd op de eerste plaats. De lichtbruine rok viel net over de knie. Ze droeg een strak wollen truitje, knalrood, en het was de eerste keer dat hij haar zag zonder dat ze dik ingepakt was tegen de kou. Haar fraaie figuur ging niet meer schuil onder een dikke jas.

Ze liep voorzichtig en een beetje mank, maar met zoveel vastbeslotenheid dat hij moed vatte. Ze zouden alleen maar koffie bij Nino's drinken, en een uur of twee Italiaans spreken. En allemaal voor hem!

En voor het geld.

Hij dacht even aan het geld. Hoe moeilijk ze het met haar arme man ook had, en met haar seizoenswerk als toeristengids, ze zag kans om zich elegant te kleden en in een prachtig ingericht appartement te wonen. Giovanni was hoogleraar geweest. Misschien had hij in de loop van de jaren veel gespaard en zette zijn ziekte hun budget nu onder druk.

Hoe dan ook, Marco had zijn eigen problemen. Hij had net vierhonderd dollar verloren, en tegelijk daarmee zijn enige contact met de buitenwereld. Mensen die niet mochten weten waar hij was, wisten opeens zijn adres. Negen uur eerder had hij zijn echte naam horen noemen in de Via Fondazza.

Hij ging langzamer lopen en liet haar Nino's binnengaan, waar Nino's zoons haar weer begroetten alsof ze een dierbaar familielid was. Toen liep hij een blokje om, zodat ze de tijd hadden om haar naar haar plaats te helpen, zich druk om haar te maken, haar koffie te brengen, even met haar te praten en de buurtnieuwtjes uit te wisselen. Tien minuten nadat ze was gearriveerd, ging hij naar binnen en werd hij omhelsd door Nino's jongste zoon. Een vriend van Francesca was een vriend voor het leven.

Haar stemmingen wisselden zo vaak dat Marco niet wist wat hij kon verwachten. Hij was nog onder de indruk van de warmte en hartelijkheid van de vorige dag, maar hij wist dat ze vandaag weer volkomen onverschillig kon zijn. Toen ze glimlachte, zijn hand vastpakte en hem weer op de wang kuste, wist hij meteen dat deze les het grote lichtpunt van een ellendige dag zou zijn.

Toen ze eindelijk alleen waren, vroeg hij naar haar man. Er was niets veranderd. 'Het is nog maar een kwestie van dagen,' zei ze dapper, alsof ze de dood al had geaccepteerd en zich op het rouwen voorbereidde.

Hij vroeg naar haar moeder, signora Altonelli, en kreeg een volledig verslag. Ze bakte een perentaart, een van Giovanni's favoriete gerechten, voor het geval hij er een vleug uit de keuken van opving. 'En hoe was jouw dag?' vroeg ze.

Hij zou geen ergere reeks gebeurtenissen kunnen verzinnen. Vanaf het moment waarop hij iemand zijn echte naam in de duisternis had horen blaffen, tot het moment waarop hij het slachtoffer werd van een zorgvuldig geënsceneerde diefstal, had hij geen slechtere dag kunnen hebben.

'Een beetje opwinding onder de lunch,' zei hij.

'Vertel eens.'

Hij vertelde over zijn wandeling naar San Luca, naar de plaats waar ze was gevallen, haar bankje, het uitzicht, de afgezegde sessie met Ermanno, de lunch met Luigi, de brand, maar niet over het verlies van zijn tas. Pas toen hij het verhaal vertelde, merkte ze dat de tas weg was.

'Er is maar weinig kleine criminaliteit in Bologna,' zei ze, half verontschuldigend. 'Ik ken Caffè Atene. Daar verwacht je geen dieven.'

Dit waren waarschijnlijk ook geen Italianen geweest, wilde hij zeggen, maar hij knikte alleen ernstig, alsof hij wilde zeggen: ja, ja, waar gaat het heen met de wereld?

Op een gegeven moment ging ze als een strenge lerares op een andere versnelling over en zei ze dat ze wat werkwoorden te lijf wilde gaan. Hij zei dat hij dat niet wilde, maar zijn mening deed niet terzake. Ze zaagde hem door over de toekomende tijd van *abitare* (wonen) en *vedere* (zien). Daarna liet ze hem met beide werkwoorden in alle tijden zo'n honderd willekeurige zinnen maken. Ze was er heel goed met haar gedachten bij en wees hem op elke verkeerde uitspraak. Een grammaticafout leverde hem een snelle reprimande op, alsof hij zojuist het hele land had beledigd.

Ze had de hele dag in haar appartement gezeten, met een stervende man en een bedrijvige moeder. De les was haar enige kans om wat energie kwijt te raken. Marco daarentegen was uitgeput. De spanningen van de dag eisten hun tol, maar het hoge octaangehalte van Francesca's eisen leidde hem af van zijn uitputting en verwarring. Een uur ging snel voorbij. Ze tankten bij met meer koffie, en ze stortte zich in de troebele, moeilijke wereld van de aanvoegende wijs, tegenwoordige, verleden en voltooid verleden tijd. Ten slotte bleef hij steken. Ze probeerde hem aan te moedigen met de geruststelling dat bijna alle leerlingen moeite hebben met de aanvoegende wijs. Maar hij was moe en wilde niet meer.

Na twee uren gaf hij zich over. Hij was totaal uitgeput en had behoefte aan een lange wandeling. Ze deden er een kwartier over om afscheid te nemen van Nino's zoons. Hij leidde haar opgewekt naar haar appartement terug. Ze omhelsden elkaar, gaven elkaar een kus op de wang en spraken af de volgende dag weer te gaan studeren.

Als hij de kortste weg volgde, was het 25 minuten lopen naar zijn appartement. Maar hij volgde al meer dan een maand nooit meer de kortste weg.

Hij begon rond te dwalen.

De hele dag had Marco met de vraag geworsteld of hij naar de Via Fondazza zou terugkeren. De jongens van de FBI konden daar nog zijn, klaar voor een nieuwe lelijke confrontatie. Ze lieten zich vast niet zo gemakkelijk wegsturen. Hij hoefde niet te denken dat ze het opgaven en in een vliegtuig stapten. Ze hadden superieuren in Amerika die resultaten verlangden.

Hoewel hij het lang niet zeker wist, had hij het sterke gevoel dat Luigi achter de diefstal van zijn Silvio-tas zat. De brand was niet echt een brand geweest, meer een afleidingsmanoeuvre, een reden om het licht te laten uitgaan en iemand de tas te laten stelen.

Hij vertrouwde Luigi niet, want hij vertrouwde niemand.

Ze hadden zijn mooie kleine telefoontje. Neals codes zaten daar ook ergens in. Waren die te doorbreken? Kon het spoor naar zijn zoon leiden? Marco had er geen flauw idee van hoe die dingen werkten, wat mogelijk was en wat niet.

De aandrang om uit Bologna weg te gaan, was enorm groot. Hij had er nog niet bij stilgestaan waar hij dan heen zou gaan en hoe hij daar zou komen. Hij dwaalde nu wat rond en hij voelde zich kwetsbaar, bijna hulpeloos. Iedereen die naar hem keek was in zijn ogen iemand die wist hoe hij echt heette. Bij een drukke bushalte drong hij voor en stapte in, zonder te weten waar hij heen ging. Het was een bus vol vermoeide forensen, die schouder aan schouder meehobbelden. Hij keek door de ruiten naar het voetgangersverkeer onder de prachtige zuilengangen van het stadscentrum.

Op het laatste moment sprong hij uit de bus. Hij liep drie straten door de Via San Vitale, tot hij weer een bus zag. Hij reed bijna een uur in kringetjes rond en stapte ten slotte uit bij het station. Hij liet zich meevoeren door de andere menigte daar en stak toen vlug de Via dell' Indipendenza over naar het busstation. Daar keek hij naar de vertrektijden en zag dat er over tien minuten een bus vertrok naar Piacenza, anderhalf uur rijden met vijf tussenhaltes. Hij kocht voor dertig euro een kaartje en verstopte zich tot de laatste minuut op de toiletten. De bus was bijna vol. De zitplaatsen waren breed en hadden hoge hoofdsteunen, en toen de bus langzaam door het drukke verkeer reed, dommelde Marco bijna in. Toen riep hij zichzelf tot de orde. Slapen was uit den boze.

Dit was het dan, de ontsnapping waaraan hij sinds de eerste dag in Bologna had gedacht. Hij was er inmiddels van overtuigd dat hij zich alleen in leven kon houden als hij de benen nam, als hij Luigi achterliet en op eigen kracht verderging. Hij had zich vaak afgevraagd hoe en wanneer zijn vlucht precies zou beginnen. Wat zou hem ertoe brengen? Een persoon? Een bedreiging? Zou hij een bus of een trein nemen, een taxi of een vliegtuig? Waar zou hij heen gaan? Waar zou hij zich schuilhouden? Zou zijn zwakke Italiaans hem erdoorheen helpen? Hoeveel geld zou hij op dat moment hebben?

Nu was het zover. Het gebeurde. Hij kon nu niet meer terug.

De eerste halte was het dorp Bazzano, vijftien kilometer ten westen van Bologna. Marco stapte uit en ging de bus niet meer in. Opnieuw verstopte hij zich in de toiletten van het busstation. Toen de bus weg was, stak hij de straat over naar een café, waar hij een glas bier nam en naar het dichtstbijzijnde hotel vroeg.

Bij zijn tweede biertje vroeg hij naar het treinstation en hoorde dat Bazzano dat niet had. Alleen bussen, zei de caféhouder.

De Albergo Cantino stond dicht bij het midden van het dorp, op vijf of zes straten afstand. Het was donker toen hij bij de receptie aankwam, zonder bagage, iets wat de signora achter de balie niet ontging.

'Ik zou graag een kamer willen,' zei hij in het Italiaans.

'Voor hoeveel nachten?'

'Eén maar.'

'Het tarief is 55 euro.'

'Goed.'

'Uw paspoort graag.'

'Sorry, maar dat heb ik verloren.'

Haar geëpileerde en geverfde wenkbrauwen kwamen argwanend omhoog en ze schudde haar hoofd. 'Sorry.'

Marco legde twee biljetten van honderd euro op de balie voor haar neer. Het was duidelijk wat hij bedoelde: pak dat geld aan, geen papieren, en geef me een sleutel.

Ze schudde nog steeds met haar hoofd.

'U moet een paspoort hebben,' zei ze. Toen sloeg ze haar armen over elkaar en stak haar kin naar voren, klaar voor het vervolg van de confrontatie. Ze kon onmogelijk verliezen.

Marco ging naar buiten en liep door de straten van het vreemde dorp. Hij vond een café en bestelde koffie; geen alcohol meer, hij moest bij zijn positieven blijven.

'Waar kan ik een taxi krijgen?' vroeg hij de man achter de tapkast.

'Bij het busstation.'

Om negen uur die avond liep Luigi door zijn appartement. Hij wachtte tot Marco zou thuiskomen in het appartement naast hem. Hij belde Francesca en ze zei dat ze die middag hadden gestudeerd, ja dat ze zelfs een geweldige les hadden gehad. Prachtig, dacht hij.

Het hoorde bij het plan dat Marco de benen zou nemen, maar Whitaker en de CIA-top dachten dat er eerst nog een paar dagen overheen zouden gaan. Waren ze hem nu al kwijtgeraakt? Zo gauw? Er waren nu vijf agenten in de buurt: Luigi, Zellman, Krater en twee anderen die uit Milaan waren overgekomen.

Luigi had altijd aan het plan getwijfeld. In zo'n grote stad als Bologna kon je iemand niet 24 uur per dag in de gaten houden. Luigi had er krachtig voor gepleit om Backman weg te stoppen in een klein dorp, waar zijn bewegingsvrijheid beperkt was, waar hij weinig kon beginnen en waar zijn bezoekers meteen in het oog liepen. Dat was het oorspronkelijke plan geweest, maar in Washington hadden ze dat plotseling veranderd.

Om twaalf over negen ging er een zachte zoemer in de keuken. Hij liep vlug naar de monitors. Marco kwam thuis. Zijn voordeur ging open. Luigi keek naar de digitale beelden van de verborgen camera in het plafond van Marco's huiskamer.

Twee vreemden, niet Marco. Twee mannen van in de dertig, onopvallend gekleed. Ze deden de deur vlug dicht, geluidloos en professioneel, en keken rond. Een van hen had een zwarte tas bij zich.

Ze waren goed, erg goed. Dat moesten ze wel zijn, anders hadden ze nooit het slot van een CIA-huis open gekregen.

Luigi grijnsde van opwinding. Met een beetje geluk zouden zijn camera's straks vastleggen dat Marco om zeep werd geholpen. Misschien zouden ze hem ter plekke in de huiskamer vermoorden, en dan zou hij dat op film hebben. Misschien zou het plan toch nog slagen.

Hij drukte op de audioknoppen en draaide het volume hoger. De taal die ze spraken, was van het grootste belang. Waar kwamen ze vandaan? Welke taal spraken ze? Maar er was niets te horen. Ze bewogen zich geluidloos door het appartement. Ze fluisterden een paar keer tegen elkaar, maar hij kon het amper horen.

27

De taxi kwam tot stilstand op de Via Gramsci, bij het bus- en trein-station. Vanaf de achterbank gaf Marco de chauffeur genoeg geld, en meteen daarop dook hij tussen twee geparkeerde auto's door en verdween in de duisternis. Zijn ontsnapping uit Bologna was van erg korte duur geweest, maar het was ook nog niet echt voorbij. Uit gewoonte zigzagde hij door de stad en keek hij goed achter zich.

In de Via Minzoni liep hij vlug door de zuilengangen en stopte bij haar appartementengebouw. Hij had niet de luxe dat hij er nog eens over kon nadenken, dat hij kon aarzelen of twijfelen. Hij belde twee keer aan en hoopte vurig dat Francesca, en niet signora Altonelli, zou antwoorden.

'Wie is daar?' zei die prachtige stem.

'Francesca, ik ben het, Marco. Ik heb hulp nodig.'

Een erg korte stilte, en toen: 'Ja, natuurlijk.'

Ze stond bij de deur van haar appartement op hem te wachten en liet hem binnenkomen. Tot zijn ontzetting was signora Altonelli er nog. Ze stond met een handdoek in de keukendeur en keek erg aandachtig naar hem.

'Wat is er aan de hand?' vroeg Francesca in het Italiaans.

'Engels, graag,' zei hij en hij keek haar moeder glimlachend aan.

'Ja, natuurlijk.'

'Ik moet vannacht ergens slapen. Ik kan geen hotelkamer krijgen, want ik heb geen paspoort. Ik kan niet eens met omkoping in een klein hotel komen.'

'Dat is de wet in Europa, weet je.'

'Ja, ik leer er steeds iets bij.'

Ze wees naar de bank en vroeg toen aan haar moeder of die koffie wilde zetten. Ze gingen zitten. Hij zag dat ze op blote voeten was en zonder stok liep, al had ze die nog wel nodig. Ze droeg een strakke spijkerbroek en een wijde trui en zag er zo lieftallig uit als een studente.

'Waarom vertel je me niet wat er aan de hand is?' zei ze.

'Het is een ingewikkeld verhaal en ik kan je het meeste toch niet vertellen. Laten we zeggen dat ik me op dit moment niet erg veilig voel en dat ik echt zo gauw mogelijk uit Bologna weg moet.'

'Waar ga je heen?'

'Dat weet ik niet. Italië uit, Europa uit, ergens heen waar ik me weer kan schuilhouden.'

'Hoe lang moet je je schuilhouden?'

'Lang. Dat weet ik niet.'

Ze keek hem ijzig aan, zonder met haar ogen te knipperen. Hij keek terug omdat die ogen zelfs mooi waren als ze zo ijzig keek. 'Wie ben je?' vroeg ze.

'Nou, in elk geval ben ik niet Marco Lazzeri.'

'Waarvoor ben je op de vlucht?'

'Mijn verleden, en dat haalt me snel in. Ik ben geen misdadiger, Francesca. Ooit was ik advocaat. Ik raakte in moeilijkheden. Ik heb in de gevangenis gezeten. Ik heb volledige gratie gekregen. Ik ben geen schurk.'

'Waarom zit er iemand achter je aan?'

'Het heeft te maken met een zakelijke transactie van zes jaar geleden. Er zijn mensen, gevaarlijke mensen, die niet blij zijn met de afloop van die transactie. Ze geven mij de schuld. Ze willen me graag vinden.'

'Om je te doden?'

'Ja. Dat zouden ze graag willen.'

'Dit is allemaal erg verwarrend. Waarom ben je hierheen gekomen? Waarom hielp Luigi je? Waarom nam hij mij en Ermanno in dienst? Ik begrijp het niet.'

'En ik kan die vragen niet beantwoorden. Twee maanden geleden zat ik in de gevangenis en dacht ik dat ik daar nog veertien jaar zou moeten zitten. Plotseling was ik vrij. Ik kreeg een nieuwe identiteit en werd hierheen gebracht. Ik zat eerst in Treviso, en nu in Bologna. Ik denk dat ze me hier willen doden.'

'Hier! In Bologna!'

Hij knikte en keek naar de keuken. Signora Altonelli kwam net aanlopen met een dienblad met koffie en ook een perentaart die nog niet in stukken was gesneden. Toen ze het stuk taart zorgvuldig voor Marco op een schoteltje legde, besefte hij dat hij sinds de lunch niet meer had gegeten.

De lunch met Luigi. De lunch met de geënsceneerde brand en de gestolen telefoon. Hij dacht weer aan Neal en was bang dat zijn zoon in gevaar verkeerde.

'Het is verrukkelijk,' zei hij in het Italiaans tegen haar moeder. Francesca at niet. Ze keek naar elke beweging die hij maakte, elke hap, elk slokje koffie. Toen haar moeder naar de keuken terugging, vroeg ze: 'Voor wie werkt Luigi?'

'Dat weet ik niet zeker. Waarschijnlijk de CIA. Weet je wat de CIA is?'

'Ja. Ik lees spionageromans. Heeft de CIA je hierheen gebracht?'

'Ik denk dat de CIA me uit de gevangenis heeft gehaald, en uit het land, en me hierheen heeft gebracht, en dat ze me in een geheim huis hebben verborgen terwijl ze nog niet zeker wisten wat ze met me zouden doen.'

'Zullen ze je doden?'

'Misschien wel.'

'Luigi?'

'Dat is mogelijk.'

Ze zette haar kopje op de tafel en speelde een tijdje met haar haar. 'Wil je wat water?' vroeg ze terwijl ze overeind kwam.

'Nee, dank je.'

'Ik moet een beetje bewegen,' zei ze, terwijl ze haar gewicht voorzichtig naar haar linkervoet verplaatste. Ze liep langzaam de keuken in, waar het een ogenblik stil was en toen een woordenwisseling uitbrak. Zij en haar moeder waren het ergens grondig over oneens, maar ze moesten zich tot luid, indringend gefluister beperken.

Dat ging een paar minuten door, zakte af en laaide weer op. Blijkbaar wilde geen van beiden toegeven. Ten slotte strompelde Francesca met een flesje San Pellegrino terug en ging op de bank zitten.

'Waar ging dat over?' vroeg hij.

'Ik zei tegen haar dat je hier vannacht wilde slapen. Ze begreep het verkeerd.'

'Kom nou. Ik slaap wel in de kast. Dat kan me niet schelen.'

'Ze is erg ouderwets.'

'Blijft ze vannacht hier?'

'Nu wel.'

'Geef me maar een kussen. Ik slaap wel op de keukentafel.'

Toen signora Altonelli terugkwam om het koffiedienblad weg te halen, was ze een heel ander persoon geworden. Ze keek Marco fel aan, alsof hij haar dochter al had gemolesteerd. Ze keek ook fel naar Francesca, alsof ze haar zou willen slaan. Ze was nog een paar minuten in de keuken bezig en trok zich toen ergens in het appartement terug.

'Heb je slaap?' vroeg Francesca.

'Nee. Jij?'

'Nee. Laten we praten.'

'Goed.'

'Vertel me alles.'

Hij sliep een paar uur op de bank en werd wakker doordat Francesca op zijn schouder tikte. 'Ik heb een idee,' zei ze. 'Kom mee.'

Hij liep mee naar de keuken, waar hij op de klok zag dat het kwart over vier was. Op het aanrecht zag hij een wegwerpscheermes, een bus scheerschuim, een bril en een flesje met het een of ander, hij kon het niet vertalen. Ze gaf hem een bourgognerode leren portefeuille en zei: 'Dit is een paspoort. Van Giovanni.'

Hij liet het bijna vallen. 'Nee, ik kan niet...'

'Ja, dat kun je wel. Hij heeft het niet nodig. Ik sta erop.'

Marco maakte het langzaam open en keek naar het gedistingeerde gezicht van een man die hij nooit had ontmoet. Het paspoort was nog zeven maanden geldig; de foto was dus bijna vijf jaar oud. Hij las de geboortedatum, Giovanni was nu 68, minstens twintig jaar ouder dan zijn vrouw.

Tijdens de taxirit van Bazzano naar Bologna had hij aan niets anders dan aan een paspoort gedacht. Hij had erover gedacht er een van een nietsvermoedende toerist te stelen. Hij had erover gedacht er een op de zwarte markt te kopen, maar hij had geen idee waar hij dan heen zou moeten gaan. En hij had zelfs aan Giovanni's paspoort gedacht, want dat zou binnenkort nutteloos zijn. Van generlei waarde.

Maar hij had die gedachte uit zijn hoofd gezet omdat hij daarmee Francesca misschien in gevaar zou brengen. Als hij nu eens betrapt werd? Als een immigratieambtenaar op een vliegveld nu eens argwaan koesterde en zijn chef erbij haalde? Maar hij was vooral bang dat de mensen die hem achtervolgden hem te pakken kregen. Het paspoort zou haar bij de zaak kunnen betrekken, en dat zou hij nooit willen.

'Weet je het zeker?' vroeg hij. Nu hij het paspoort in zijn hand had, wilde hij het erg graag houden.

'Toe, Marco, ik wil helpen. Giovanni zou erop staan.'

'Ik weet niet wat ik moet zeggen.'

'We hebben werk te doen. Over twee uren vertrekt er een bus naar Parma. Dat zou een veilige manier zijn om de stad uit te komen.'

'Ik wil naar Milaan,' zei hij.

'Goed plan.'

Ze pakte het paspoort en maakte het open. Ze keken naar de foto van haar man. 'We gaan beginnen met dat ding om je mond,' zei ze.

Tien minuten later waren de snor en het sikje weg en was zijn gezicht gladgeschoren. Ze hield hem een spiegel voor terwijl hij voor het aanrecht stond. Giovanni had op zijn 63e minder grijs haar gehad dan Marco op zijn 52e, maar hij had dan ook geen federale tenlastelegging en zes jaar gevangenis achter de rug gehad.

Marco nam aan dat zijzelf die haarverf gebruikte, maar wilde daar niet naar vragen. Het spul beloofde resultaten in een uur. Hij ging met een handdoek over zijn schouders op een stoel tegenover de tafel zitten en ze masseerde de oplossing voorzichtig door zijn haar. Ze zeiden niet veel. Haar moeder sliep. Haar man verkeerde onder invloed van medicamenten en maakte geen geluid.

Niet langgeleden had Giovanni de professor een lichtbruine bril met een schildpadden montuur gedragen, zoals het een echte hoogleraar betaamde, en toen Marco die bril opzette en naar zijn nieuwe uiterlijk keek, schrok hij van de verandering. Zijn haar was veel donkerder en zijn ogen waren ook heel anders. Hij herkende zichzelf nauwelijks.

'Niet slecht,' was haar beoordeling van haar eigen werk. 'Voorlopig is het goed genoeg.'

Ze kwam met een marineblauw colbertje van corduroy, met versleten leren elleboogstukken aanzetten. 'Hij is ongeveer vijf centimeter kleiner dan jij,' zei ze. De mouwen waren een paar centimeter te kort, en het jasje zou strak om zijn borst zitten, maar Marco was tegenwoordig zo mager dat alles hem paste.

'Hoe heet je echt?' zei ze, terwijl ze de mouwen en de kraag recht trok.

'Joel.'

'Ik vind dat je met een aktetas moet reizen. Dat lijkt normaal.'

Hij kon haar niet tegenspreken. Het was allemaal ontzaglijk goed van haar, en hij had het allemaal nodig. Ze ging weg en kwam terug met een prachtige oude aktetas, geelbruin leer met een zilveren gesp.

'Ik weet niet wat ik moet zeggen,' mompelde Marco.

'Het is Giovanni's favoriete tas. Hij heeft hem twintig jaar geleden van mij cadeau gekregen. Italiaans leer.'

'Natuurlijk.'

'Als je op de een of andere manier met dat paspoort wordt betrapt, wat zeg je dan?' vroeg ze.

'Dat ik het heb gestolen. Jij bent mijn lerares. Ik was als gast in je huis. Ik ging door de la met je papieren en ik stal het paspoort van je man.'

'Je bent een goede leugenaar.'

'Ooit was ik een van de besten. Als ik word betrapt, Francesca, zal ik je beschermen. Dat beloof ik je. Ik zal leugens vertellen waar niemand van terug heeft.'

'Je wordt niet betrapt. Maar gebruik het paspoort zo weinig mogelijk.'

'Maak je geen zorgen. Ik vernietig het zodra ik kan.'

'Heb je geld nodig?'

'Nee.'

'Weet je dat zeker? Ik heb hier duizend euro.'

'Nee, Francesca, maar bedankt.'

'Schiet nu maar op.'

Hij liep met haar mee naar de voordeur, waar ze bleven staan en elkaar aankeken. 'Ga je vaak on line?' vroeg hij.

'Elke dag eventjes.'

'Zoek naar Joel Backman en begin met de *Washington Post*. Er staat daar veel materiaal, maar je moet niet alles geloven wat je leest. Ik ben niet het monster dat ze hebben gecreëerd.'

'Jij bent helemaal geen monster, Joel.'

'Ik weet niet hoe ik je moet bedanken.'

Ze pakte zijn rechterhand vast en kneep er met beide handen in.

'Kom je ooit naar Bologna terug?' vroeg ze. Het was meer een uitnodiging dan een vraag.

'Dat weet ik niet. Ik heb echt geen idee wat er gaat gebeuren. Maar misschien wel. Als ik terugkom, mag ik dan bij je aankloppen?'

'Graag. Wees voorzichtig.'

Hij bleef enkele minuten in de schaduw van de Via Minzoni staan, want hij wilde niet van haar weggaan, wilde niet aan de lange reis beginnen.

Toen kuchte er iemand in de donkere zuilengang aan de overkant van de straat en was Giovanni Ferro op de vlucht.

28

Naarmate de uren folterend traag voorbijkropen, sloeg Luigi's bezorgdheid geleidelijk om in paniek. Er konden twee dingen zijn gebeurd: de moord was al gepleegd, of Marco had ergens lucht van gekregen en was gevlucht. Luigi maakte zich zorgen over de gestolen tas. Waren ze daarmee te ver gegaan? Had de diefstal Marco zo bang gemaakt dat hij de benen had genomen?

Iedereen was geschrokken van de dure Smartphone. Hun jongen had blijkbaar veel meer gedaan dan Italiaans leren, door de straten lopen en alle cafés in de stad afwerken. Hij had plannen gemaakt en hij had gecommuniceerd.

De telefoon bevond zich nu in een lab in het souterrain van het Amerikaanse consulaat in Milaan, waar volgens Whitaker – en ze spraken elkaar elk kwartier – de technici de codes nog niet hadden doorbroken.

Een paar minuten na middernacht kregen de twee indringers in Marco's appartement blijkbaar genoeg van het wachten. Toen ze weggingen, spraken ze een paar woorden zo hard uit dat ze door de microfoons werden opgepikt. Het was Engels met een licht accent. Luigi had meteen naar Whitaker gebeld en gerapporteerd dat het waarschijnlijk Israëliërs waren.

Hij had het bij het rechte eind. De twee agenten hadden van Efraim instructie gekregen het appartement te verlaten en andere posities in te nemen.

Toen ze weggingen, nam Luigi het besluit Krater naar het busstation en Zellman naar het treinstation te sturen. Marco had geen paspoort en kon geen vliegticket kopen. Luigi liet het vliegveld voor wat het was. Maar zoals hij tegen Whitaker zei: als die jongen kans zag een technologisch geavanceerde telefoon annex computer te kopen, een apparaat dat ongeveer duizend dollar kostte, kon hij misschien ook een paspoort bemachtigen.

Om drie uur die nacht ging Whitaker in Milaan tekeer en kon Luigi, die om veiligheidsredenen niet schreeuwde, alleen maar vloeken. Dat deed hij in het Engels en het Italiaans en het bleek dat hij zich in beide talen heel goed staande kon houden.

'Je bent hem kwijt, verdomme!' krijste Whitaker.

'Nog niet!'

'Hij is al dood!'

Luigi hing weer op, voor de derde keer die nacht.

De *kidon* trok zich om ongeveer halfvier terug. Ze zouden allemaal een paar uur rusten en dan plannen maken voor de komende dag.

Hij zat met een zwerver op een bankje in een plantsoen aan de Via dell' Indipendenza, niet ver van het busstation. De zwerver had bijna de hele nacht een fles met een roze vloeistof in zijn handen gehad, en elke vijf minuten of zo lukte het hem zijn hoofd omhoog te brengen en iets tegen Marco te mompelen, die anderhalve meter van hem vandaan zat. Marco mompelde dan iets terug, en wat hij ook zei, het deed de zwerver blijkbaar altijd goed. Twee van zijn collega's lagen dicht bij hen nagenoeg in coma, dicht tegen elkaar aan als dode soldaten in een loopgraaf. Marco voelde zich niet echt veilig, maar hij had op het moment wel grotere problemen.

Er hingen een paar mensen voor het busstation rond. Om ongeveer halfzes werd het daar drukker doordat een heleboel mensen, waarschijnlijk zigeuners, een bus uit kwamen. Ze praatten allemaal door elkaar heen en waren zo te horen blij dat ze na een lange rit konden uitstappen. Er kwamen nu ook meer vertrekkende passagiers naar het busstation, en Marco vond het tijd worden om de zwerver alleen te laten. Hij liep achter een jong stel en hun kind het station in naar het loket, waar hij meeluisterde toen ze kaartjes naar Parma kochten. Hij deed hetzelfde, ging toen vlug naar de toiletten en verborg zich in een hokje.

Krater zat in de dag en nacht geopende restauratie van het busstation, dronk koffie achter een krant en keek naar de passagiers die kwamen en gingen. Hij zag Marco voorbijkomen. Hij zag zijn lengte, zijn postuur, zijn leeftijd. De manier van lopen leek op die van Marco, al liep deze man veel langzamer. De Marco Lazzeri die hij wekenlang had gevolgd, kon zo snel lopen als de meeste mensen konden joggen. Deze man was veel langzamer, maar ja, hij hoefde ook nergens heen. Waarom zou hij haast maken? Op straat probeerde Lazzeri hen altijd kwijt te raken, en soms lukte hem dat.

Maar het gezicht was heel anders. Het haar was veel donkerder. De pet van bruine corduroy was weg, maar dat was een accessoire waarvan hij zich gemakkelijk kon ontdoen. De bril met schildpadden montuur trok Kraters aandacht. Brillen leidden de aandacht erg goed af, maar vaak werden ze op een overdreven manier gebruikt. Marco's stijlvolle Armani-montuur had hem perfect gestaan en had zijn uiterlijk een beetje veranderd zonder de aandacht op zijn gezicht te vestigen. De ronde brillenglazen van deze man daarentegen smeekten om aandacht.

De gezichtsbeharing was weg; een karweitje van vijf minuten, iets wat iedereen zou doen. Krater had dat overhemd niet eerder gezien, en hij had Marco's appartement herhaaldelijk met Luigi doorzocht en dan hadden ze elk kledingstuk bekeken. De verbleekte spijkerbroek was een erg veelvoorkomend kledingstuk, en Marco had zo'n broek gekocht. Het blauwe colbertje met versleten elleboogstukken was voor Krater reden om op zijn stoel te blijven zitten, zeker in combinatie met die fraaie aktetas. Dat jasje had heel wat kilometers op de teller staan, en zoiets zou Marco niet kunnen kopen. De mouwen waren een beetje kort, maar dat zag je wel vaker. De aktetas was van duur leer. Misschien had Marco op de een of andere manier kans gezien geld aan een bijzondere telefoon uit te geven, maar waarom zou hij het aan een dure aktetas verspillen? Zijn vorige tas, de blauwe Silvio die hij had gehad totdat Krater hem ongeveer zestien uur geleden in de mêlee in Caffè Atene bemachtigde, had 60 euro gekost.

Krater keek naar hem tot hij een hoek was omgegaan en uit het zicht was verdwenen. Een mogelijkheid, niets meer dan dat. Hij nam een slok koffie en dacht een paar minuten na over de man die hij zojuist had gezien.

Marco stond met zijn spijkerbroek om zijn enkels in het wc-hokje. Hij voelde zich belachelijk, maar vond het op dat moment vooral belangrijk dat niemand hem zou zien. De deur ging open. In de muur links van de deur zaten vier urinoirs; aan de overkant waren zes wastafels, en daarnaast waren de vier hokjes. De andere drie waren leeg. Het was op het moment erg stil. Marco luisterde aandachtig. Hij wachtte tot hij de geluiden van urineren hoorde: de rits, een riemgesp, de diepe zucht die mannen vaak slaken, het klateren van urine.

Niets. Er kwam geen geluid van de wastafels; niemand die zijn handen waste. De deuren van de drie andere hokjes gingen niet open. Misschien was het de beheerder van het gebouw die zijn ronde deed en daarbij erg weinig geluid maakte.

Krater stond voor de wastafels. Hij bukte zich diep en zag de spijkerbroek om de enkels in het laatste hokje. Naast de spijkerbroek stond de fraaie aktetas. Meneer was bezig en nam de tijd.

De volgende bus vertrok om zes uur naar Parma; daarna ging er om tien voor halfzeven een bus naar Florence. Krater ging vlug naar het loket en kocht kaartjes voor beide bussen. De lokettist keek hem vreemd aan, maar dat liet Krater koud. Hij ging naar de toiletten terug. De man in het laatste hokje was er nog.

Krater ging naar buiten en belde Luigi. Hij gaf een signalement van de man en legde uit dat hij blijkbaar geen haast had om de herentoiletten te verlaten.

'De beste schuilplaats,' zei Luigi.

'Ik heb het vaak gedaan.'

'Denk je dat het Marco is?'

'Geen idee. Als hij het is, is het een erg goede vermomming.'

Luigi was nog niet bekomen van de Smartphone, de vierhonderd dollar aan contanten en de verdwijning. Hij nam geen risico's. 'Volg hem,' zei hij.

Om vijf voor zes trok Marco zijn spijkerbroek omhoog, pakte zijn aktetas en liep naar de bus. Op het perron stond Krater nonchalant met zijn ene hand de krant te lezen en met zijn andere hand een appel te eten. Toen Marco in de bus naar Parma stapte, deed Krater dat ook.

Eenderde van de stoelen was leeg. Marco ging aan de linkerkant zitten, op de helft, bij een raam. Krater keek niet naar Marco toen hij voorbijliep en ging vier rijen achter hem zitten.

De eerste halte was Modena, dertig minuten na vertrek. Toen ze de stad binnenreden, nam Marco de inventaris op van de mensen achter hem. Hij stond op en liep naar achteren, naar het toilet van de bus, en wierp onderweg een achteloze blik op iedere mannelijke passagier.

Toen hij zich in het toilet opsloot, deed hij zijn ogen dicht en zei tegen zichzelf: 'Ja, ik heb die man eerder gezien.'

Nog geen 24 uur eerder, in Caffè Atene, enkele minuten voordat het licht uitging. De man was te zien geweest in een lange spiegel die bij een oude kapstok hoorde, boven de tafels. De man had dichtbij gezeten, achter hem, met een andere man.

Hij kwam hem bekend voor. Misschien had hij hem al vaker in Bologna gezien.

Toen de bus langzamer ging rijden en het station naderde, ging Marco naar zijn plaats terug. Denk snel na, man, zei hij steeds weer tegen zichzelf, maar blijf wel kalm. Raak niet in paniek. Ze zijn je Bologna uit gevolgd; ze mogen je niet het land uit volgen.

De bus stopte en de chauffeur riep om dat ze in Modena waren aangekomen. Een korte stop; over vijftien minuten zouden ze weer vertrekken. Vier passagiers manoeuvreerden zich door het gangpad en stapten uit. De anderen bleven op hun plaats zitten; de meesten waren trouwens ingedommeld. Marco deed zijn ogen dicht en liet zijn hoofd naar links zakken, tegen het raam, alsof hij in diepe slaap verzonken was. Een minuut ging voorbij en twee boeren stapten in. Ze keken wild om zich heen en drukten zware stoffen tassen tegen zich aan.

Toen de chauffeur terugkwam en achter het stuur ging zitten, kwam Marco plotseling van zijn plaats, liep vlug door het middenpad en sprong uit de bus op het moment dat de deur zich sloot. Hij liep hard het station in, draaide zich toen om en zag de bus wegrijden. Zijn achtervolger was nog aan boord.

Krater wilde eerst ook de bus uit rennen. Misschien moest hij daarvoor ruziemaken met de chauffeur, maar geen enkele chauffeur zou ooit veel moeite doen om iemand aan boord te houden. Maar hij deed het niet, want het was nu duidelijk dat Marco wist dat hij werd gevolgd. Het feit dat hij op het laatste moment uit de bus was gesprongen, bevestigde alleen maar wat Krater al vermoedde. Het was inderdaad Marco en hij vluchtte weg als een gewond dier.

Nu was er wel het probleem dat hij in Modena rondliep en Krater niet. De bus sloeg een andere straat in en stopte voor een verkeerslicht. Krater rende met zijn handen tegen zijn buik naar de chauffeur en vroeg of hij mocht uitstappen voordat hij alles onderkotste. De deur vloog open, Krater sprong uit de bus en rende naar het station terug.

Marco verspilde geen tijd. Toen de bus uit het zicht was verdwenen, rende hij naar de voorkant van het station, waar drie taxi's stonden. Hij sprong op de achterbank van de eerste en zei: 'Kunt u me naar Milaan brengen?' Zijn Italiaans was erg goed.

'*Milano?*'

'*Sì, Milano.*'

'*È molto caro!*' Het is erg duur.

'*Quanto?*'

'*Duocente euro.*' Tweehonderd euro.

'*Andiamo.*'

Nadat hij een uur op het busstation van Modena en in de dichtstbijzijnde twee straten had gezocht, belde Krater naar Luigi met het nieuws dat hij slecht nieuws en goed nieuws had. Hij was zijn man kwijt, maar die sprong uit de bus bevestigde dat het inderdaad Marco was geweest.

Luigi's reactie was gemengd. Hij ergerde zich omdat een amateur Krater het nakijken had gegeven. Hij was onder de indruk van Marco, die zijn uiterlijk zo goed kon veranderen en een heel legertje huurmoordenaars te slim af was. En hij was kwaad op Whitaker en die idioten in Washington die steeds weer de plannen veranderden en nu waarschijnlijk een ramp hadden veroorzaakt waarvan hij, Luigi, ongetwijfeld de schuld zou krijgen.

Hij belde Whitaker, schreeuwde en vloekte nog wat meer, en ging toen met Zellman en de twee anderen naar het treinstation. Ze zouden met Krater worden herenigd in Milaan, waar Whitaker een grootscheepse operatie beloofde te houden, met alle mankracht die hij kon oproepen.

Toen hij Bologna met de snelle Eurostar verliet, kreeg Luigi een geweldig idee dat hij nooit ter sprake zou kunnen brengen. Waarom belden ze de Israëliërs en Chinezen niet gewoon op om te zeggen dat Backman voor het laatst in Modena was gezien en dat hij in westelijke richting naar Parma en waarschijnlijk Milaan op weg

was? Ze waren er nog meer op gebrand om hem te pakken te krijgen dan de CIA. En ze zouden hem veel eerder vinden.

Maar orders waren orders, ook wanneer ze steeds veranderden.

Alle wegen leidden naar Milaan.

29

De taxi stopte een blok van het centraal station van Milaan vandaan. Marco betaalde de chauffeur, bedankte hem herhaaldelijk en wenste hem een goede reis naar Modena terug. Vervolgens liep hij langs een stuk of tien andere taxi's die op arriverende passagiers stonden te wachten. In het reusachtige station liet hij zich met de menigte meevoeren. Hij ging de roltrap op en kwam uit in de beheerste chaos van de stationshal, waar meer dan tien sporen waren. Hij keek op het bord met vertrektijden wat de mogelijkheden waren. Er ging vier keer per dag een trein naar Stuttgart, en het zevende tussenstation was Zürich. Hij pakte een folder op, kocht een goedkope stadsgids met een plattegrond en ging aan een tafel zitten in een café, tussen een rij winkels. Hij had geen tijd te verliezen, maar hij moest nadenken. Hij nam twee espresso's en een pasteitje en keek intussen naar de menigte. Hij hield van de massa, al die mensen die kwamen en gingen. Hoe meer mensen, hoe veiliger het voor hem was.

Zijn eerste plan hield in dat hij ongeveer een halfuur ging wandelen, richting stadscentrum. Onderweg zou hij in een goedkope kledingzaak alles vervangen: jasje, overhemd, broek, schoenen. Ze hadden hem in Bologna gezien. Hij kon dat niet nog een keer riskeren.

Ergens in het stadscentrum, bij de Piazza del Duomo, was een internetcafé waar hij vijftien minuten lang een computer kon huren. Hij kon zich eigenlijk moeilijk voorstellen dat hij achter zo'n vreemde machine ging zitten, dat verrekte ding aanzette en dan niet alleen de jungle van internet overleefde maar ook nog een boodschap naar Neal stuurde. Het was kwart over tien 's morgens in Milaan, kwart over vier 's nachts in Culpeper, Virginia. Neal zou om tien voor acht kijken of hij mail had.

Op de een of andere manier moest hij dat e-mailbericht versturen. Dat moest gewoon.

Het tweede plan, dat er steeds beter uitzag toen hij die duizend mensen achteloos in treinen zag stappen die hen binnen enkele uren over heel Europa zouden verspreiden, hield in dat hij zou vluchten. Hij kon nu meteen een kaartje kopen en maken dat hij zo gauw mogelijk uit Milaan en Italië weg kwam. Maar zijn nieuwe haarkleur, Giovanni's bril en het oude professorenjasje hadden hen in Bologna niet misleid. Als ze zo goed waren, zouden ze hem overal vinden.

Bij wijze van compromis liep hij een eindje om. De frisse lucht deed hem altijd goed, en na vier straten was zijn bloedsomloop weer op gang gekomen. Net als in Bologna waaierden de straten van Milaan als de draden van een spinnenweb in alle richtingen uit. Er was veel verkeer en soms zat er nauwelijks beweging in. Hij hield van het verkeer, en hij hield vooral van de drukke trottoirs waar hij in de menigte kon opgaan.

De winkel heette Roberto's, een kleine herenmodezaak tussen een juwelier en een bakker. De twee etalages hingen vol kleren die ongeveer een week intact zouden blijven, en dat paste precies in Marco's tijdsschema. De verkoper uit het Midden-Oosten sprak slechter Italiaans dan Marco, maar hij was wel vlot in het aanwijzen en het maken van geluiden en hij was erop gebrand zijn klant een totaal ander aanzien te geven. Het blauwe jasje werd vervangen door een donkerbruin. Het overhemd maakte plaats voor een witte pull-over met korte mouwen. De broek was van goedkope wol, erg donker marineblauw. Omdat het verstellen een week zou duren, vroeg Marco de verkoper om een schaar. In de schimmelige kleedkamer mat hij zo goed mogelijk en knipte toen zelf iets van de broek af. Toen hij in zijn nieuwe ensemble tevoorschijn kwam, keek de verkoper naar de rafelige randen waar de broekomslagen zouden moeten zitten en barstte bijna in huilen uit.

De schoenen die Marco aanpaste, zouden hem kreupel hebben

gemaakt voordat hij bij het station terug was, en dus hield hij zijn wandelschoenen voorlopig maar aan. De beste aankoop was een donkergele strohoed die Marco kocht omdat hij iemand precies zo'n hoed had zien dragen voordat hij de winkel binnenging.

Waarom zou hij zich op dat moment iets van mode aantrekken?

De nieuwe outfit kostte hem bijna vierhonderd euro, geld dat hij slecht kon missen, maar het moest. Hij probeerde Giovanni's aktetas in ruil te geven, die vast en zeker meer waard was dan alles wat hij droeg, maar de verkoper was nog te verdrietig om de verknipte broek. Hij was amper in staat Marco te bedanken en gedag te wensen. Marco nam het blauwe jasje, de verbleekte spijkerbroek en het oude overhemd opgevouwen in een rode draagtas mee; dan had hij meteen iets anders met zich mee te dragen.

Hij liep een paar minuten en zag een schoenwinkel. Hij kocht schoenen die eruitzagen als lichtelijk aangepaste bowlingschoenen, zonder enige twijfel de lelijkste artikelen in wat verder een erg goede winkel bleek te zijn. Ze waren zwart met een soort bourgognerode strepen, en hopelijk waren ze gemaakt om niet aantrekkelijk maar comfortabel te zijn. Hij betaalde er 150 euro voor, alleen omdat ze al waren ingelopen. Pas na twee straten kon hij de moed verzamelen om ernaar te kijken.

Luigi werd gevolgd toen hij Bologna verliet. De jongen op de scooter zag hem het appartement naast dat van Backman verlaten en verbaasde zich over de manier waarop hij wegging. Hij draafde en ging met elke stap harder lopen. In de zuilengangen van de Via Fondazza rent niemand. De scooter bleef een eindje achter, totdat Luigi bleef staan en vlug in een rode Fiat stapte. Hij reed een paar straten en ging toen lang genoeg langzaam rijden om een andere man in de auto te laten springen. Ze reden met levensgevaarlijke snelheid weg, maar het was voor de scooter geen punt om hen in het stadsverkeer bij te houden. Toen ze naar het station reden en illegaal parkeerden, zag de jongen op de scooter dat allemaal en nam hij weer radiocontact op met Efraim.

Binnen een kwartier gingen twee als verkeersagenten verklede Mossad-agenten het appartement van Luigi binnen. Er gingen alarmsignalen af, sommige stil, andere nauwelijks hoorbaar. Terwijl drie agenten op straat stonden te wachten om dekking te geven trapten de twee die binnen waren de keukendeur open en troffen de verbazingwekkende collectie elektronische surveillance-apparatuur aan.

Toen Luigi, Zellman en een derde agent in de Eurostar naar Milaan stapten, had de jongen op de scooter ook een kaartje. Hij heette Paul en hij was het jongste lid van de *kidon* en ook degene die het vloeiendst Italiaans sprak. Achter de babyface met de pony ging een 26-jarige veteraan schuil die al zes moorden had gepleegd. Toen hij doorgaf dat hij in de trein zat en dat die reed, gingen twee andere agenten Luigi's appartement binnen om de apparatuur te ontleden. Maar één alarm was niet tot zwijgen te brengen. Het gestage gerinkel drong door de muren heen, net hard genoeg om de aandacht van de buren te trekken.

Na tien minuten maakte Efraim een eind aan de inbraak. De agenten verspreidden zich en kwamen toen weer samen in een van hun huizen. Ze hadden niet kunnen vaststellen wie Luigi was of voor wie hij werkte, maar het was duidelijk dat hij Backman 24 uur per dag had bespioneerd.

Toen er uren zonder taal of teken van Backman waren verstreken, veronderstelden ze dat hij gevlucht was. Zou Luigi hen naar hem toe kunnen leiden?

In het centrum van Milaan, op de Piazza del Duomo, keek Marco vol ontzag naar de gigantische gotische kathedraal die in maar drie eeuwen was gebouwd. Hij slenterde langs de Galleria Vittorio Emanuele, de schitterende galerij met glazen koepel waar Milaan beroemd om is. De galerij, met cafetaria's en boekwinkels, is het middelpunt van het stadsleven, de populairste ontmoetingsplaats. Het was zo'n vijftien graden en Marco nam een broodje en een cola op een terras, waar de duiven om elke losse kruimel heen zwermden. Hij keek naar oude Milanezen die door de galerij wandelden, vrouwen arm in arm, mannen die bleven praten alsof ze alle tijd van de wereld hadden. De gelukkigen, dacht hij.

Moest hij meteen weggaan of moest hij zich een dag of twee gedeisd houden? Dat was de vraag. In een stad met vier miljoen mensen kon hij zo lang verdwijnen als hij wilde. Hij zou een plattegrond kopen, de straten leren kennen, zich urenlang in zijn kamer schuilhouden en urenlang door kleine straatjes wandelen.

Maar dan kregen de bloedhonden die achter hem aan zaten de kans om zich te hergroeperen.

Moest hij niet meteen weggaan, nu ze nog niet goed wisten wat ze moesten doen?

Ja, dat zou hij doen. Hij betaalde de ober en keek naar zijn bowling-schoenen. Die waren inderdaad comfortabel, maar zodra hij kon zou hij ze weggooien. Op een stadsbus zag hij reclame voor een internetcafé in de Via Verri. Tien minuten later ging hij daar naar binnen. Op een bord aan de muur stonden de tarieven: tien euro per uur, minimaal dertig minuten. Hij bestelde sinaasappelsap en betaalde voor een halfuur. De verkoper knikte in de richting van een tafel waarop computers stonden. Drie van de acht werden gebruikt door mensen die blijkbaar wisten wat ze deden. Marco had geen idee.

Maar hij wist het goed te spelen. Hij ging zitten, pakte een toetsen-bord, keek naar de monitor en wilde bidden, maar in plaats daar-van ging hij aan de slag alsof hij al jaren dagelijks aan het hacken was. Het was verrassend gemakkelijk. Hij ging naar de site van KwyteMail, typte zijn gebruikersnaam, 'Grinch456', zijn wacht-woord, 'post hoc ergo propter hoc', wachtte tien seconden, en daar was het bericht van Neal:

Marco, Mikel Van Thiessen werkt nog op de Rhineland Bank, inmiddels directeur cliëntendiensten. Verder nog iets? Grinch

Op het moment dat het in Virginia precies tien voor acht was, typ-te Marco een bericht: *Grinch, met Marco, live en in eigen persoon. Ben je daar?*

Hij nam een slokje van zijn sap en keek naar het scherm. Kom op, jongen, tik wat. Weer een slokje. Een dame aan de andere kant van de tafel praatte tegen haar monitor. Toen het bericht: *Ik ben hier, luid en duidelijk. Wat is er?*

Marco typte: *Ze hebben mijn Ankyo 850 gestolen. Er is een grote kans dat de schurken hem hebben en uit elkaar halen. Enige kans dat ze jou ontdekken?*

Neal: *Alleen als ze de gebruikersnaam en het wachtwoord hebben. Hebben ze die?*

Marco: *Nee, die heb ik vernietigd. Kunnen ze niet achter dat wacht-woord komen?*

Neal: *Niet met KwyteMail. Dat is versleuteld en absoluut veilig. Als ze alleen maar de pc hebben, kunnen ze niets beginnen.*

Marco: *En wij zijn nu ook volkomen veilig?*
Neal: *Ja, zeker weten. Maar wat gebruik je nu?*
Marco: *Ik ben in een internetcafé en ik huur een computer, als een echte hacker.*
Neal: *Wil je een andere Ankyo?*
Marco: *Nee, niet nu, een andere keer wellicht. Nu het volgende. Ga naar Carl Pratt. Ik weet dat je hem niet mag, maar ik heb hem nu nodig. Pratt was erg goede maatjes met ex-senator Ira Clayburn uit North Carolina. Clayburn had jarenlang de leiding van de senaatscommissie voor inlichtingendiensten. Ik heb Clayburn nu nodig. Doe het via Pratt.*
Neal: *Waar is Clayburn?*
Marco: *Dat weet ik niet, ik hoop alleen dat hij nog leeft. Hij kwam uit de Outer Banks van North Carolina. Dat is nogal afgelegen. Hij ging met pensioen toen ik een jaar in het staatshotel zat. Pratt weet het wel.*
Neal: *Goed, ik doe het zodra ik weg kan glippen.*
Marco: *Wees alsjeblieft voorzichtig. Kijk achterom.*
Neal: *Hoe gaat het met je?*
Marco: *Ik ben op de vlucht. Ik ben vanmorgen vroeg uit Bologna vertrokken. Ik zal proberen morgen om deze tijd in te loggen. Goed?*
Neal: *Zorg dat ze je niet vinden. Ik ben hier morgen weer.*

Marco logde zelfvoldaan uit. Missie volbracht. Een fluitje van een cent. Welkom in de eeuw van de hightech toverapparaten. Hij zorgde ervoor dat hij KwyteMail op de juiste manier verliet, dronk zijn sinaasappelsap op en verliet het café. Hij liep in de richting van het station en ging eerst naar een lederwarenwinkel, waar hij kans zag Giovanni's fraaie aktetas te ruilen voor een zwarte van duidelijk mindere kwaliteit. Vervolgens ging hij naar een goedkope juwelierszaak, waar hij achttien euro betaalde voor een groot horloge met een knalrood plastic bandje, ook iets om iemand die uitkeek naar Marco Lazzeri, voorheen uit Bologna, op het verkeerde been te zetten. Toen ging hij naar een winkel met tweedehands boeken, waar hij twee euro uitgaf aan een versleten gebonden boek met de poëzie van Czeslaw Milosz, alles in het Pools uiteraard, ook iets om de bloedhonden te misleiden. Ten slotte ging hij naar een winkel met tweedehands accessoires en kocht daar een zonnebril en een houten wandelstok, die hij gebruikte zodra hij weer buiten kwam.
De stok deed hem denken aan Francesca. Hij werd er ook langza-

mer door, want hij moest op een andere manier lopen. Terwijl hij nog tijd over had, schuifelde hij het station Milano Centrale in en kocht een kaartje naar Stuttgart.

Whitaker kreeg een dringend bericht van Langley: er was ingebroken in Luigi's huis. Hij kon daar helemaal niets aan doen. Alle agenten uit Bologna waren nu in Milaan en probeerden zich koortsachtig te reorganiseren. Twee waren op het station en zochten naar een speld in een hooiberg. Twee waren op vliegveld Malpensa, veertig kilometer van de binnenstad vandaan. Twee waren op vliegveld Linate, dat veel dichterbij was en vooral voor vluchten binnen Europa werd gebruikt. Luigi was op het centrale busstation. Hij was druk aan het telefoneren en hield vol dat Marco misschien niet eens in Milaan was. Dat hij de bus van Bologna naar Modena had genomen en in noordwestelijke richting was vertrokken, wilde nog niet zeggen dat hij naar Milaan ging. Maar Luigi's geloofwaardigheid was op dat moment enigszins verminderd, in elk geval in de ogen van zijn chef Whitaker, en daarom was hij naar het busstation verbannen, waar hij tienduizend mensen zag komen en gaan.
Krater kwam het dichtst bij de speld.
Voor 60 euro kocht Marco een eersteklaskaartje, in de hoop dat hij dan meer privacy zou hebben. Het eersteklastreinstel was het laatste van de trein naar het noorden, en Marco ging om halfzes aan boord, drie kwartier voordat de trein zou vertrekken. Hij ging op zijn plaats zitten, verborg zijn gezicht zo goed mogelijk achter de zonnebril en de donkergele strohoed, sloeg het boek met Poolse poëzie open en keek naar het perron, waar passagiers langs zijn trein liepen. Sommigen waren amper anderhalve meter van hem vandaan en ze hadden allemaal haast.
Op één na. De man uit de bus was terug, dezelfde als uit Caffè Atene, waarschijnlijk de diefachtige schurk die zijn blauwe Silvio-tas had weggegrist, dezelfde bloedhond die ongeveer elf uur geleden in Modena net even te laat uit de bus stapte. Hij liep over het perron, maar ging nergens heen. Zijn ogen waren half dichtgeknepen en er zaten diepe rimpels in zijn voorhoofd. Voor een professional viel hij veel te veel op, vond Giovanni Ferro, die nu jammer genoeg meer over vluchten en onderduiken en sporen uitwissen wist dan hij had willen weten.
Krater had gehoord dat Marco waarschijnlijk hetzij naar het zuiden

274

zou gaan, naar Rome, waar hij meer mogelijkheden had, of naar het noorden, naar Zwitserland, Duitsland, Frankrijk: hij kon kiezen uit bijna heel Europa. Vijf uur lang liep Krater nu al over de twaalf perrons. Hij zag treinen komen en gaan, mengde zich in de menigten. Het interesseerde hem niet wie er uitstapten, maar hij had alle aandacht voor degenen die instapten. Elk blauw jasje, van welke tint of stijl dan ook, kreeg zijn aandacht, maar hij had er nog niet één gezien met van die versleten elleboogstukken.

Die zat in de goedkope zwarte aktetas tussen Marco's voeten, op plaats nummer 70 van het eersteklastreinstel naar Stuttgart. Marco zag Krater over het perron lopen en erg goed op de trein met eindbestemming Stuttgart letten. Zo te zien had hij een kaartje in zijn hand, en toen hij uit het zicht verdween, zou Marco kunnen zweren dat hij in de trein stapte.

Marco vocht tegen de aandrang om uit te stappen. De deur van zijn coupé ging open, en Madame kwam binnen.

30

Toen was vastgesteld dat Backman was verdwenen en nog niet door iemand anders was gedood, verstreken er vijf koortsachtige uren voordat Julia Javier de informatie kreeg die ze eigenlijk meteen bij de hand had moeten hebben. Die informatie zat in een dossier dat in de kamer van de directeur achter slot en grendel werd bewaard en dat ooit bewaakt werd door Teddy Maynard persoonlijk. Voorzover Julia zich kon herinneren, had ze die informatie nooit gezien. En ze was niet van plan om in deze chaos ook maar iets toe te geven.

De informatie was jaren geleden, toen er onderzoek naar Backman werd ingesteld, met tegenzin door de FBI verstrekt. Backmans financiële affaires werden grondig uitgekamd omdat er geruchten de ronde deden dat hij een cliënt had opgelicht en een fortuin had verborgen. Waar was dat geld? Toen hij zich plotseling schuldig verklaarde en de gevangenis in ging, had de FBI, op zoek naar dat geld, nagetrokken welke reizen hij had gemaakt. Met de schuldigverklaring was het dossier-Backman niet gesloten, maar de druk was wel van de ketel. Na verloop van tijd was het reisonderzoek voltooid, en uiteindelijk was het naar Langley gestuurd.

In de maand voordat Backman werd aangeklaagd, gearresteerd en onder strikte voorwaarden op borgtocht werd vrijgelaten, had hij twee korte reizen naar Europa gemaakt. De eerste keer had hij zich met zijn favoriete secretaresse door Air France, business class, naar Parijs laten vliegen, waar ze een paar dagen met elkaar stoeiden en de bezienswaardigheden afgingen. Ze vertelde later aan onderzoekers dat Backman een lange dag naar Berlijn was geweest om snel zaken te doen, maar op tijd terug was geweest voor een diner bij Alain Ducasse. Ze was niet met hem meegegaan naar Berlijn.

Uit de gegevens bleek niet dat Backman in die week met een passagiersvliegtuig naar Berlijn of een andere Europese stad was gegaan. Daar zou een paspoort voor nodig zijn geweest, en de FBI was er zeker van dat hij het zijne niet had gebruikt. Voor een treinreis zou hij geen paspoort nodig hebben gehad. Genève, Bern, Lausanne en Zürich lagen allemaal binnen vier uur treinreizen van Parijs.

De tweede keer was hij 72 uur onderweg geweest. Hij reisde eersteklas met Lufthansa van Washington naar Frankfurt, opnieuw voor zaken, al waren daar geen zakelijke contacten van hem ontdekt. Backman had voor twee nachten in een luxueus hotel in Frankfurt betaald, en uit niets was gebleken dat hij ergens anders had geslapen. Ook voor Frankfurt gold dat je in een paar uur met de trein naar Zwitserse steden met banken kon rijden.

Toen Julia Javier eindelijk het dossier te pakken had en het rapport las, belde ze meteen Whitaker: 'Hij gaat naar Zwitserland.'

Madame had genoeg bagage voor een welgesteld gezin van vijf personen. Een jachtige kruier hielp haar de zware koffers aan boord en naar het eersteklastreinstel brengen, en ze nam de coupé meteen helemaal met zichzelf, haar bezittingen en haar parfum in beslag. De coupé had zes zitplaatsen, waarvan zij er nu vier bezet hield. Ze ging op een van de plaatsen tegenover Marco zitten en bewoog haar royale achterste heen en weer alsof ze de stoel daarmee kon vergroten. Ze keek even naar hem, zoals hij daar ineengedoken tegen het raam zat, en begroette hem overdreven met een sensueel '*Bonsoir*'. Frans, dacht hij, en omdat het hem niet goed leek om in het Italiaans te antwoorden, zocht hij zijn heil in een oude bekende groet. '*Hello.*'

'Ah, Amerikaan.'

Hij kon er bijna niet meer wijs uit worden: talen, identiteiten, namen, culturen, achtergronden, leugens, leugens, nog meer leugens. Zonder ook maar enige overtuiging zei hij: 'Nee, Canadees.'

'Ah, ja,' zei ze. Ze was nog bezig zich met haar bagage te installeren.

Blijkbaar zou een Amerikaan meer bij haar in de smaak zijn gevallen dan een Canadees. Madame was een robuuste vrouw van zestig met een strakke rode jurk, dikke kuiten en stevige zwarte pumps die er al een miljoen kilometer op hadden zitten. Haar rijkelijk versierde ogen waren opgezet, en de reden daarvan werd algauw duidelijk. Lang voordat de trein zich in beweging zette, haalde ze een grote flacon tevoorschijn. Ze schroefde de dop los, die een beker werd, en sloeg een scheut van iets sterks achterover. Ze slikte hard, lachte Marco toe en zei: 'Wilt u iets drinken?'

'Nee, dank u.'

'Het is erg goede cognac.'

'Nee, dank u.'

'Zoals u wilt.' Ze schonk nog een beker in, dronk hem leeg en stopte de flacon weg.

Een lange treinrit was zojuist nog langer geworden.

'Waar gaat u heen?' vroeg ze in erg goed Engels.

'Stuttgart. En u?'

'Stuttgart, en dan naar Straatsburg. Ik kan niet te lang in Stuttgart blijven, weet u.' Ze trok haar neus op alsof de hele stad in ongezuiverd rioolwater dreef.

'Ik hou van Stuttgart,' zei Marco, alleen om die rimpels uit haar neus te zien verdwijnen.

'O, nou.' Haar schoenen trokken haar aandacht. Ze schopte ze uit zonder zich erg druk te maken om de plaats waar ze terecht zouden komen. Marco zette zich schrap voor een golf van voetengeur, maar besefte toen dat die weinig kans maakte tegen het goedkope parfum.

Uit zelfverdediging deed hij alsof hij in slaap viel. Ze negeerde hem enkele minuten en zei toen met luide stem: 'Spreekt u Pools?' Ze keek naar zijn boek met poëzie.

Hij maakte een scherpe beweging met zijn hoofd alsof hij wakker was geworden. 'Nee, niet precies. Maar ik probeer het wel te leren. Mijn familie komt uit Polen.' Hij hield zijn adem in toen hij klaar was, want hij verwachtte dat ze hem nu zou bedelven onder een stortvloed van echt Pools.

'O,' zei ze, niet bepaald goedkeurend.

Om precies kwart over zes blies een onzichtbare conducteur op een fluit en zette de trein zich in beweging. Gelukkig waren er geen andere passagiers in hun coupé gaan zitten. Een aantal was in het gangpad blijven staan. Ze hadden naar binnen gekeken, hadden gezien hoe vol de coupé was en waren doorgelopen naar een andere waar meer ruimte was.

Toen de trein ging rijden, keek Marco aandachtig naar het perron. De man uit de bus was nergens te bekennen.

Madame deed de cognac eer aan tot ze snurkte. Ze werd wakker gemaakt door de conducteur die hun kaartjes kwam knippen. Iemand reed een wagentje met drank voorbij. Marco kocht een biertje en bood zijn coupégenote er ook een aan. Zijn aanbod werd begroet met diezelfde opgetrokken neus, alsof ze nog liever urine zou drinken.

Het eerste station waar ze stopten, was Como/San Giovanni, een pauze van twee minuten waarin niemand instapte. Vijf minuten later stopten ze in Chiasso. Het was nu bijna donker, en Marco dacht erover om snel uit te stappen. Hij keek in het schema; ze zouden nog vier keer stoppen voordat ze in Zürich waren, een keer in Italië en drie keer in Zwitserland. In welk land kon hij het beste uitstappen?

Hij wilde nu beslist niet gevolgd worden. Als ze in de trein zaten, waren ze bij hem gebleven vanaf Bologna, via Modena en Milaan en ondanks zijn verschillende vermommingen. Het waren professionals, en hij was geen partij voor hen. Marco nam slokjes van zijn bier en voelde zich een vreselijke amateur.

Madame keek naar de gerafelde zomen van zijn broekspijpen. Vervolgens zag hij haar naar de bowlingschoenen kijken, en dat kon hij haar helemaal niet kwalijk nemen. Toen trok het knalrode horlogebandje haar aandacht. Haar gezicht drukte de voor de hand liggende reactie uit: ze kon zijn stijlloosheid niet waarderen. Typisch Amerikaans, of Canadees, of wat hij dan ook was.

Hij ving een glimp op van glinsterende lichtjes op het Meer van Lugano. De spoorlijn slingerde door het merengebied en ze kwamen steeds hoger. Zwitserland was niet ver weg.

Nu en dan liep er iemand door het verduisterde gangpad langs hun coupé. Die keek dan door de glazen deur naar binnen en liep verder naar achteren, waar toiletten waren. Madame had haar grote voeten op de plaats tegenover haar gelegd, niet te ver van Marco vandaan. Ze reden amper een uur, en ze had haar dozen en tijdschriften en kleren al door de hele coupé verspreid. Marco durfde zijn plaats niet te verlaten.

Ten slotte diende de vermoeidheid zich aan en viel Marco in slaap. Hij werd wakker van het lawaai op het station van Bellinzona, het eerste Zwitserse station waar de trein stopte. Een passagier kwam de eerste klas binnen en kon geen geschikte plaats vinden. Hij maakte de deur van hun coupé open, keek om zich heen, was niet blij met wat hij zag en ging weg om de conducteur te roepen. Ze vonden ergens anders een plaats voor hem. Madame keek nauwelijks op van haar modebladen.

Het volgende traject duurde een uur en veertig minuten, en toen Madame haar flacon weer pakte, zei Marco: 'Doet u mij ook maar wat.' Ze glimlachte voor het eerst in uren. Hoewel ze het beslist niet erg vond om in haar eentje te drinken, was het altijd prettiger om dat met een vriend te doen. Maar na een paar slokken viel Marco weer in slaap.

De trein kwam met een schok tot stilstand in Arth-Goldau. Marco schrok ervan wakker, en zijn strohoed viel af. Madame keek aandachtig naar hem. Toen hij zijn ogen opendeed, zei ze: 'Er was een vreemde man die naar u keek.'

'Waar?'

'Waar? Hier natuurlijk, in deze trein. Hij is minstens drie keer voorbijgekomen. Hij blijft bij de deur staan, kijkt uitgebreid naar u en loopt dan door.'

Misschien komt het door mijn schoenen, dacht Marco. Of mijn broek. Mijn horlogebandje? Hij wreef over zijn ogen en deed net alsof zoiets aan de lopende band gebeurde.

'Hoe zag hij eruit?'

'Blond haar, jaar of 35, leuk om te zien, bruin jasje aan. Kent u hem?'

'Nee. Ik heb geen idee.' De man uit de bus in Modena had geen blond haar en geen bruin jasje, maar die details waren nu irrelevant. Marco was bang genoeg om van plan te veranderen.

Na 25 minuten volgde Zug, het laatste station voor Zürich. Hij wilde niet het risico lopen dat hij hen naar Zürich leidde. Tien minuten voordat ze er waren, zei hij dat hij naar het toilet moest. Tussen zijn zitplaats en de deur bevond zich Madames hindernisbaan. Toen hij daar doorheen begon te stappen, legde hij zijn aktetas en stok op zijn stoel.

Hij liep langs vier coupés, elk met minstens drie passagiers, die er geen van allen verdacht uitzagen. Hij ging naar het toilet, deed de deur op slot en wachtte tot de trein langzamer ging rijden. Toen stopte de trein. Ze zouden maar twee minuten in Zug blijven, en de trein had zich tot nu toe belachelijk precies aan het tijdschema gehouden. Hij wachtte een minuut, liep toen vlug naar zijn coupé terug, maakte de deur open, zei niets tegen Madame, pakte zijn tas en stok, die hij eventueel als wapen wilde gebruiken, en rende naar de achterkant van de trein, waar hij op het perron sprong.

Het was een klein station boven straatniveau. Marco rende de trap af naar het trottoir, waar één taxi stond met een slapende chauffeur achter het stuur. 'Hotel, graag,' zei hij. De chauffeur schrok en greep automatisch naar de contactsleutel. Hij vroeg iets in het Duits en Marco probeerde Italiaans. 'Ik heb een klein hotel nodig. Ik heb geen reservering.'

'Maakt niet uit,' zei de chauffeur. Toen ze wegreden, keek Marco op en zag hij de trein wegrijden. Hij keek achter zich en zag niemand die hem volgde.

De rit was niet langer dan vier straten, en toen ze in een stille zijstraat voor een gebouw met een puntdak stopten, zei de chauffeur in het Italiaans: 'Dit hotel is erg goed.'

'Ziet er goed uit. Dank u. Hoe ver is Zürich met de auto?'

'Ongeveer twee uur rijden. Hangt van het verkeer af.'

'Morgenvroeg moet ik om negen uur in het centrum van Zürich zijn. Kunt u me daarheen rijden?'

De chauffeur aarzelde even. Hij dacht aan geld. 'Hang ervan af,' zei hij.

'Hoeveel kost het?'

De chauffeur wreef over zijn kin, haalde toen zijn schouders op en zei: 'Tweehonderd euro.'

'Goed. Dan vertrekken we hier om zes uur.'

'Zes uur, ja, ik zal er zijn.'

Marco bedankte hem en keek hem na toen hij wegreed. Toen hij door de voordeur van het hotel naar binnen ging, klingelde er een bel. De kleine balie was verlaten, maar ergens in de buurt was het geluid van een televisie te horen. Ten slotte kwam een slaperige tiener aanlopen die een glimlach produceerde. '*Guten Abend*,' zei hij.

'*Parla inglese?*' vroeg Marco.

Hij schudde zijn hoofd.

'*Italiano?*'

'Een beetje.'

'Ik ook een beetje,' zei Marco in het Italiaans. 'Ik wil graag een kamer voor één nacht.'

De receptionist schoof hem een formulier toe, en uit zijn hoofd vulde Marco de naam op zijn paspoort en het nummer daarvan in. Hij gaf een fictief adres in Bologna op, en ook een niet-bestaand telefoonnummer. Het paspoort zat in zijn jaszak, dicht bij zijn hart, en als het echt moest, was hij bereid het tevoorschijn te halen.

Maar het was laat en de receptionist miste zijn televisieprogramma. Met een voor Zwitsers zeldzaam gebrek aan efficiency zei hij, ook in het Italiaans: 'Tweeënveertig euro.' Hij zei niets over een paspoort.

Giovanni legde het geld op de balie, en de receptionist gaf hem de sleutel van kamer 26. In verrassend goed Italiaans zorgde hij ervoor dat hij om vijf uur gewekt zou worden. Bijna op het laatste moment zei hij: 'Ik heb mijn tandenborstel verloren. Hebt u er een voor me?'

De receptionist greep in een la en pakte een doos met allerlei dingen die iemand nodig kon hebben: tandenborstels, tandpasta, wegwerpscheermesjes, scheerschuim, aspirine, tampons, handcrème, kammen, zelfs condooms. Giovanni pakte er een paar dingen uit en betaalde er tien euro voor.

Een luxe suite in het Ritz had niet welkomer kunnen zijn dan kamer 26. De kamer was klein, schoon, warm, met een stevig matras en twee grendels voor de deur om de mensen weg te houden die hem sinds de vroege ochtend hadden achtervolgd. Hij nam een lange, warme douche, schoor zich en poetste een eeuwigheid zijn tanden.

Tot zijn grote opluchting was er een minibar in een kastje onder de televisie. Hij at een pak koekjes, spoelde ze weg met twee kleine flesjes whisky, en toen hij onder de dekens kroop, was hij mentaal helemaal leeg en fysiek uitgeput. De stok lag op het bed, bij de hand. Belachelijk, maar hij kon er niets aan doen.

31

In de diepten van de gevangenis had hij gedroomd van Zürich, de blauwe rivieren, schone schaduwrijke straten, moderne winkels en aantrekkelijke mensen, die er allemaal trots op waren dat ze Zwitser waren en allemaal met opgewekte ernst door het leven gingen. In een vorig leven had hij met hen in de geluidloze elektrische trams gereden als ze naar de financiële wijk gingen. In die tijd had hij het te druk gehad om veel te reizen. Hij was te belangrijk geweest om de delicate machinaties van Washington voor langere tijd te verlaten, maar Zürich was een van de weinige plaatsen die hij had gezien. Het was zijn soort stad: geen drukte van toeristen en verkeer, een stad die zijn tijd niet besteedde aan het bekijken van kathedralen en musea en de verafgoding van de afgelopen tweeduizend jaar. Beslist niet. Zürich was een stad van het geld, en de verfijnde manier waarop de stad werd bestuurd, stond in sterk contrast met het ordinaire zakkenvullen waarin Backman zich had gespecialiseerd.

Hij zat weer in een tram. Hij was bij het station ingestapt en reed nu in een gestaag tempo door de Bahnhofstrasse, de hoofdstraat van de binnenstad van Zürich, voorzover die stad een hoofdstraat had. Het was bijna negen uur 's morgens. Hij bevond zich in de laatste golf stijlvol geklede jonge bankiers die op weg waren naar UBS en Credit Suisse en wel duizend minder bekende maar even rijke bankinstellingen. Donkere pakken, overhemden in allerlei kleuren maar weinig witte, dure dassen met dikkere knopen en minder figuren erop, donkerbruine schoenen met veters, nooit kwastjes. De stijlen waren in de afgelopen zes jaar enigszins veranderd. Altijd conservatief, maar met een beetje zwier. Niet helemaal zo stijlvol als de jonge managers in zijn geboortestad Bologna, maar het zag er toch goed uit.

In de tram las iedereen iets. Er kwamen trams uit de andere richting. Marco deed alsof hij verdiept was in *Newsweek*, maar in werkelijkheid keek hij naar zijn medepassagiers.

Niemand keek naar hem. Niemand scheen zich aan zijn bowlingschoenen te storen. Hij had zelfs een nonchalant geklede jongeman bij het station ook zo'n paar schoenen zien dragen. Zijn strohoed trok geen aandacht. De zomen van zijn broekspijpen waren een beetje gerepareerd met een goedkoop naaisetje dat hij van de hotelreceptionist had gekocht; hij was een halfuur bezig geweest om zijn broek op te knappen zonder zich te prikken. Zijn outfit kostte maar een fractie van wat hij om zich heen zag, maar wat kon het hem schelen? Hij had Zürich bereikt zonder Luigi en al die anderen, en met nog een beetje geluk zou hij de stad ook weer uitkomen.

Op de Paradeplatz stopten de trams die uit het oosten en westen kwamen aanrijden. Ze liepen vlug leeg en de jonge bankiers verspreidden zich in alle richtingen, op weg naar de gebouwen. Marco ging met de stroom mee. Zijn strohoed had hij onder de bank van de tram achtergelaten.

In zeven jaar was er niets veranderd. De Paradeplatz was nog hetzelfde: een open plaza met winkeltjes en cafetaria's. De banken die eromheen stonden, waren daar al honderd jaar gevestigd; sommige maakten hun naam met neonborden bekend, andere waren zo goed verscholen dat ze niet te vinden waren. Door zijn zonnebril nam hij zo veel mogelijk van de omgeving in zich op, en intussen bleef hij dicht bij drie jonge mannen met gymtassen aan hun schouder. Ze waren blijkbaar op weg naar de Rhineland Bank aan de oostkant van het plein. Hij liep met hen mee naar binnen, de hal in, en daar begon de pret.

De informatiebalie was in geen zeven jaar verplaatst; de verzorgde dame die erachter zat, kwam hem zelfs vaag bekend voor. 'Ik zou graag de heer Mikel Van Thiessen willen spreken,' zei hij zo zacht mogelijk.

'En uw naam is?'

'Marco Lazzeri.' Hij zou straks weer 'Joel Backman' worden, boven, maar hier leek hem dat nog niet verstandig. Hopelijk had Van Thiessen in Neals e-mailberichten gelezen welke naam hij tegenwoordig gebruikte. Neal had de bankier gevraagd als het enigszins mogelijk was de komende week in de stad te blijven.

Ze nam de telefoon en toetste ook iets in op een toetsenbord. 'Wilt u een ogenblikje wachten, meneer Lazzeri?' vroeg ze.

'Ja zeker,' zei hij. Wachten? Hij had hier jarenlang van gedroomd. Hij nam een stoel, sloeg zijn benen over elkaar, zag de schoenen, stak zijn voeten onder de stoel. Hij was er zeker van dat hij op dat moment door tien verschillende camera's werd bekeken, en dat was niet erg. Misschien zouden ze zien dat het Backman was die daar zat, en misschien ook niet. Hij kon hen al bijna voor zich zien, hoe ze naar de monitors zaten te kijken en zich over hun hoofd krabden en zeiden: 'Ik weet het niet. Hij is veel slanker, zelfs mager.'

'En dat haar. Dat is een slechte kleurspoeling.'

Om hen te helpen zette Joel de schildpadden bril van Giovanni af.

Vijf minuten later kwam een streng kijkend beveiligingstype met niet zo'n erg stijlvol pak plotseling naar hem toe en zei: 'Meneer Lazzeri, komt u met me mee?'

Ze gingen met een privé-lift naar de tweede verdieping, waar Marco naar een klein kamertje met dikke muren werd gebracht. Bij de Rhineland Bank leken alle muren dik. Er stonden daar twee andere bewakers te wachten. Een van hen glimlachte zowaar, de ander niet. Ze verzochten hem beide handen op een biometrische vingerafdrukscanner te leggen. Die zou zijn afdrukken vergelijken met de afdrukken die hij bijna zeven jaar geleden in ditzelfde kamertje had achtergelaten, en wanneer ze precies overeenkwamen, zou er nog meer worden geglimlacht en volgden er een mooiere kamer, een mooiere hal, een aanbod van koffie of sap. Alles wat u maar wenst, meneer Backman.

Hij wilde graag sinaasappelsap hebben, want hij had geen ontbijt gehad. De bewakers waren naar hun hok terug gegaan. Meneer Backman werd nu begeleid door Elke, een van de welgevormde assistentes van Van Thiessen. 'Hij komt zo,' legde ze uit. 'Hij verwachtte u vanmorgen niet.'

Het was nogal moeilijk om een afspraak te maken als je je in toilethokjes verstopte. Joel glimlachte naar haar. Die goeie ouwe Marco was nu verleden tijd. Na twee maanden eindelijk te ruste gelegd. Marco had hem goed geholpen, had hem in leven gehouden, had hem de eerste beginselen van het Italiaans bijgebracht, had met hem door Treviso en Bologna gelopen en had hem laten kennismaken met Francesca, een vrouw die hij niet gauw zou vergeten.

Maar Marco zou ook zijn dood zijn geworden, en daarom liet hij hem achter op de tweede verdieping van de Rhineland Bank, waar hij naar Elkes zwarte naaldhakken keek en op haar baas wachtte. Marco was weg en zou nooit meer terugkomen.

Mikel Van Thiessens kantoor was ontworpen om zijn bezoekers een keiharde rechtse toe te dienen. Dat was te zien aan het weelderige Perzische kleed. De leren sofa en stoelen. Het antieke mahoniehouten bureau dat niet in de cel in Rudley zou hebben gepast. De vele elektronische apparaten die hem ter beschikking stonden. Hij kwam Joel bij de zware eikenhouten deur tegemoet en ze gaven elkaar op gepaste wijze een hand, maar niet als oude vrienden. Ze hadden elkaar precies één keer eerder ontmoet.

Joel mocht sinds hun vorige bezoek dan dertig kilo zijn afgevallen, Van Thiessen had het meeste daarvan erbij gekregen. Hij was ook veel grijzer, lang niet zo fel en energiek als de jongere bankiers die Joel in de tram had gezien. Van Thiessen leidde zijn cliënt naar de leren stoelen, terwijl Elke en een andere assistente vlug koffie en gebak serveerden.

Toen ze alleen waren, met de deur dicht, zei Van Thiessen: 'Ik heb over u gelezen.'

'O, ja? En wat hebt u gelezen?'

'Dat u een president hebt omgekocht om gratie te krijgen. Kom nou, meneer Backman. Is het daar echt zo gemakkelijk?'

Joel kon niet nagaan of de man dat in ernst zei of niet. Joel was in een goed humeur, maar hij was nog niet zover dat hij zin had om kwinkslagen uit te wisselen.

'Ik heb niemand omgekocht, als u dat wilt suggereren.'

'Ja, nou, de kranten staan in elk geval vol met speculaties.' Zijn toon was eerder beschuldigend dan joviaal, en Joel wilde geen tijd verspillen. 'Gelooft u alles wat u in de kranten leest?'

'Natuurlijk niet, meneer Backman.'

'Ik ben hier om drie redenen. Ik wil toegang tot mijn kluisje. Ik wil mijn rekening herzien. Ik wil tienduizend dollar opnemen. Daarna wil ik u misschien vragen me enkele diensten te bewijzen.'

Van Thiessen stak een koekje in zijn mond en kauwde er snel op. 'Ja, natuurlijk. Ik denk niet dat we daar een probleem mee hebben.'
'Waarom zou u een probleem hebben?'
'Geen probleem, meneer. Ik heb alleen een paar minuten nodig.'
'Waarvoor?'
'Ik moet met een collega overleggen.'
'Kunt u dat zo snel mogelijk doen?'
Van Thiessen liep bijna op een draf de kamer uit en gooide de deur achter zich dicht. De pijn in Joels maag kwam niet van de honger. Als het nu mis ging, had hij geen reserveplan. Dan zou hij het bankgebouw uitlopen zonder iets op zak. Hopelijk zou hij de Paradeplatz kunnen oversteken naar een tram, en als hij daar eenmaal in zat, zou hij nergens heen kunnen. Dan was de ontsnapping voorbij. Marco zou er weer zijn, en Marco zou uiteindelijk zijn dood worden.
Terwijl de tijd plotseling tot stilstand kwam, dacht hij aan de gratieverlening. Daarmee had hij een schone lei gekregen. De Amerikaanse regering kon de Zwitsers niet onder druk zetten om zijn rekening te blokkeren. De Zwitsers blokkeerden geen rekeningen! De Zwitsers lieten zich nooit onder druk zetten! Daarom zaten hun banken boordevol met gestolen geld uit de hele wereld. Dit waren de Zwitsers!
Elke haalde hem op en vroeg of hij met haar naar beneden wilde lopen. In andere tijden zou hij met Elke overal heen zijn gelopen, maar nu gingen ze alleen maar naar beneden.
Hij was de vorige keer ook in de kluisruimte geweest. Die bevond zich in het souterrain, enkele verdiepingen onder de grond, al wisten de cliënten nooit hoe diep ze in de Zwitserse bodem afdaalden. De deuren waren dertig centimeter dik, de muren leken van lood, aan de plafonds hingen bewakingscamera's. Elke droeg hem weer over aan Van Thiessen.
Zijn beide duimen werden gescand om ze met de computergegevens te vergelijken. Een optische scanner maakte een foto van hem. 'Nummer 7,' zei Van Thiessen, en hij wees. 'Ik zie u daar,' zei hij en hij liep een deur uit.
Joel liep door een korte gang langs zes naamloze stalen deuren, tot hij bij de zevende kwam. Hij drukte op een knop, binnen schoven en klikten allerlei dingen, en toen ging de deur open. Hij ging naar binnen, en daar wachtte Van Thiessen op hem.

Het was een kamer van vier bij vier meter. In drie van de muren zaten individuele kluizen, voor het merendeel zo groot als een flinke schoenendoos.

'Wat is uw kluisnummer?' vroeg Van Thiessen.

'L2270.'

'Juist.'

Van Thiessen ging naar rechts en boog zich enigszins naar L2270 toe. Op het kleine toetsenbord van de kluis typte hij wat getallen in. Vervolgens richtte hij zich op en zei: 'Ga uw gang.'

Onder Van Thiessens waakzame blikken ging Joel naar zijn kluis toe en voerde zijn code in. Terwijl hij dat deed, fluisterde hij zachtjes de nummers die voorgoed in zijn geheugen gebrand zaten: '81, 55, 94, 93, 23.' Op het toetsenbord knipperde een groen lichtje. Van Thiessen glimlachte en zei: 'Ik wacht voorin op u. Belt u maar als u klaar bent.'

Toen hij alleen was, haalde Joel het stalen kistje uit zijn kluis en trok het deksel open. Hij pakte de kussenenvelop op en maakte hem open. Daar waren de vier Jaz-schijven van twee gigabyte die ooit een miljard dollar waard waren geweest.

Hij gunde zich wat tijd, maar niet meer dan een minuut. Per slot van rekening was hij op dat moment erg veilig, en als hij zich aan overpeinzingen wilde overgeven, kon dat toch geen kwaad?

Hij dacht aan Safi Mirza, Fazal Sharif en Farooq Khan, de geniale jongens die Neptune hadden ontdekt en daarna een hele partij software hadden geschreven om het systeem te manipuleren. Ze waren nu alle drie dood, gedood door hun naïeve hebzucht en doordat ze de verkeerde advocaat hadden genomen. Hij dacht aan Jacy Hubbard, de brutale, welbespraakte, uiterst charismatische schurk die gedurende zijn hele politieke carrière de kiezers om zijn vinger had gewonden en aan het eind te hebberig was geworden. Hij dacht aan Carl Pratt en Kim Bolling en tientallen andere vennoten die hij in hun welvarende firma had binnengehaald, en de levens die waren verwoest door wat hij nu in zijn hand hield. Hij dacht aan Neal en de vernedering die hij zijn zoon had aangedaan toen het schandaal heel Washington beheerste en hijzelf alleen nog maar zijn toevlucht tot de gevangenis kon nemen.

En hij dacht aan zichzelf, niet in egoïstische termen, niet met zelfbeklag, en zonder de schuld aan iemand anders te willen geven. Wat was zijn leven een puinhoop geweest, in elk geval tot nu toe. Hoe graag hij ook in de tijd terug zou gaan om het anders te doen, hij had nu geen tijd voor zulke gedachten. Je hebt nog maar een paar jaar over, Joel, of Marco, of Giovanni, of hoe je ook mag heten. Als je nou eens voor het eerst in je stomme leven doet wat goed is, en dus niet wat winstgevend is?

Hij stopte de schijfjes in de envelop, deed de envelop in zijn aktetas en zette het stalen kistje in de kluis terug. Hij belde om Van Thiessen.

Eenmaal terug in het kantoor, gaf Van Thiessen hem een map met één vel papier erin. 'Dit is het overzicht van uw rekening,' zei hij. 'Het is erg eenvoudig. Zoals u weet, zijn er geen mutaties geweest.'

'Ik krijg maar één procent rente,' zei Joel.

'U kende onze tarieven toen u de rekening opende, meneer Backman.'

'Ja.'

'We beschermen uw geld in andere opzichten.'

'Natuurlijk.' Joel sloot de map en gaf hem terug. 'Ik wil dit niet houden. Hebt u het geld?'

'Ja, dat is op weg naar boven.'

'Goed. Dan wil ik nog een paar dingen.'

Van Thiessen pakte zijn schrijfblok en hield zijn vulpen in de aanslag. 'Ja,' zei hij.

'Ik wil honderdduizend dollar overmaken naar een bank in Washington. Kunt u er een aanbevelen?'

'Ja zeker. Wij werken nauw samen met de Maryland Trust.'

'Goed. Stuurt u het geld daarheen en opent u dan tegelijk een gewone spaarrekening. Ik zal geen geld overboeken, alleen opnemen.'

'Op welke naam?'

'Joel Backman en Neal Backman.' Hij raakte weer gewend aan zijn naam en schrok niet meer als hij hem uitsprak. Hij kromp niet meer ineen van angst, in afwachting van pistoolschoten. Hij was blij met die naam.

'Goed,' zei Van Thiessen. Alles was mogelijk.

'Ik heb wat hulp nodig om in de Verenigde Staten terug te komen. Kan uw secretaresse nagaan welke Lufthansa-vluchten er zijn naar Philadelphia en New York?'

'Natuurlijk. Wanneer, en vanwaar?'

'Vandaag, zo gauw mogelijk. Ik maak liever geen gebruik van het vliegveld hier. Hoe ver is het met de auto naar München?'

'Met de auto is het drie of vier uur.'

'Kunt u een auto regelen?'

'Ja, dat lukt wel.'

'Ik wil graag vanuit het souterrain van dit gebouw vertrekken, met een auto die wordt bestuurd door iemand die er niet uitziet als een chauffeur. Ook geen zwarte auto, niets wat de aandacht trekt.'

Van Thiessen hield op met schrijven en keek hem verbaasd aan. 'Verkeert u in gevaar, meneer Backman?'

'Zou kunnen. Ik weet het niet zeker, maar ik neem geen risico's.'

Van Thiessen dacht daar even over na en zei toen: 'Wilt u dat wij de vliegreis voor u reserveren?'

'Ja.'

'Dan moet ik uw paspoort zien.'

Joel haalde het geleende paspoort op naam van Giovanni tevoorschijn. Van Thiessen keek er een hele tijd naar. Hij kon zijn stoïcijnse bankiersgezicht niet helemaal in bedwang houden, daarvoor maakte hij zich te veel zorgen. Ten slotte kon hij uitbrengen: 'Meneer Backman, wilt u reizen op het paspoort van iemand anders?'

'Ja.'

'En dit is een geldig paspoort?'

'Ja.'

'Ik neem aan dat u geen eigen paspoort hebt.'

'Dat hebben ze me langgeleden afgepakt.'

'De bank kan niet deelnemen aan het plegen van een misdrijf. Als dit paspoort gestolen is, dan...'

'Ik verzeker u dat het niet gestolen is.'

'Maar hoe...'

'Laten we zeggen dat het geleend is. Goed?'

'Maar het is in strijd met de wet om het paspoort van iemand anders te gebruiken.'

'Maakt u zich niet druk om het immigratiebeleid van de Verenigde Staten, meneer Van Thiessen. Zorgt u nu maar voor de vluchtschema's. Ik kies de vluchten uit. Uw secretaresse maakt de reserveringen namens de bank. Trekt u het maar van mijn saldo af. U helpt me aan een auto en een chauffeur. Dat kunt u ook van mijn saldo aftrekken. Het is allemaal heel eenvoudig.'

Het was maar een paspoort. Ach, andere cliënten hadden er drie of vier. Van Thiessen gaf het aan Joel terug en zei: 'Goed. Verder nog iets?'

'Ja, ik moet on line. Ik neem aan dat uw computers veilig zijn.'

'Zeker weten.'

Zijn e-mailbericht aan Neal luidde:

> *Grinch. Met een beetje geluk kom ik vanavond in de Verenigde Staten aan. Koop vandaag een nieuw mobieltje. Verlies dat niet uit het oog. Bel morgenvroeg naar het Hilton, Marriott en Sheraton in het centrum van Washington. Vraag naar Giovanni Ferro. Dat ben ik. Bel Carl Pratt morgenvroeg meteen met de nieuwe telefoon. Oefen druk uit om senator Clayburn naar Washington te krijgen. Wij betalen zijn onkosten. Zeg tegen hem dat het dringend is. Een dienst die hij een oude vriend kan bewijzen. Neem geen genoegen met 'nee'. Geen e-mails meer tot ik thuis ben. Marco*

Na een snelle sandwich en een cola in Van Thiessens kantoor verliet Joel Backman het bankgebouw in een glanzende groene vierdeurs BMW sedan. Hij zat naast de chauffeur op de voorbank en voor de goede orde deed hij net of hij een Zwitserse krant zat te lezen tot ze op de snelweg waren. De chauffeur heette Franz. Franz zag zichzelf als een Formule 1-kanshebber, en toen Joel hem vertelde dat hij nogal haast had, ging Franz naar de linker rijbaan en voerde hij de snelheid op naar 150 kilometer per uur.

32

Om vijf voor twee 's middags zat Joel Backman op een luxueuze grote stoel in de eerste klas van een Lufthansa 747, die zich zojuist op het vliegveld München van de gate had verwijderd. Pas toen het vliegtuig in beweging kwam, durfde hij het glas champagne op te pakken waarnaar hij al tien minuten had gekeken. Toen het vliegtuig aan het eind van de startbaan tot stilstand kwam voor een laatste controle, was het glas leeg. En toen de wielen van de grond loskwamen, deed Joel zijn ogen dicht en permitteerde hij zich de luxe van een paar uur slaap.

Zijn zoon daarentegen had op exact datzelfde moment – in Virginia was het nu vijf voor acht 's morgens – zin om met dingen te gaan smijten. Hoe moest hij het nou klaarspelen om onmiddellijk een nieuwe mobiele telefoon te kopen, en dan Carl Pratt nog eens te bellen en hem om een dienst vragen zonder dat Pratt enige reden had om die dienst te bewijzen, en dan ook nog een gepensioneerde, kribbige oude senator uit Ocracoke in North Carolina overhalen om de boel de boel te laten en onmiddellijk terug te keren naar een stad waaraan hij duidelijk een enorme hekel had? Om nog maar te zwijgen van wat toch duidelijk zou moeten zijn: hij, Neal Backman, had een drukbezette dag op zijn kantoor. Niets wat zo dringend was als het redden van zijn onberekenbare vader, maar evengoed een volle agenda met cliënten en andere belangrijke dingen.

Hij verliet Jerry's Java, maar ging naar huis in plaats van kantoor. Lisa was hun dochter in bad aan het doen en was verbaasd hem te zien. 'Wat is er?' zei ze.

'We moeten praten.'

Hij begon met de mysterieuze brief die was verstuurd vanuit York, Pennsylvania, en ging verder met de lening van vierduizend dollar, hoe pijnlijk dat ook was, en vertelde toen over de Ankyo-telefoon, de versleutelde e-mails, min of meer het hele verhaal. Tot zijn grote opluchting reageerde ze kalm.

'Je had het me moeten vertellen,' zei ze meer dan eens.

'Ja, en dat spijt me.'

Ze kregen geen ruzie. Loyaliteit was een van haar sterkste eigenschappen, en toen ze zei 'We moeten hem helpen', omhelsde Neal haar.

'Hij betaalt het geld terug,' verzekerde hij haar.

'We zullen ons later druk maken om het geld. Verkeert hij in gevaar?'

'Ik denk het wel.'

'Goed, wat is de eerste stap?'

'Bel naar kantoor en zeg dat ik met griep in bed lig.'

Hun hele gesprek werd live en tot in detail opgenomen door een kleine microfoon die door de Mossad was aangebracht in de schemerlamp boven de plaats waar ze zaten. Die microfoon stond in verbinding met een zendertje dat op hun zolder was verborgen, en vandaar werd het signaal doorgestuurd naar een hoge-frequentie-ontvanger op vierhonderd meter afstand in een zelden gebruikt kantoor dat kortgeleden voor zes maanden was gehuurd door iemand uit Washington. Daar luisterde een technicus er twee keer naar, waarna hij vlug een e-mail stuurde naar zijn contactpersoon op de Israëlische ambassade in Washington.

Sinds Backmans verdwijning in Bologna, meer dan 24 uur geleden, werden de signalen die ze rond zijn zoon oppikten, nog aandachtiger gevolgd.

Het e-mailbericht naar Washington besloot met: 'JB komt naar huis.'

Gelukkig had Neal in zijn gesprek met Lisa de naam 'Giovanni Ferro' niet genoemd. Jammer genoeg had hij wel twee van de drie hotels genoemd, het Marriott en het Sheraton.

Backmans terugkeer kreeg de allerhoogste prioriteit. Er waren elf Mossad-agenten aan de Amerikaanse Oostkust gestationeerd. Ze kregen allemaal opdracht onmiddellijk naar Washington te gaan.

Lisa zette hun dochter bij haar moeder af, en daarna reden zij en Neal naar Charlottesville in het zuiden, een rit van een halfuur. In een winkelcentrum ten noorden van de stad gingen ze naar het kantoor van U.S. Cellular. Ze openden een account, kochten een telefoon en waren binnen een halfuur weer op de weg. Lisa reed en Neal was Carl Pratt aan het bellen.

Geholpen door fikse porties champagne en wijn, slaagde Joel erin een aantal uren te slapen terwijl ze over de Atlantische Oceaan vlogen. Toen het vliegtuig om halfvijf 's middags op vliegveld JFK bij New York landde, had het ontspannen gevoel alweer plaatsgemaakt voor onzekerheid en de neiging om achterom te kijken.
Bij de immigratiedienst ging hij eerst in de rij van de terugkerende Amerikanen staan, een kortere rij. De rij van niet-Amerikanen die verderop stond, zag er veel minder florissant uit. Toen bedacht hij zich, keek om zich heen, vloekte binnensmonds en liep naar de buitenlanders.
Was dat stom of niet?
Een geüniformeerde speknek uit de Bronx schreeuwde tegen de mensen dat ze die streep daar moesten volgen, en niet die, en dat ze moesten opschieten. Welkom in Amerika. Sommige dingen had hij niet gemist.
De paspoortcontroleur keek met gefronste wenkbrauwen naar Giovanni's pas, maar ja, zo keek hij ook naar alle andere paspoorten. Joel had hem zorgvuldig van achter zijn goedkope zonnebril gadegeslagen.
'Wilt u die zonnebril afzetten?' zei de controleur.
'*Certamente*,' zei Joel met luide stem. Hij wilde graag bewijzen hoe Italiaans hij was. Hij zette de zonnebril af, kneep zijn ogen halfdicht alsof hij verblind was en wreef toen over zijn ogen terwijl de controleur zijn gezicht probeerde te bestuderen. Met tegenzin zette de man een stempel in het paspoort en gaf het toen terug zonder een woord te zeggen. Joel liep vlug door de terminal naar de rij voor de taxistandplaats. 'Penn Station,' zei hij. De chauffeur leek op Farooq Khan, de jongste van de drie, een jongen nog, en terwijl Joel vanaf

294

de achterbank naar hem keek, trok hij zijn aktetas dichter naar zich toe.

Ze reden tegen het spitsverkeer in, en hij was na 45 minuten op Penn Station. Hij kocht een Amtrak-kaartje naar Washington en vertrok om zeven uur uit New York naar die stad.

De taxi stopte in Brandywine Street in het noordwesten van Washington. Het was bijna elf uur, en in de meeste van de fraaie huizen was het donker. Backman sprak tegen de chauffeur, die al achteroverleunde om een dutje te gaan doen.

Mevrouw Pratt lag in bed en worstelde met de slaap toen ze de deurbel hoorde. Ze pakte haar ochtendjas en ging vlug de trap af. Haar man sliep over het algemeen in het souterrain, vooral omdat hij snurkte maar ook omdat hij te veel dronk en aan slapeloosheid leed. Ze nam aan dat hij daar nu ook was.

'Wie is daar?' riep ze door de intercom.

'Joel Backman,' was het antwoord, en ze dacht dat het een grap was.

'Wie?'

'Donna, ik ben het, Joel. Ik zweer het je. Doe open.'

Ze gluurde door het gaatje in de deur en herkende de vreemde niet. 'Een ogenblik,' zei ze en ze rende naar het souterrain, waar Carl naar het journaal keek. Even later was hij bij de deur. Hij droeg een Duke-trainingspak en had een pistool in zijn hand.

'Wie is daar?' vroeg hij door de intercom.

'Carl, ik ben het. Joel. Doe dat pistool weg en maak open.'

De stem was onmiskenbaar. Hij maakte de deur open en Joel Backman liep zijn leven binnen, een oude nachtmerrie die terugkwam om nog meer onheil aan te richten. Ze omhelsden elkaar niet, gaven elkaar geen hand, glimlachten amper. De Pratts keken naar hem, want hij zag er zo anders uit, veel slanker, zijn haar donkerder en korter, vreemde kleren aan. Hij kreeg een 'Wat kom je hier doen?' van Donna.

'Dat is een goede vraag,' zei hij koel. Hij had het voordeel dat hij zich hierop had kunnen voorbereiden. Zij waren volkomen verrast.

'Wil je dat pistool wegdoen?'

Pratt legde het pistool op een tafeltje.

'Heb je met Neal gepraat?' vroeg Backman.

'De hele dag.'

'Wat is er aan de hand, Carl?' vroeg Donna.

'Ik zou het echt niet weten.'

'Kunnen we praten? Daar kom ik voor. Ik vertrouw de telefoon niet meer.'

'Waarover?' wilde ze weten.

'Wil je koffie voor ons zetten, Donna?' vroeg Joel vriendelijk.

'Rot op.'

'Laat die koffie maar zitten.'

Carl had peinzend over zijn kin gewreven. 'Donna, we moeten onder vier ogen praten. Dingen van het oude kantoor. Ik vertel het je later wel.'

Ze keek hen beiden aan met een blik alsof ze regelrecht naar de hel konden lopen en stampte toen de trap op. Ze gingen naar de huiskamer. Carl zei: 'Wil je iets te drinken?'

'Ja, iets sterks.'

Hij ging naar een kleine bar in de hoek en schonk single malts in, dubbele. Hij gaf Joel een glas en zei zonder ook maar enige poging tot een glimlach: 'Proost.'

'Proost. Ik ben blij je te zien, Carl.'

'Dat geloof ik graag. Het was de bedoeling dat je de komende veertien jaar niemand zou zien.'

'Je telde de dagen, hè?'

'We zijn nog aan het puinruimen, Joel. Veel goede mensen hebben schade geleden. Sorry, maar Donna en ik zijn niet echt blij je te zien. Ik zou niet veel mensen in deze stad weten die je willen omhelzen.'

'De meesten zouden me graag overhoop willen schieten.'

Carl wierp een behoedzame blik op het pistool.

'Daar kan ik me niet druk om maken,' ging Backman verder. 'Ja, ik zou graag in de tijd teruggaan en sommige dingen anders doen, maar dat kan nu eenmaal niet. Ik vlucht voor mijn leven, Carl, en ik heb hulp nodig.'

'Misschien wil ik er niet bij betrokken raken.'

'Dat kan ik je niet kwalijk nemen. Maar ik heb een dienst nodig, een grote dienst. Als je me nu helpt, beloof ik je dat ik nooit meer voor je deur sta.'

'De volgende keer schiet ik.'

'Waar is senator Clayburn? Hij leeft toch nog?'

'Ja, hij is springlevend. En je hebt geluk.'

'Hoezo?'

'Hij is hier, in Washington.'

'Waarom?'

'Hollis Maples gaat met pensioen, na honderd jaar in de senaat. Ze gaven gisteravond een feest voor hem. Alle ouwe jongens zijn in de stad.'

'Maples? Die kwijlde tien jaar geleden al in zijn soep.'

'Nou, hij kan zijn soep nu niet meer zien. Hij en Clayburn waren de beste maatjes.'

'Heb je Clayburn gesproken?'

'Ja.'

'En?'

'Dit kan nog lastig worden, Joel. Hij wil jouw naam liever helemaal niet horen. Hij had het over de doodstraf op hoogverraad.'

'Niets aan te doen. Zeg tegen hem dat hij een deal kan regelen waardoor hij zich een echte patriot zal voelen.'

'Wat voor deal?'

'Ik heb de software, Carl. Het hele pakket. Ik heb het vanmorgen uit een bankkluis in Zwitserland gehaald, waar het meer dan zes jaar heeft gelegen. Als jij en Clayburn morgenvroeg naar mijn kamer komen, laat ik het jullie zien.'

'Ik wil het helemaal niet zien.'

'Dat wil je wel.'

Pratt nam een grote slok whisky. Hij liep naar de bar terug, schonk nog eens een dodelijke dosis in en zei toen: 'Wanneer en waar?'

'Het Marriott in 22nd Street. Kamer 25. Negen uur morgenvroeg.'

'Waarom, Joel? Waarom zou ik me ermee bemoeien?'

'Om een dienst aan een oude vriend te bewijzen.'

'Ik ben jou geen diensten verschuldigd. En die oude vriend is al langgeleden weggegaan.'

'Toe nou, Carl. Breng Clayburn mee, en dan ben je voor morgenmiddag alweer uit beeld. Ik beloof je dat je me nooit meer ziet.'

'Dat is erg verleidelijk.'

Hij zei tegen de chauffeur dat hij rustig aan kon doen. Ze reden door Georgetown, door K Street met de restaurants en bars en studentencafés die laat openbleven, allemaal vol mensen die van het goede leven genoten. Het was 22 maart en het werd lente. Het was zo'n achttien graden en de studenten wilden graag buiten zijn, zelfs zo laat op de avond.

De taxi ging langzamer rijden bij het kruispunt van I Street en 14th Street en Joel zag zijn oude kantoorgebouw in de verte aan New York Avenue. Daar ergens, op de bovenste verdieping, had hij ooit zijn eigen kleine koninkrijk bestuurd, met zijn onderdanen die voor hem vlogen en elk bevel onmiddellijk opvolgden. Dit was geen nostalgisch moment. In plaats daarvan had hij spijt van een waardeloos leven waarin hij achter geld had aangejaagd en vrienden en vrouwen had gekocht, en al het speelgoed dat een rijke patser maar kon willen. Ze reden langs de vele kantoorgebouwen, overheid aan de ene kant, lobbyisten aan de andere.

Hij vroeg de chauffeur om een andere straat te nemen, want hij wilde andere dingen zien. Ze sloegen Constitution Avenue in en reden over de Mall langs het Washington Monument. Zijn jongste kind, Anna Lee, had hem jarenlang gesmeekt om een keer in de lente met haar over de Mall te wandelen, zoals de andere kinderen uit haar klas deden. Ze wilde Lincoln zien en een dag naar het Smithsonian Institute gaan. Hij had het beloofd en beloofd tot ze weg was. Anna Lee woonde nu in Denver, geloofde hij, en ze had een kind dat hij nooit had gezien.

Toen de koepel van het Capitool dichterbij kwam, had Joel er plotseling genoeg van. Deze rit door zijn verleden was deprimerend. Al die oude herinneringen waren te onaangenaam.

'Breng me naar het hotel,' zei hij.

33

Neal zette de eerste pot koffie van die dag en liep toen naar buiten, de koele klinkers van de patio op. Hij genoot van de zonsopgang in de vroege lente.

Als zijn vader inderdaad weer in Washington was, zou die om half-zeven niet meer slapen. De vorige avond had Neal de nummers van de Washingtonse hotels in zijn nieuwe telefoon ingevoerd, en nu de zon opkwam, begon hij met het Sheraton. Geen Giovanni Ferro. Toen het Marriott.

'Een ogenblik graag,' zei de telefoniste, en toen rinkelde de telefoon in de kamer. 'Hallo,' zei een bekende stem.

'Kan ik Marco spreken?' zei Neal.

'Met Marco. Ben jij de Grinch?'

'Ja.'

'Waar ben je op dit moment?'

'Ik sta op mijn patio en zie de zon opkomen.'

'En wat voor telefoon gebruik je?'

'Het is een gloednieuwe Motorola die ik in mijn zak heb gehad sinds ik hem gisteren kocht.'

'Weet je zeker dat hij veilig is?'

'Ja.'

Een stilte waarin Joel diep ademhaalde. 'Het doet me goed je stem te horen, zoon.'

'Dat is wederzijds. Hoe was je reis?'

'Erg enerverend. Kun je naar Washington komen?'

'Wanneer?'

'Vandaag, vanmorgen.'

'Ja. Iedereen denkt dat ik griep heb. Op kantoor ben ik gedekt. Wanneer en waar?'

'Kom naar het Marriott in 22nd Street. Loop om 8.45 uur de hal in, neem de lift naar de zesde verdieping en dan de trap omlaag naar de vijfde. Kamer 520.'

'Moet dat echt zo?'

'Neem dat maar van me aan. Kun je een andere auto nemen?'

'Dat weet ik niet. Ik weet niet wie...'

'Lisa's moeder. Leen haar auto en zorg dat niemand je volgt. Als je in de stad bent, zet je hem in de parkeergarage aan 16th Street, en dan loop je naar het Marriott. Kijk voortdurend achter je. Als je iets verdachts ziet, bel je me en dan zien we ervan af.'

Neal keek in zijn achtertuin om zich heen, alsof daar agenten in het zwart konden zijn die op hem af kwamen. Hoe was zijn vader aan al dat James Bond-gedoe gekomen? Misschien doordat hij zes jaar in eenzame opsluiting had gezeten? Duizend spionageromans gelezen?

'Ben je nog aan de lijn?' snauwde Joel.

'Ja, goed. Ik kom eraan.'

Ira Clayburn leek iemand die zijn hele leven op een vissersboot had doorgebracht, zeker niet iemand die 34 jaar in de Amerikaanse senaat had gezeten. Zijn voorouders hadden honderd jaar lang de Outer Banks van North Carolina bevist, bij hun huis in Ocracoke. Ira zou hetzelfde hebben gedaan, als er in de zesde klas geen wiskundeleraar was geweest die zijn uitzonderlijke hoge IQ had ontdekt. Een beurs voor Chapel Hill had hem van huis weggehaald. Een beurs voor Yale leverde hem een academische graad op. Na een derde beurs, voor Stanford, mocht hij de titel 'doctor' voor zijn naam zetten. Hij had het als economiedocent aan Davidson zeer naar zijn zin toen hij door een compromisbenoeming in de senaat terechtkwam, waar hij het restant van een ambtstermijn zou uitdienen. Hij stelde zich met tegenzin kandidaat voor een volledige termijn en deed in de daaropvolgende dertig jaar zijn best om uit Washington weg te komen. Op 71-jarige leeftijd was hem dat eindelijk gelukt. Toen hij de senaat verliet, wist hij meer over de Amerikaanse inlichtingendiensten dan welke andere politicus ook.

Alleen uit nieuwsgierigheid was hij bereid om met Carl Pratt, een oude vriend van de tennisclub, naar het Marriott te gaan. Voorzover hij wist, was het Neptune-mysterie nooit opgelost. Maar hij was dan ook al vijf jaar uit de running, vijf jaar die hij vooral aan vissen had besteed. Bijna elke dag voer hij uit en viste hij met een sleeplijn in de wateren tussen Hatteras en Cape Lookout.

In de nadagen van zijn senaatscarrière had hij Joel Backman meegemaakt als laatste van een lange serie toplobbyisten die in ruil voor hoge honoraria aan touwtjes trokken. Backman had die kunst tot in de perfectie beheerst. Hij ging uit Washington weg toen Jacy Hubbard, ook een cobra die zijn verdiende loon kreeg, dood aangetroffen werd.

Hij moest niets van dat soort mensen hebben.

Toen de deur van kamer 520 openging, liep hij achter Carl Pratt aan naar binnen en stond hij oog in oog met de duivel zelf.

Maar de duivel was heel vriendelijk, opmerkelijk wellevend, een andere man. De gevangenis.

Joel stelde zichzelf en zijn zoon Neal aan senator Clayburn voor. Er werden handen gegeven, beleefdheden uitgewisseld. De tafel in de kleine kamer stond vol met koffie, sap en gebak. Vier stoelen waren er losjes omheen gezet, en ze gingen zitten.

'Dit hoeft niet lang te duren,' zei Joel. 'Senator, ik heb uw hulp nodig. Ik weet niet in hoeverre u op de hoogte bent van de nogal onverkwikkelijke affaire waardoor ik een aantal jaren in de gevangenis heb doorgebracht...'

'Ik weet er iets van, maar er zijn altijd dingen niet duidelijk geweest.'

'Ik denk dat ik dat kan uitleggen.'

'Van wie is het satellietsysteem?'

Joel kon niet zitten. Hij liep naar het raam, staarde voor zich uit en haalde toen diep adem. 'Het is tegen astronomische kosten gebouwd door de Chinezen. Zoals u weet, liggen de Chinezen ver op ons achter met hun conventionele wapens, en dus geven ze veel uit aan hightech materieel. Ze hebben iets van onze technologie gestolen, en ze hebben kans gezien het systeem – dat de bijnaam Neptune heeft – te lanceren zonder dat de CIA het merkte.'

'Hoe hebben ze dat klaargespeeld?'

'Met het ouderwetse middel van de bosbrand. Op een nacht staken ze in een noordelijke provincie tienduizend hectare in brand. Daardoor ontstond een enorme wolk en midden in die wolk lanceerden ze drie raketten, elk met drie satellieten.'

'Dat hebben de Russen ook een keer gedaan,' zei Clayburn.

'Ja, en nu trapten de Russen in hun eigen truc. Neptune is hun ook ontgaan, en alle anderen. Niemand op de wereld wist dat het bestond, totdat mijn cliënten erop stuitten.'

'Die Pakistaanse studenten.'

'Ja, en die zijn nu alle drie dood.'

'Door wie zijn ze gedood?'

'Ik denk door agenten van China.'

'Door wie is Jacy Hubbard gedood?'

'Dezelfden.'

'En hoe dichtbij zijn die mensen bij u?'

'Dichterbij dan ik zou willen.'

Clayburn pakte een donut en Pratt dronk een glas sinaasappelsap leeg. Joel ging verder: 'Ik heb de software, JAM, zoals ze het noemden. Er was maar één exemplaar.'

'De software die u wilde verkopen?' vroeg Clayburn.

'Ja. En ik wil er graag vanaf. Het blijkt een erg dodelijk bezit te zijn, en ik wil het kwijt. Ik weet alleen niet aan wie ik het moet geven.'

'Wat dacht je van de CIA?' zei Pratt, want hij had nog niets gezegd. Clayburn schudde al van nee.

'Ik kan ze niet vertrouwen,' zei Joel. 'Teddy Maynard heeft ervoor gezorgd dat ik gratie kreeg, want dan kon hij rustig toekijken hoe iemand anders me vermoordde. En nu is er een interim-directeur.'

'En er is een nieuwe president,' zei Clayburn. 'De CIA is er momenteel slecht aan toe. Ik zou me daar verre van houden.' En met die woorden stapte senator Clayburn over de streep. Hij werd een adviseur, meer dan alleen een nieuwsgierige toeschouwer.

'Met wie moet ik praten?' vroeg Joel. 'Wie kan ik vertrouwen?'

'De DIA, de Defense Intelligence Agency,' zei Clayburn zonder enige aarzeling. 'De baas daar is majoor Wes Roland, een oude vriend van me.'

'Hoe lang zit hij daar al?'

Clayburn dacht even na en zei toen: 'Tien, hooguit twaalf jaar. Hij heeft enorm veel ervaring en hij is briljant. En een eerzaam man.'

'En u kunt met hem praten?'

'Ja. We hebben het contact aangehouden.'

'Is hij niet de directe ondergeschikte van de directeur van de CIA?' vroeg Pratt.

'Ja, dat is iedereen. Er zijn nu minstens vijftien verschillende inlichtingendiensten – iets waartegen ik me twintig jaar heb verzet – en officieel zijn ze allemaal ondergeschikt aan de CIA.'

'Dus Wes Roland zal aannemen wat ik hem geef en het aan de CIA vertellen?' vroeg Joel.

'Hij zal wel moeten. Maar er zijn verschillende manieren om te werk te gaan. Roland is een verstandige man, en hij weet hoe hij de politiek moet bespelen. Daarom heeft hij zich zo lang kunnen handhaven.'

'Kunt u een ontmoeting organiseren?'

'Ja, maar wat gebeurt er dan op die ontmoeting?'

'Dan gooi ik hem JAM toe en ren hard het gebouw uit.'

'En in ruil daarvoor?'

'Het is heel eenvoudig, senator. Ik wil geen geld. Alleen een beetje hulp.'

'Zoals?'

'Dat bespreek ik liever met hem. Met u erbij natuurlijk.'

Het werd stil. Clayburn sloeg zijn ogen neer en dacht na. Neal liep naar de tafel en nam een croissant. Joel schonk weer koffie in. Pratt, die duidelijk een kater had, nam nog een groot glas sinaasappelsap. Ten slotte leunde Clayburn in zijn stoel achterover en zei: 'Ik neem aan dat dit dringend is.'

'Meer dan dringend. Als majoor Roland beschikbaar is, wil ik hem nu meteen ontmoeten. Waar dan ook.'

'Hij zal vast wel meteen tijd vrijmaken.'

'Daar is de telefoon.'

Clayburn stond op en liep naar het bureau. Pratt schraapte zijn keel en zei: 'Zeg, jongens, dit is het punt waarop ik eruit wil stappen. Ik wil niets meer horen. Ik wil geen getuige zijn, of verdachte, of ander slachtoffer. Dus als jullie me willen excuseren, ga ik nu naar mijn kantoor terug.'

Hij wachtte niet op een reactie. Hij was meteen weg en de deur viel met een klap achter hem dicht. Ze keken er nog even naar, een beetje geschrokken van zijn plotselinge vertrek.

'Arme Carl,' zei Clayburn. 'Altijd bang voor zijn eigen schaduw.' Hij pakte de telefoon en ging aan het werk.

Midden in het vierde telefoontje, het tweede rechtstreeks met het

303

Pentagon, legde Clayburn zijn hand over de hoorn en zei tegen Joel: 'Ze willen de ontmoeting het liefst in het Pentagon hebben.'

Joel schudde al met zijn hoofd. 'Nee. Ik ga daar niet met de software naar binnen voordat we het eens zijn. Ik wil het wel ergens achterlaten om het een andere keer aan ze te geven, maar ik ga daar niet met de software naar binnen.'

Clayburn gaf dat door en luisterde toen een hele tijd. Toen hij zijn hand weer over de hoorn legde, vroeg hij: 'Die software, waar staat die op?'

'Vier schijfjes,' zei Joel.

'Die moeten ze hebben om de inhoud te verifiëren, begrijpt u?'

'Goed. Ik neem twee schijfjes mee naar het Pentagon. Dan kunnen ze er even naar kijken.'

Clayburn boog zich over de hoorn en gaf ze Joels condities door. Opnieuw luisterde hij een hele tijd, en toen vroeg hij aan Joel: 'Wilt u mij de schijfjes laten zien?'

'Ja.'

Hij drukte op de HOLD-knop van de telefoon en Joel pakte zijn aktetas op. Hij nam de envelop, haalde de vier schijfjes eruit en legde ze op het bed. Neal en Clayburn keken er met grote ogen naar. Clayburn ging verder met het telefoongesprek en zei: 'Ik zie vier schijfjes. Meneer Backman verzekert me dat het de software is.' Hij luisterde enkele minuten en drukte toen weer op de HOLD-knop.

'Ze willen ons nu meteen in het Pentagon hebben,' zei hij.

'Dan gaan we.'

Clayburn hing op en zei: 'Ze zijn daar in alle staten. Zullen we maar?'

'Ik zie u over vijf minuten in de hal,' zei Joel.

Toen de deur achter Clayburn was dichtgegaan, pakte Joel vlug de schijfjes op en stopte twee ervan in de zak van zijn jas. De andere twee – de nummers 3 en 4 – deed hij weer in de aktetas, en die gaf hij aan Neal. Hij zei: 'Als we weg zijn, ga je naar de balie en neem je een andere kamer. Sta erop dat je je meteen kunt inschrijven. Bel naar deze kamer en spreek een boodschap in om me te vertellen waar je bent. Blijf daar tot ik van je hoor.'

'Goed, pa. Ik hoop dat je weet wat je doet.'

'Ik maak een deal, jongen. Net als vroeger.'

De taxi zette hen af aan de zuidkant van het Pentagon. Twee geüniformeerde stafmedewerkers van majoor Roland stonden al met legitimatiebewijzen en instructies te wachten. Ze leidden hen door de controleposten en lieten foto's maken voor hun tijdelijke identiteitskaarten. Al die tijd mopperde Clayburn hoe gemakkelijk het in de goeie ouwe tijd was geweest.

Goeie ouwe tijd of niet, hij was snel van een sceptische criticus in een belangrijke medestander veranderd, en hij zette zich nu helemaal in voor Backmans plan. Toen ze door de brede gangen van de eerste verdieping liepen, vertelde hij hoe eenvoudig het leven was geweest toen er nog maar twee supermachten waren. We hadden altijd de Sovjets. De schurken waren gemakkelijk te identificeren.

Ze namen de trap naar de tweede verdieping, vleugel C, en werden door de militairen langs een stel deuren naar een kantoor begeleid, waar duidelijk was dat ze verwacht werden. Majoor Roland stond bij de deur. Hij was een jaar of zestig, maar zag er in zijn kakiuniform nog slank en fit uit. Ze werden aan elkaar voorgesteld, en hij nodigde hen in zijn vergaderkamer uit. Aan het ene eind van de lange, brede middentafel waren drie technici bezig een grote computer uit te testen die blijkbaar net naar binnen was gereden.

Majoor Roland vroeg Joel of hij goed vond dat er twee assistenten bij de bespreking aanwezig waren. Joel had geen bezwaar.

'Vindt u het erg als we de bijeenkomst op video vastleggen?' vroeg Roland.

'Waarvoor?' vroeg Joel.

'Dan hebben we het op film voor het geval een hogergeplaatst persoon het wil zien.'

'Zoals?'

'De president bijvoorbeeld.'

Joel keek Clayburn aan, zijn enige vriend in de kamer, en zelfs dat was niet helemaal zeker.

'En de CIA?' vroeg Joel.

'Zou kunnen.'

'Geen videobeelden, nog niet in elk geval. Misschien worden we het er in een later stadium van de besprekingen over eens dat de camera's aan kunnen.'

'Goed. Koffie of iets fris?'

Niemand wilde iets drinken. Majoor Roland vroeg de computertechnici of hun apparatuur gereed was. Dat was zo, en hij verzocht hen de kamer te verlaten.

Joel en Clayburn zaten aan de ene kant van de vergadertafel. Majoor Roland zat aan de andere kant, geflankeerd door zijn twee adjuncten. Alle drie hadden ze een schrijfblok voor zich en een pen in de aanslag. Joel en Clayburn hadden niets.

'We zullen het eerst even hebben over de CIA,' begon Backman, die de leiding van de besprekingen wilde hebben. 'Als ik de wet goed ken, of tenminste de manier waarop de dingen hier vroeger in hun werk gingen, heeft de directeur van de CIA de leiding van alle inlichtingenactiviteiten.'

'Dat klopt,' zei Roland.

'Wat gaat u doen met de informatie die ik aan u geef?'

De majoor keek naar rechts, en hij en zijn adjunct wisselden een onzekere blik. 'Zoals u al zei, heeft de CIA-directeur er recht op om alles te weten en alles te hebben.'

Backman glimlachte en schraapte zijn keel. 'Majoor, de CIA heeft me willen laten vermoorden, nietwaar? En voorzover ik weet, zitten ze nog steeds achter me aan. Ik moet niet veel van de jongens in Langley hebben.'

'Maynard is weg, meneer Backman.'

'En iemand heeft zijn plaats ingenomen. Ik wil geen geld, majoor. Ik wil bescherming. Het eerste wat ik wil, is dat mijn eigen overheid me met rust laat.'

'Dat kan worden geregeld,' zei Roland met gezag.

'En dan zal ik hulp nodig hebben tegen een paar anderen.'

'Als u ons nu eens alles vertelt, meneer Backman? Hoe meer we weten, des te beter kunnen we u helpen.'

Met uitzondering van Neal vertrouwde Joel Backman niemand meer. Maar het werd tijd dat hij alle kaarten op tafel legde en er het beste van hoopte. De jacht was voorbij; hij kon nergens meer heen. Hij begon met Neptune zelf en vertelde dat het gebouwd was door China, dat de technologie van twee verschillende Amerikaanse defensieleveranciers was gestolen, dat het onder dekking van een bosbrand was gelanceerd en daarmee niet alleen de Amerikanen, maar ook de Russen, de Engelsen en de Israëliërs misleidde. Hij vertelde het uitgebreide verhaal van de drie Pakistanen: hun noodlottige ontdekking, hun angst voor wat ze hadden ontdekt, hun wens om met Neptune te communiceren en de briljante software die ze hadden geschreven, de software waarmee ze het systeem konden manipuleren en uitschakelen. Hij sprak in harde termen over zijn eigen grenzeloze hebzucht, over zijn pogingen om JAM aan verschillende regeringen te slijten, zijn hoop om meer geld te verdienen dan iemand zich ooit zou kunnen voorstellen. Hij hield zich niet in toen hij over de roekeloosheid van Jacy Hubbard vertelde, en de dwaasheid van hun plannen om het product aan de man te brengen. Hij gaf zijn fouten ruimschoots toe en nam de volledige verantwoordelijkheid op zich voor de ravage die hij had veroorzaakt. Toen ging hij verder.

Nee, de Russen waren niet geïnteresseerd geweest in wat hij wilde verkopen. Ze hadden hun eigen satellieten en hadden geen geld om er nog meer te kopen.

Nee, de Israëliërs waren geen echte kopers geweest. Ze bleven in de marge, dichtbij genoeg om te weten dat er een deal met de Saudi's dreigde. De Saudi's wilden JAM erg graag kopen. Ze hadden zelf ook een paar satellieten, maar niets wat de vergelijking met Neptune kon doorstaan.

Niets kon de vergelijking met Neptune doorstaan, zelfs niet de nieuwste generatie Amerikaanse satellieten.

De Saudi's hadden de vier schijfjes gezien. In een strikt beheerste omgeving hadden twee agenten van hun geheime politie een demonstratie van de software gekregen van de drie Pakistanen. Dat gebeurde in een computerlab op de campus van de universiteit van Maryland, en het was een verbijsterende, erg overtuigende demonstratie geweest. Backman was erbij geweest, en Hubbard ook.

De Saudi's boden honderd miljoen dollar voor JAM. Hubbard die zich als een erg goede vriend van de Saudi's beschouwde, leidde de onderhandelingen. Er werd een 'transactiehonorarium' van een miljoen dollar betaald. Dat geld werd overgeboekt naar een rekening in Zürich. Hubbard en Backman wilden een half miljard hebben.

Toen barstte de hel los. De FBI kwam opeens met arrestatiebevelen, tenlasteleggingen, officiële onderzoeken, en de Saudi's werden kopschuw. Hubbard werd vermoord. Joel vluchtte de veilige gevangenis in, met achterlating van een grote ravage en woedende mensen die een grote wrok tegen hem koesterden.

De uiteenzetting van drie kwartier eindigde zonder dat hij één keer was onderbroken. Toen Joel klaar was, maakte geen van de drie mannen aan de andere kant van de tafel aantekeningen. Ze hadden het te druk met luisteren.

'We kunnen vast wel met de Israëliërs praten,' zei majoor Roland. 'Als ze zeker weten dat de Saudi's JAM nooit in handen krijgen, komen ze wel tot bedaren. We hebben in de loop van de jaren met ze gepraat, en dan was JAM een favoriet onderwerp. Ze zijn vast wel te verzoenen.'

'En de Saudi's?'

'Die hebben er ook naar gevraagd, en wel op het hoogste niveau. We hebben tegenwoordig veel gemeenschappelijke belangen. Ze zullen de zaak vast wel laten rusten, als ze weten dat wij het hebben en niemand anders het krijgt. Ik ken de Saudi's goed, en ik denk dat ze de zaak gewoon afschrijven als een slechte deal. Er is nog wel de kleine aangelegenheid van dat transactiehonorarium.'

'Een miljoen dollar is wisselgeld voor hen. Daarover valt niet te onderhandelen.'

'Goed. Dan blijven de Chinezen over.'

'Suggesties?'

Clayburn had nog niets gezegd. Hij boog zich naar voren en zei: 'Ik denk dat ze het nooit zullen vergeten. Uw cliënten kaapten in feite een systeem van een biljard dollar en maakten het nutteloos met hun software. De Chinezen hebben negen van de beste satellieten die ooit gebouwd zijn in de lucht hangen en ze kunnen ze niet gebruiken. Ze zullen dat niet vergeven en vergeten, en dat valt ze ook niet kwalijk te nemen. Jammer genoeg kunnen we weinig druk op Peking uitoefenen als het om delicate inlichtingenzaken gaat.'

Majoor Roland knikte. 'Ik ben het helaas met de senator eens. We kunnen ze laten weten dat we de software hebben, maar ze zullen dit nooit vergeten.'

'Ik neem het ze niet kwalijk. Ik wil alleen maar blijven leven.'

'Wat de Chinezen betreft, zullen we doen wat we kunnen, maar misschien is dat niet veel.'

'De deal is als volgt, heren. U geeft me uw woord dat u me van de CIA verlost en dat u de Israëliërs en Saudi's binnen korte tijd tevredenstelt. Wat de Chinezen betreft, doet u wat mogelijk is, en ik begrijp dat ik daar niet veel van moet verwachten. En u geeft me twee paspoorten, een Australisch en een Canadees. Zodra ze klaar zijn, en vanmiddag zou niet te vroeg zijn, brengt u ze naar me toe en geef ik u de twee andere schijfjes.'

'Akkoord,' zei Roland. 'Maar natuurlijk moeten we wel naar de software kijken.'

Joel greep in zijn zak en haalde de schijfjes 1 en 2 eruit. Roland riep de computertechnici weer binnen, en het hele gezelschap ging achter de grote monitor zitten.

Een Mossad-agent met de codenaam Albert dacht dat hij Neal de hal van het Marriott Hotel aan 22nd Street zag binnengaan. Hij belde zijn chef, en binnen een halfuur waren twee andere agenten in het hotel. Albert zag Neal Backman een uur later opnieuw, toen die een lift uitkwam met een aktetas die hij niet bij zich had gehad toen hij naar het hotel ging. Neal ging naar de balie en vulde blijkbaar een formulier in. Vervolgens haalde hij zijn portefeuille tevoorschijn en overhandigde een creditcard.

Hij ging naar de lift terug, waar Albert net een paar seconden te laat was.

De wetenschap dat Joel Backman waarschijnlijk in het Marriott Hotel aan 22nd Street logeerde, was van het grootste belang, maar het stelde hen ook voor enorme problemen. Ten eerste was de moord op een Amerikaan op Amerikaanse bodem zo'n delicate operatie dat de premier moest worden geraadpleegd. Ten tweede zou de moordaanslag zelf een logistieke nachtmerrie zijn. Het hotel had zeshonderd kamers, honderden gasten, honderden personeelsleden, honderden bezoekers, maar liefst vijf congressen die in volle gang waren. Duizenden potentiële getuigen.

Toch hadden ze algauw een plan.

34

Ze lunchten met de senator achter in een Vietnamese cafetaria bij Dupont Circle, omdat daar hoogstwaarschijnlijk geen lobbyisten en oude politici kwamen, want als die hen bij elkaar zagen, zou het in de hele stad meteen gonzen van de geruchten. Terwijl ze worstelden met bami die bijna te scherp gekruid was om te eten, luisterden Joel en Neal een uur naar eindeloze verhalen die de visser uit Ocracoke hun over zijn glorietijd in Washington vertelde. Hij zei meer dan eens dat hij de politiek niet miste, en toch zaten zijn herinneringen aan die jaren vol spannende verhalen, humor en veel vriendschappen.

Aan het begin van die dag had Clayburn gedacht dat een kogel in het hoofd nog te goed voor Joel Backman zou zijn geweest, maar toen ze op het trottoir voor de cafetaria afscheid namen, smeekte hij hem om alsjeblieft eens naar zijn boot te komen kijken, en dan moest hij Neal ook meenemen. Joel had niet meer gevist sinds zijn kinderjaren, en hij wist dat hij nooit naar de Outer Banks zou gaan, maar uit dankbaarheid beloofde hij het te proberen.

Joel kwam dichter bij een kogel in zijn hoofd dan hij ooit zou weten. Toen Neal en hij na de lunch door Connecticut Avenue liepen, werden ze nauwlettend gadegeslagen door de Mossad. Achter in een gehuurd busje zat een scherpschutter klaar. Maar er was nog geen definitieve goedkeuring uit Tel Aviv binnengekomen. En het was erg druk op het trottoir.

Met behulp van de gouden gids in zijn hotelkamer had Neal een herenkledingzaak opgezocht die met verstelwerk van de ene op de andere dag adverteerde. Hij wilde graag helpen, zijn vader had dringend behoefte aan nieuwe kleren. Joel kocht een marineblauw driedelig pak, een wit overhemd, twee dassen, een paar katoenen broeken en wat vrijetijdskleding, en gelukkig ook twee paar zwarte schoenen. Het was in totaal 3.100 dollar, en hij betaalde cash. De bowlingschoenen bleven in een afvalbak achter, al had de verkoper zich er enigszins lovend over uitgelaten.

Om precies vier uur die middag, toen ze koffie zaten te drinken in een Starbucks aan Massachusetts Avenue, toetste Neal op zijn mobiele telefoon het nummer in dat majoor Roland hem had gegeven. Hij gaf de telefoon aan zijn vader.

Roland zelf nam op. 'We komen eraan,' zei hij.

'Kamer 25,' zei Joel, terwijl hij de andere koffiedrinkers in de gaten hield. 'Hoeveel komen er?'

'Een flinke groep.'

'Het kan me niet schelen hoeveel u meebrengt, als u alle anderen maar in de hal achterlaat.'

'Dat kan.'

Ze lieten de koffie staan en liepen tien straten terug naar het Marriott. Bij elke stap werden ze aandachtig geobserveerd door de gewapende Mossad-agenten. Nog steeds geen bericht uit Tel Aviv.

De Backmans waren nog maar een paar minuten in de kamer of er werd al op de deur geklopt.

Joel wierp zijn zoon nerveus een blik toe, en Neal verstijfde meteen en keek net zo gespannen als zijn vader. Dit zou het kunnen zijn, zei Joel tegen zichzelf. De epische reis die in de straten van Bologna was begonnen, eerst te voet, toen met een taxi, toen met een bus naar Modena, een taxi helemaal naar Milaan, weer een paar wandelingen, nog meer taxi's, toen de trein met eindbestemming Stuttgart maar met een onverwachte omweg naar Zug, waar een andere chauffeur zijn geld aanpakte om hem naar Zürich te rijden, twee trams, toen Franz en de groene BMW die met 150 kilometer per uur helemaal naar München reed, vanwaar de warme en welkome armen van Lufthansa hem naar huis brachten. Dit zou het einde van die reis kunnen zijn.

'Wie is daar?' vroeg Joel terwijl hij naar de deur liep.

'Wes Roland.'

Joel tuurde door het kijkgaatje en zag niemand. Hij haalde diep adem en maakte de deur open. De majoor droeg nu een colbertje en een das, en hij kwam helemaal alleen en met lege handen. Tenminste, het leek of hij alleen was. Joel keek door de gang en zag mensen die zich probeerden te verbergen. Hij deed vlug de deur dicht en stelde Roland en Neal aan elkaar voor.

'Dit zijn de paspoorten,' zei Roland en hij greep in zijn jaszak en haalde er twee paspoorten uit die er gebruikt uitzagen. Het ene had een donkerblauw omslag met AUSTRALIË in gouden letters erop. Joel sloeg het open en keek eerst naar de foto. De technici hadden de beveiligingsfoto van het Pentagon genomen, het haar veel lichter gemaakt, de bril en een paar rimpels verwijderd en in het algemeen een mooi plaatje geproduceerd. Hij heette Simon Wilson McAvoy. 'Niet slecht,' zei Joel.

Het andere had een marineblauw omslag, met CANADA in gouden letters op de buitenkant. Dezelfde foto, en de Canadese naam Ian Rex Hatteboro. Joel knikte goedkeurend en liet ze allebei aan Neal zien.

'We maken ons enige zorgen over het officiële onderzoek naar het schandaal van de gratieverlening,' zei Roland. 'Daar hebben we het nog niet over gehad.'

'Majoor, u weet best dat ik niet bij die affaire betrokken ben. De CIA kan de jongens van de FBI duidelijk maken dat ik er niets mee te maken heb. Ik had geen idee dat er gratie op komst was. Het is niet mijn schandaal.'

'U wordt misschien opgeroepen om voor een jury van onderzoek te verschijnen.'

'Goed. Dan kom ik. Het wordt een erg kort optreden.'

Roland was blijkbaar tevreden. Hij was alleen maar de boodschapper. Hij keek of hij zijn kant van de deal zag. 'Nu, die software,' zei hij.

'Die is hier niet,' zei Joel onnodig theatraal. Hij knikte Neal toe, die de kamer verliet. 'Een ogenblik,' zei hij tegen Roland, die zijn wenkbrauwen optrok.

'Is er iets aan de hand?' zei hij.

'Nee hoor. Het pakje ligt in een andere kamer. Sorry, maar ik heb me te lang als een spion gedragen.'

'Altijd handig voor iemand in uw positie.'

'Het is een manier van leven geworden, denk ik.'

'Onze technici zijn nog met de eerste twee schijfjes aan het spelen. Het is een indrukwekkend stuk werk.'

'Mijn cliënten waren slimme jongens, en goede jongens. Ze werden alleen hebberig, denk ik. Net als een paar anderen.'

Er werd op de deur geklopt, en Neal was terug. Hij gaf de envelop aan Joel, die de twee schijfjes eruithaalde en aan Roland gaf. 'Bedankt,' zei hij. 'Daar was lef voor nodig.'

'Sommige mensen hebben meer lef dan hersenen, denk ik.'

De uitwisseling was voorbij. Er viel niets meer te zeggen. Roland ging naar de deur. Hij pakte de knop vast en dacht toen aan iets anders. 'Het is maar dat u het weet,' zei hij ernstig. 'De CIA is er vrij zeker van dat Sammy Tin vanmiddag in New York geland is. Het vliegtuig kwam uit Milaan.'

'Dank u, geloof ik,' zei Joel.

Toen Roland de hotelkamer met de envelop had verlaten, strekte Joel zich op het bed uit en deed hij zijn ogen dicht. Neal pakte twee biertjes uit de minibar en liet zich in een stoel vallen. Hij wachtte een paar minuten, dronk van zijn bier en zei ten slotte: 'Pa, wie is Sammy Tin?'

'Dat wil je niet weten.'

'O, ja. Ik wil alles weten. En jij gaat het me vertellen.'

Om zes uur die middag stopte de auto van Lisa's moeder voor een kapsalon aan Wisconsin Avenue in Georgetown. Joel stapte uit en zei Neal gedag. En bedankte hem. Neal reed vlug weg; hij wilde naar huis.

Neal had de afspraak een paar uur eerder telefonisch gemaakt. Hij had de receptioniste omgekocht door haar vijfhonderd dollar in cash te beloven. Een steviggebouwde dame, Maureen, verwachtte hem al. Ze had niet veel zin om zo laat te werken, maar ze was toch ook wel nieuwsgierig naar de man die zoveel geld wilde uitgeven aan een snelle haarspoeling.

Joel betaalde eerst, bedankte zowel de receptioniste als Maureen voor hun flexibiliteit en ging voor een spiegel zitten.

'U wilt het gewassen hebben?' zei Maureen.

'Nee. Laten we opschieten.'

Ze stak haar vingers in zijn haar en zei: 'Wie heeft dit gedaan?'

'Een dame in Italië.'

'Wat voor kleur had u in gedachten?'

313

'Grijs, effen grijs.'

'Natuurlijk?'

'Nee, meer dan natuurlijk. Bijna wit.'

Ze sloeg haar ogen ten hemel en keek naar de receptioniste. We krijgen hier de raarste types.

Maureen ging aan het werk. De receptioniste ging naar huis en deed de deur achter zich op slot. Na een paar minuten vroeg Joel: 'Werkt u morgen?'

'Nee, dat is mijn vrije dag. Hoezo?'

'Omdat ik tegen de middag moet terugkomen voor weer een sessie. Morgen ben ik in de stemming voor iets donkerders, iets om het grijs te verbergen waar u nu mee bezig bent.'

Ze hield op met werken. 'Wat is er met u aan de hand?'

'Komt u hier morgenmiddag om twaalf uur, dan betaal ik u duizend dollar.'

'Goed. En de dag daarna?'

'Als er iets van dat grijs weg is, hoeft er niets meer te gebeuren.'

Dan Sandberg had laat op de middag achter zijn bureau op de redactie van de *Post* gezeten toen het telefoontje kwam. De man aan de andere kant van de lijn maakte zich bekend als Joel Backman en zei dat hij wilde praten. Sandbergs nummerherkenning gaf aan dat het een onbekend nummer was.

'De echte Joel Backman?' zei Sandberg en hij pakte zijn laptop.

'De enige die ik ken.'

'Het is me een genoegen. De vorige keer dat ik u zag, was u op de rechtbank en verklaarde u zich schuldig aan allerlei lelijke dingen.'

'Dat is allemaal in het reine gekomen met een presidentiële gratieverlening.'

'Ik dacht dat u veilig weggestopt was aan de andere kant van de wereld.'

'Ja, maar ik kreeg genoeg van Europa. Ik miste mijn oude stekken. Ik ben nu terug en ik wil weer zakendoen.'

'Wat voor zaken?'

'Mijn specialiteit natuurlijk. Daar wilde ik over praten.'

'Dat zou ik geweldig vinden. Maar dan moet ik ook vragen stellen over de gratieverlening. Er doen veel wilde geruchten de ronde.'

'Dat is het eerste wat we gaan bespreken, meneer Sandberg. Zullen we zeggen, morgenvroeg om negen uur?'

'Ik zou het niet willen missen. Waar ontmoeten we elkaar?'
'Ik neem de presidentiële suite in het Hay-Adams. Breng een fotograaf mee, als u dat wilt. De manipulator is weer in de stad.'
Sandberg hing op en belde Rusty Lowell, zijn beste bron bij de CIA. Lowell was er niet, en zoals gewoonlijk wist niemand waar hij was. Hij belde een andere bron in Langley, maar kwam niets aan de weet.

Whitaker zat in de eerste klas van de Alitalia-vlucht van Milaan naar Washington. Voorin vloeide de gratis drank rijkelijk, en Whitaker deed zijn best om dronken te worden. Het telefoontje van Julia Javier was hard aangekomen. Ze was vriendelijk genoeg begonnen met de vraag: 'Heeft iemand daar Marco gezien, Whitaker?'
'Nee, maar we zijn op zoek.'
'Denk je dat jullie hem vinden?'
'Ja, hij duikt vast wel weer op.'
'De directeur is erg ongeduldig, Whitaker. Ze wil weten of jullie Marco gaan vinden.'
'Zeg maar dat we hem zeker zullen vinden!'
'En waar zoeken jullie, Whitaker?'
'Tussen hier, in Milaan, en Zürich.'
'Nou, je verspilt je tijd, Whitaker, want die goeie ouwe Marco is hier in Washington opgedoken. Hij had vanmiddag een bespreking op het Pentagon. Hij is je door de vingers geglipt, Whitaker. Je hebt ons een modderfiguur laten slaan.'
'Wat!'
'Kom naar huis, Whitaker, en vlug.'
Vijfentwintig rijen naar achteren zat Luigi ineengedoken in de economy class. Hij zat knie aan knie met een twaalfjarig meisje dat naar zo ongeveer de obsceenste rap luisterde die hij ooit had gehoord. Hij was aan zijn vierde glas bezig. De drank was niet gratis maar het kon hem niet schelen wat het kostte.
Hij wist dat Whitaker op dat moment in de eerste klas zat uit te denken hoe hij alle schuld op Luigi kon afschuiven. Hij zou hetzelfde moeten doen, maar voorlopig wilde hij alleen maar drinken. De komende week in Washington zou bijzonder onaangenaam zijn.

Toen het aan de Amerikaanse Oostkust twee minuten over zes in de avond was, kwam uit Tel Aviv de instructie dat ze niet meer moesten proberen Backman te doden. Ze moesten de operatie afbreken, hun spullen bij elkaar pakken en zich terugtrekken, en deze keer zouden ze geen lijk achterlaten.

De agenten waren blij met dat nieuws. Ze waren getraind om in het geheim te opereren, hun werk te doen en te verdwijnen zonder sporen achter te laten. Bologna was daar een veel geschiktere plaats voor dan de drukke straten van Washington.

Een uur later verliet Joel het Marriott en genoot hij van een lange wandeling door de koele lucht. Maar hij liep uitsluitend in drukke straten en verspilde geen tijd. Dit was niet Bologna. Deze stad was 's avonds heel anders. Als de forensen weg waren en er minder verkeer was, werd de stad gevaarlijk.

De receptionist van het Hay-Adams gaf de voorkeur aan een creditcard, iets van plastic, iets wat de boekhouding niet voor problemen stelde. Het gebeurde bijna nooit dat een cliënt per se cash wilde betalen, maar deze cliënt liet zich niet afschepen. De reservering was bevestigd, en met een gepaste glimlach overhandigde hij een sleutel en heette hij meneer Ferro welkom in hun hotel.

'Bagage, meneer?'

'Nee.'

En dat was het einde van hun korte gesprek.

Meneer Ferro liep met alleen een goedkope zwarte leren aktetas naar de liften.

35

De presidentiële suite van het Hay-Adams Hotel bevond zich op de achtste verdieping en had drie grote ramen die uitkeken op respectievelijk H Street, Lafayette Park en het Witte Huis. De suite had een royale slaapkamer, een goed ingerichte badkamer met veel koper en marmer en een zitkamer met stijlmeubelen, een enigszins verouderde televisie, telefoons, en een faxapparaat dat bijna nooit werd gebruikt. Hij kostte drieduizend dollar per nacht, maar ja, wat konden de manipulator zulke dingen schelen?

Toen Sandberg om negen uur aanklopte, hoefde hij maar een seconde te wachten voordat de deur werd opengerukt en hij met een joviaal 'Goedemorgen, Dan' werd begroet. Backman greep zijn rechterhand vast en zwengelde hem verwoed op en neer alvorens Sandberg zijn domein in te trekken.

'Fijn dat je kon komen,' zei hij. 'Wil je koffie?'

'Ja, graag, zwart.'

Sandberg liet zijn tas op een stoel vallen en zag Backman koffie inschenken uit een zilveren pot. Backman was veel slanker geworden, met korter haar dat bijna wit was en ingevallen wangen. Er was een zekere gelijkenis met Backman de verdachte, maar dan moest je wel goed kijken.

'Doe of je thuis bent,' zei Backman. 'Ik heb ontbijt besteld. Dat kan er elk moment zijn.'

Zorgvuldig zette hij twee koppen met schotels op de salontafel voor de bank, en toen zei hij: 'We gaan hier maar werken. Wil je een recorder gebruiken?'

'Als dat mag.'

'Graag zelfs. Dat neemt misverstanden weg.' Ze namen hun positie in. Sandberg legde een kleine recorder op de tafel en haalde toen zijn schrijfblok en pen tevoorschijn. Backman was een en al glimlach, zoals hij daar onderuitgezakt in zijn stoel zat, zijn benen achteloos over elkaar geslagen, met de zelfverzekerde houding van iemand die niet bang was voor welke vraag dan ook. Sandberg zag dat de hardere rubberen zolen van Backmans schoenen zelden gebruikt waren. Geen veeg of vlek of vuiltje op het zwarte leer. De advocaat was pas weer in elkaar gezet: marineblauw pak, spierwit overhemd, gouden manchetknopen, goudstaafje op de boord, een opzichtige rood-met-goudkleurige das.

'Nou, de eerste vraag is: waar bent u geweest?'

'Europa, rondgetrokken, rondgekeken.'

'Twee maanden lang?'

'Ja, dat is genoeg.'

'Een bepaalde plaats in het bijzonder?'

'Eigenlijk niet. Ik heb daar veel in treinen gezeten, een geweldige manier om te reizen. Je ziet zo veel.'

'Waarom bent u teruggekomen?'

'Hier hoor ik thuis. Waar zou ik anders heen gaan? Wat zou ik anders doen? Het lijkt misschien wel leuk om vakantie te vieren in Europa, en dat was het ook, maar je kunt er geen carrière van maken. Ik heb werk te doen.'

'Wat voor werk?'

'Het gebruikelijke werk. Overheidsbetrekkingen, consulting.'

'Dat betekent lobbyen, nietwaar?'

'Zeker, mijn firma zal daar een afdeling voor hebben. Dat wordt een belangrijk deel van onze activiteiten, maar zeker niet het middelpunt.'

'En welke firma is dat?'

'De nieuwe.'

'Helpt u me op weg, meneer Backman.'

'Ik open een nieuwe firma, de Backman Group, met kantoren hier in Washington, in New York en in San Francisco. We beginnen met zes vennoten, maar dat moeten er over een jaar of zo twintig zijn.'

'Wie zijn die mensen?'

'O, dat kan ik je niet zeggen. We zijn de details nog aan het uitwerken en onderhandelen er nog over. Zulke dingen liggen nogal gevoelig. We zijn van plan om op 1 mei van start te gaan. We maken daar een groot feest van.'

'Ongetwijfeld. Het wordt geen advocatenkantoor?'

'Nee, maar we zijn van plan er later een juridische afdeling aan toe te voegen.'

'Ik dacht dat u uw vergunning was kwijtgeraakt toen...'

'Ja, dat was ook zo. Maar na de gratieverlening mag ik het examen weer afleggen. Als ik zin krijg om tegen mensen te gaan procederen, duik ik weer even in de boeken en haal mijn vergunning. Maar niet in de nabije toekomst. Ik heb gewoon te veel andere dingen te doen.'

'Wat voor dingen?'

'Ik moet die firma van de grond zien te krijgen, kapitaal bijeenbrengen en vooral potentiële cliënten ontmoeten.'

'Kunt u me vertellen wie die cliënten zijn?'

'Natuurlijk niet, maar als je een paar weken wacht, kan ik je meer vertellen.'

De telefoon op het bureau ging, en Backman keek er geërgerd naar. 'Een ogenblik. Dat is een telefoontje waarop ik heb gewacht.' Hij liep erheen en nam op. Sandberg hoorde: 'Backman, ja, hallo, Bob. Ja, ik ben morgen in New York. Hoor eens, ik bel je over een uur terug, goed? Ik ben net met iets bezig.' Hij hing op en zei: 'Sorry.'

Het was Neal, die om precies kwart over negen belde, zoals ze hadden afgesproken. Hij zou het komende uur elke tien minuten bellen.

'Geeft niet,' zei Sandberg. 'Ik wil het even over uw gratie hebben. Hebt u de verhalen gezien over presidentiële gratieverleningen die gekocht zouden zijn?'

'Of ik die verhalen heb gezien? Ik heb een advocatenteam klaarstaan, Dan. Mijn jongens zijn hier heel druk mee bezig. Als de FBI de zaak voor een jury van onderzoek krijgt, als het ooit zover komt, wil ik de eerste getuige zijn. Dat heb ik ze al verteld. Ik heb absoluut niets te verbergen, en de suggestie dat ik voor gratie heb betaald, is laster.'

'Bent u van plan te gaan procederen?'

'Zeker weten. Mijn advocaten zijn al bezig een aanklacht wegens

319

laster in te dienen tegen de *New York Times* en die riooljournalist Heath Frick. De beuk erin. Het wordt een venijnig proces, en ze gaan me een heleboel geld betalen.'

'Weet u zeker dat ik dat mag afdrukken?'

'Allicht! En nu we het daar toch over hebben, ik wil jou en je krant prijzen voor de terughoudendheid die jullie tot nu toe aan den dag hebben gelegd. Dat is nogal ongewoon, maar toch bewonderenswaardig.'

Sandbergs verhaal over dat bezoek aan de presidentiële suite was al sensationeel genoeg geweest, maar zojuist was het op de voorpagina van de volgende morgen terechtgekomen.

'Voor de goede orde: u ontkent dat u voor die gratieverlening hebt betaald?'

'Ik ontken dat categorisch, uit alle macht. En ik procedeer tegen iedereen die zegt dat ik dat heb gedaan.'

'Waarom is u dan gratie verleend?'

Backman verplaatste zijn gewicht en wilde net aan een lang betoog beginnen toen de deurzoemer ging. 'Ah, het ontbijt,' zei hij en hij sprong overeind. Hij maakte de deur open en een ober in een wit jasje duwde een wagen naar binnen met daarop kaviaar en alles wat daarbij hoorde, roerei met truffels, en een fles Krug-champagne in een emmer ijs. Terwijl Backman de nota tekende, trok de ober de fles open.

'Eén glas of twee?' vroeg de ober.

'Een glas champagne, Dan?'

Sandberg keek onwillekeurig op zijn horloge. Het leek hem een beetje vroeg voor drank, maar ach, waarom niet? Hoe vaak zat hij in de presidentiële suite naar het Witte Huis te kijken onder het genot van bubbelwater dat driehonderd dollar per fles kostte? 'Ja, een klein beetje graag.'

De ober schonk twee glazen in, zette de Krug weer in het ijs en verliet de kamer op het moment dat de telefoon weer ging. Ditmaal was het Randall uit Boston, en hij zou nog een uur bij de telefoon moeten blijven zitten totdat Backman klaar was.

Backman gooide de hoorn op de haak en zei: 'Eet wat, Dan. Ik heb genoeg besteld voor ons beiden.'

'Nee, dank u. Ik heb al een broodje gehad.' Hij pakte het glas champagne en dronk eruit.

Backman doopte een toastje in een berg kaviaar van vijfhonderd

320

dollar en stopte hem in zijn mond, als een tiener met chips en dip-saus. Hij kauwde erop terwijl hij met zijn glas in zijn hand heen en weer liep.

'Mijn gratie?' zei hij. 'Ik heb president Morgan verzocht mijn zaak te herzien. Eerlijk gezegd geloofde ik niet dat het hem zou interesse-ren, maar hij is erg bekwaam.'

'Arthur Morgan?'

'Ja, erg onderschat als president, Dan. Hij had die verpletterende nederlaag niet verdiend. Hij zal gemist worden. Nou ja, hoe meer Morgan zich in de zaak verdiepte, des te meer zorgen ging hij zich maken. Hij keek door het rookgordijn van de regering heen. Hij doorzag de leugens. Hij was zelf strafpleiter geweest en wist hoeveel macht de FBI kan uitoefenen als ze een onschuldige in het gevang willen hebben.'

'Wilt u beweren dat u onschuldig was?'

'Zeker weten. Ik heb niets verkeerds gedaan.'

'Maar u hebt u schuldig verklaard.'

'Ik kon niet anders. Eerst stelden ze mij en Jacy Hubbard met onzinnige aanklachten in staat van beschuldiging. We wisten van geen wijken. "Kom maar op met dat proces," zeiden we. "Zet ons maar voor een jury." We maakten de FBI zo bang dat ze deden wat ze altijd doen. Ze gingen achter onze vrienden en familieleden aan. Die Gestapo-idioten stelden mijn zoon in staat van beschuldiging, Dan, een jongen die net was afgestudeerd en die niets van mijn dos-siers wist. Waarom heb je daar niet over geschreven?'

'Dat heb ik gedaan.'

'Hoe dan ook, ik kon niets anders doen dan de schuld op me nemen. Dat werd een erezaak voor mij. Ik verklaarde me schuldig, en in ruil daarvoor werden alle aanklachten tegen mijn zoon en mijn vennoten ingetrokken. President Morgan kwam daar achter. Daarom heb ik gratie gekregen. Ik verdiende gratie.'

Weer een toastje, weer een mond vol goud, weer een slurp Krug om het allemaal weg te spoelen. Hij liep heen en weer, het jasje nu uit, een man die zich van een zware last wilde ontdoen. Toen bleef hij plotseling staan en zei: 'Genoeg over vroeger, Dan. Nu over mor-gen. Kijk eens naar dat Witte Huis daar. Ben je daar ooit geweest voor een officieel diner, avondkleding, wachters in galatenue, lenige dames in prachtige avondjaponnen?'

'Nee.'

Backman stond voor het raam en keek naar het Witte Huis. 'Ik heb dat twee keer meegemaakt,' zei hij met enige weemoed. 'En ik kom terug. Geef me twee, misschien drie jaar de tijd, en op een dag sturen ze me per koerier een dikke uitnodiging, zwaar papier, letters in goudreliëf: "De president en first lady verzoeken om de eer van uw aanwezigheid..."'

Hij draaide zich om en keek Sandberg zelfvoldaan aan. 'Dat is macht, Dan. Daar leef ik voor.'

Goede kopij, maar niet precies datgene waar het Sandberg om begonnen was. Hij riep de manipulator naar de realiteit terug met een scherp: 'Wie heeft Jacy Hubbard vermoord?'

Backman liet zijn schouders zakken en liep naar de ijsemmer om weer in te schenken. 'Het was zelfmoord, Dan, zo simpel ligt het. Jacy was ongelooflijk vernederd. De FBI heeft hem kapotgemaakt. Hij kon het gewoon niet aan.'

'Nou, u bent de enige in de stad die gelooft dat het zelfmoord was.'

'En ik ben de enige die de waarheid kent. Druk dat maar af.'

'Dat zal ik doen.'

'Laten we het over wat anders hebben.'

'Eerlijk gezegd, meneer Backman, is uw verleden veel interessanter dan uw toekomst. Ik heb een vrij goede bron die me vertelt dat u gratie hebt gekregen omdat de CIA u vrij wilde hebben, dat Morgan bezweek onder de druk van Teddy Maynard, en dat ze u ergens hebben verstopt om te zien wie u als eerste te pakken zou krijgen.'

'Je hebt nieuwe bronnen nodig.'

'Dus u ontkent...'

'Ik ben hier!' Backman spreidde zijn armen opdat Sandberg alles kon zien. 'Ik leef! Als de CIA me dood wilde hebben, zou ik dood zijn.' Hij nam een slok champagne en zei: 'Ga een betere bron zoeken. Wil je eieren? Ze worden koud.'

'Nee, dank u.'

Backman schepte een grote portie roerei op een bordje en at terwijl hij door de kamer liep, van raam tot raam, nooit te ver van zijn uitzicht op het Witte Huis vandaan. 'Ze zijn goed, met truffels.'

'Nee, dank u. Hoe vaak neemt u dit als ontbijt?'

'Niet vaak genoeg.'

'Kende u Bob Critz?'

'Tuurlijk, iedereen kende Critz. Hij liep al net zolang mee als ik.'

'Waar was u toen hij stierf?'

'In San Francisco. Ik logeerde bij een vriend en zag het op het nieuws. Heel droevig. Wat heeft Critz met mij te maken?'
'Ik vroeg het alleen maar.'
'Wil dat zeggen dat je geen vragen meer hebt?'
Sandberg bladerde in zijn aantekeningen toen de telefoon weer ging. Deze keer was het Ollie, en Backman zou hem later terugbellen.
'Beneden zit een fotograaf,' zei Sandberg. 'Mijn hoofdredacteur wil graag wat foto's.'
'Natuurlijk.'
Joel trok zijn jasje aan, bekeek zijn das, haar en tanden in een spiegel en nam nog een schep kaviaar, en intussen kwam de fotograaf naar boven, die zijn apparatuur in gereedheid bracht. Hij werkte aan de belichting, terwijl Sandberg de recorder aan hield en nog een paar vragen stelde.
De beste opname – vond de fotograaf, maar Sandberg vond hem ook heel redelijk – was er een van Joel op de bourgogneleren sofa, met een portret op de muur achter hem. Hij poseerde ook voor een paar foto's bij het raam, met het Witte Huis in de verte.
De telefoon bleef gaan, totdat Joel hem uiteindelijk niet meer opnam. Het was de bedoeling dat Neal elke vijf minuten terugbelde als er niet werd opgenomen, en tien als dat wel gebeurde. Na twintig minuten van fotograferen werden ze allemaal gek van die telefoon.
De manipulator was een drukbezette man.
De fotograaf was klaar, pakte zijn spullen bij elkaar en ging weg. Sandberg bleef nog even hangen en liep toen naar de deur. Toen hij wegging, zei hij: 'Meneer Backman, dit wordt morgen een groot verhaal, geen twijfel mogelijk. Maar ik wil u toch nog even zeggen dat ik nog niet de helft geloof van de onzin die u me hebt verteld.'
'Welke helft?'
'U was zo schuldig als het maar kon. En Hubbard ook. Hij heeft geen zelfmoord gepleegd en u bent de gevangenis ingegaan om uw hachje te redden. Maynard zorgde dat u gratie kreeg. Arthur Morgan had geen flauw idee.'
'Goed. Die helft is niet belangrijk.'
'Wat dan wel?'
'De manipulator is terug. Zorg dat u dat op de voorpagina krijgt.'

Maureen was in een veel betere stemming. Nooit eerder was haar vrije dag duizend dollar waard geweest. Ze ging met meneer Backman naar een privé-salon aan de achterkant van het gebouw, ver van de kwetterende dames die aan de voorkant werden behandeld. Samen bestudeerden ze kleuren en nuances, en ten slotte waren ze het eens over een kleur die gemakkelijk in stand te houden was. Voor haar betekende 'instandhouden' de hoop op duizend dollar elke vijf weken.

Het kon Joel niet schelen. Hij zou haar nooit terugzien.

Ze veranderde het wit in grijs en voegde er genoeg bruin aan toe om hem vijf jaar jonger te laten lijken. Hij deed het niet uit ijdelheid.

Hij deed het niet om er jonger uit te zien. Hij wilde zich alleen maar schuilhouden.

36

Zijn laatste gasten in de hotelsuite brachten hem tot tranen. Neal, de zoon die hij nauwelijks kende, en Lisa, de schoondochter die hij nooit had ontmoet, en Carrie, de tweejarige kleindochter van wie hij alleen maar had gedroomd. Zij huilde ook, in het begin, maar kwam tot bedaren toen haar opa met haar rondliep en haar het Witte Huis aanwees. Hij liep met haar van raam naar raam, van kamer naar kamer, liet haar paardjerijden op zijn knieën en praatte een eind weg alsof hij ervaring met tien kleinkinderen had. Neal maakte ook foto's, maar dit waren foto's van een andere man. Weg was het flitsende pak; hij droeg een katoenen broek en een geruit button-downoverhemd. Weg was de brallende arrogantie; hij was een doodgewone opa met een mooi klein meisje.

De roomservice kwam een late lunch van soep en salades brengen. Het werd een rustige familiemaaltijd, Joels eerste in vele, vele jaren. Hij at met maar één hand, want met zijn andere hand hield hij Carrie op zijn knie in evenwicht. Hij liet haar voortdurend paardjerijden.

Hij waarschuwde hen voor het verhaal van de volgende dag in de *Post* en legde uit wat zijn motieven waren. Het was belangrijk dat hij in Washington werd gezien. Hij moest zo veel mogelijk opvallen. Dat zou hem wat tijd opleveren. Als er nog mensen op zoek naar hem waren, zouden ze op een dwaalspoor raken. Het nieuws zou inslaan als een bom en er zou nog dagen over gepraat worden, als hij allang weg was.

Lisa wilde weten in hoeveel gevaar hij verkeerde, en Joel moest bekennen dat hij dat niet wist. Hij zou een tijdje onderduiken, steeds naar een andere plaats gaan, op zijn hoede zijn. Hij had in de afgelopen twee maanden veel geleerd.

'Ik ben over een paar weken terug,' zei hij. 'En ik kom van tijd tot tijd langs. Hopelijk wordt het over een paar jaar wat veiliger.'

'Waar ga je nu heen?' vroeg Neal.

'Ik neem de trein naar Philadelphia en dan neem ik een vliegtuig naar Oakland. Ik wil mijn moeder opzoeken. Het zou leuk zijn als je haar een kaartje stuurt. Ik neem de tijd, en uiteindelijk kom ik ergens in Europa terecht.'

'Welk paspoort ga je gebruiken?'

'Niet die twee die ik gisteren heb gekregen.'

'Hoezo niet?'

'Ik wil niet dat de CIA kan volgen waar ik ben. Afgezien van noodgevallen zal ik die paspoorten niet gebruiken.'

'Hoe wil je dan reizen?'

'Ik heb nog een paspoort. Dat heeft iemand me geleend.'

Neal keek hem argwanend aan, alsof hij wist wat dat voor 'iemand' was. Maar het ontging Lisa, en de kleine Carrie moest op dat moment een plasje doen. Joel gaf haar vlug aan haar moeder.

Toen Lisa in de badkamer was om de luier te verschonen, dempte Joel zijn stem en zei: 'Drie dingen. Ten eerste, laat je huis, kantoor en auto's door een beveiligingsfirma doorzoeken. Je zult raar staan te kijken. Het kost ongeveer tienduizend dollar, en het moet echt gebeuren. Ten tweede wil ik dat je ergens in de buurt een geschikt tehuis zoekt voor mijn moeder, je oma. Ze zit nu daar in Oakland met niemand die naar haar omkijkt. Een goed tehuis kost drie- tot vierduizend dollar per maand.'

'Ik neem aan dat jij het geld hebt.'

'Ten derde, ja, ik heb het geld. Het staat op een rekening bij de Maryland Trust. Jij staat geregistreerd als een van de eigenaren. Neem 25.000 op voor de onkosten die je tot nu toe hebt gemaakt, en hou de rest bij de hand.'

'Zoveel heb ik niet nodig.'

'Nou, geef dan wat uit. Neem het ervan. Ga met je dochtertje naar Disney World.'

'Hoe houden we contact?'
'Voorlopig per e-mail, de Grinch-procedure. Ik ben al een hele hacker, weet je.'
'Hoe veilig ben je, pa?'
'Het ergste is achter de rug.'
Lisa kwam terug met Carrie, die weer wilde paardjerijden op opa's knie. Joel hield haar zo lang mogelijk bij zich.

Vader en zoon liepen samen het Union Station binnen, terwijl Lisa en Carrie in de auto bleven wachten. Al die drukte maakte Joel weer onrustig; oude gewoonten waren moeilijk te doorbreken. Hij had een weekendtas met al zijn bezittingen bij zich.

Hij kocht een kaartje naar Philadelphia, en toen ze langzaam naar de perrons liepen, zei Neal: 'Ik wil echt graag weten waar je heen gaat.'
Joel bleef staan en keek hem aan. 'Ik ga naar Bologna terug.'
'Je hebt daar iemand, hè?'
'Ja.'
'Van het vrouwelijke geslacht?'
'Ja zeker.'
'Het verbaast me niets.'
'Ik kan er niets aan doen, jongen. Dat is altijd mijn zwakke punt geweest.'
'Is ze Italiaanse?'
'Nou en of. Ze is heel bijzonder.'
'Ze waren allemaal bijzonder.'
'Deze heeft mijn leven gered.'
'Weet ze dat je terugkomt?'
'Ik denk van wel.'
'Wees voorzichtig, pa.'
'Ik zie je over een maand of zo.'
Ze omhelsden elkaar en namen afscheid.

Dankwoord

Ik ben van huis uit jurist en weet niets van satellieten of spionage. Ik ben nu banger voor hightech elektronische apparaatjes dan een jaar geleden. (Deze boeken worden nog geschreven op een dertien jaar oude tekstverwerker. Als hij hapert, en dat doet hij steeds vaker, hou ik letterlijk mijn adem in. Als hij er eindelijk mee ophoudt, doe ik dat waarschijnlijk ook.)

Het is allemaal verzonnen, mensen. Ik weet erg weinig van spionnen, elektronische surveillance, satelliettelefoons, smartphones, afluisterapparaten, microfoontjes en de mensen die zulke dingen gebruiken. Als iets in deze roman met de werkelijkheid overeenkomt, is het waarschijnlijk een vergissing.

Maar Bologna bestaat echt. Ik had de luxe dat ik een pijltje naar een wereldkaart kon gooien om een plaats te zoeken waar ik Backman zou verstoppen. Bijna elke plaats zou geschikt zijn. Maar ik ben gek op Italië en alles wat Italiaans is, en ik moet bekennen dat ik geen blinddoek voor had toen ik met dat pijltje gooide.

Mijn research (een te groot woord) leidde me naar Bologna, een heerlijke oude stad waar ik meteen dol op was. Mijn vriend Luca Patuelli leidde me rond. Hij kent alle koks in Bologna, wat geen gering wapenfeit is, en in de loop van ons saaie werk kwam ik vijf kilo aan.

Ik dank Luca, en zijn vrienden, en hun warme, magische stad. Ik dank ook Gene McDade, Mike Moody en Bert Colley.